L'AVENTURIÈRE DES CAUSES PERDUES
de Marie Potvin
Roman

MARIE POTVIN

L'aventurière
des causes perdues

Les Éditions Goélette

De la même auteure, chez Numerik:)livres :

- *Le retour de Manon Lachance*, roman, 2011
- *L'Aventurière des causes perdues*, roman, 2011
- *Suzie et l'Homme des bois*, roman, 2012
- *La Naufragée urbaine*, roman, 2012
- *Les héros, ça s'trompe jamais – saison 1*, roman, 2012
- *Les héros, ça s'trompe jamais – saison 2*, roman, 2013

De la même auteure, aux Éditions Goélette :

- *Il était trois fois… Manon, Suzie, Flavie*, roman, 2013
- *Les héros, ça s'trompe jamais - tome 1*, roman, 2013

Couverture : Sophie Binette et Katia Senay
Conception graphique : Bérénice Junca
Révision : Corinne De Vailly et Olivier Rolko
Correction : Élaine Parisien
Portrait de Marie Potvin : Patrick Lemay

© Les Éditions Goélette, Marie Potvin, 2013

www.editionsgoelette.com   www.facebook.com/EditionsGoelette
www.mariepotvin.com   www.facebook.com/MariePotvinAuteure
Twitter : @Marie_Potvin

Dépôt légal : 4e trimestre 2013
Bibliothèque et Archives nationales du Québec
Bibliothèque et Archives Canada

Les Éditions Goélette bénéficient du soutien financier de la SODEC
pour son programme d'aide à l'édition et à la promotion.

Nous remercions le gouvernement du Québec de l'aide financière
accordée par l'entremise du Programme de crédit d'impôt pour
l'édition de livres, administré par la SODEC.

 Patrimoine   Canadian
                     canadien   Heritage

Nous reconnaissons l'aide financière du gouvernement du Canada par l'entremise
du Fonds du livre du Canada pour nos activités d'édition.

 Membre de l'Association nationale des éditeurs de livres

Imprimé au Canada

ISBN : 978-2-89690-601-7

À ceux et celles qui aiment sans compter

Note de l'auteure

Évangéline Bellefontaine est un personnage légendaire. Gabriel, son fiancé, est emporté sur un bateau le jour de leur mariage, lors de la déportation des Acadiens vers le sud des États-Unis. Évangéline le cherche toute sa vie.

Entre les versions où Gabriel meurt dans ses bras, vieux et malade, ou a refait sa vie avec femme et enfants, la laissant inconsolable, ne nous importe ici que le thème. Le récit qui suit est totalement fictif, né de mes idées rocambolesques inspirées de cette histoire émouvante. J'ai d'ailleurs pris plusieurs libertés dans l'écriture de ce roman, notamment sur la géographie. Au lieu de choisir une province maritime comme on s'y attendrait, j'ai planté le décor à Havre-Saint-Pierre, une pittoresque municipalité de la Minganie. J'en conserve de précieux souvenirs, dont la mer, les maisons colorées et les drapeaux acadiens si fièrement affichés.

Cette nouvelle Évangéline suivra donc les traces de son homonyme si célèbre entre Montréal et la Côte-Nord.

J'ai surtout voulu lui faire honneur. Je me suis même permis de lui donner l'Amour.

Marie Potvin

CHAPITRE 1
Une lettre sur mon oreiller

Je me suis cachée dans la cabine de douche, rideau fermé, bouche cousue. Lorsqu'il a ouvert la portière étroite de la roulotte pour déposer ses victuailles, Simon Duval n'y a vu que du feu. Ce n'est qu'une fois qu'il a eu refermé derrière lui, que le moteur de son camion a été mis en marche, que j'ai pu respirer.

Mon cœur bat si vite que je dois m'asseoir. Je tire le rideau brusquement pour prendre une réelle bouffée d'air.

Je n'ai pas fait beaucoup de folies dans ma vie, celle-ci comptera donc pour toute cette sagesse avec laquelle j'ai façonné mon existence. Entrée par effraction, vol de clé et de nourriture, occupation illégale de lit. Je me vois déjà devant le juge.

«Non coupable pour cause d'aliénation mentale!» Et ce sera sûrement vrai.

Je suis ici pour Gabriel. On dira que je suis tombée sur la tête, je m'en fiche. Mon congé sans solde obtenu de l'école où je suis enseignante invoque des «raisons personnelles urgentes». Or, ce n'est pas au chevet de mère-grand qui se meurt que j'accours, mais bien au fin fond de mon histoire de cœur. C'est dans les méandres de ma peine, dans le désordre de mon désarroi. Sur le plan émotionnel, je suis une loque humaine en survie.

J'ai mal aux jambes d'être restée immobile aussi longtemps. Je sors de la douche pour évaluer mes options. J'ai encore quinze longues heures de route, autant m'installer confortablement.

Je dois enjamber les sacs et la glacière pour rejoindre le lit, tout au fond de l'habitacle. Je serre les lèvres en constatant que Simon possède le même sac noir et blanc que Gabriel. C'est stupide de me laisser abattre par un détail pareil, mais c'est plus fort que moi. Alors que je devrais craindre de me faire prendre ici, je ne remarque que les reliques de mon ancienne vie.

«Folle à bord», voilà ce que devrait dire l'autocollant sur ce véhicule. Mon histoire est pourtant simple. Je suis amoureuse d'un homme qui m'échappe. Il y a déjà des années que j'aurais dû mettre les choses au clair, crier, m'affirmer! Pourtant, il y a trois mois, je l'ai laissé partir sans me battre.

☆ ☆ ☆

Il était près de 22 h lorsque j'ai ouvert la porte de mon petit appartement de la rue Saint-Denis. Je suis entrée en longeant le couloir de bois franc. Au pied du mur, juste avant la cuisine, gisaient les valises.

– C'est pas vrai, ai-je murmuré pour moi-même.

Il n'y avait que deux sacs, cette fois. J'ai déposé ma veste et mes clés, j'ai replacé mes cheveux.

– Pas de valise à roulettes, ce coup-ci?

Gabriel était sur le divan, les pieds nus sur la table basse. Il s'est tourné vers moi.

– Ève!

Je me suis assise à côté de lui, sur le bout des fesses, comme si l'approcher était dangereux. Peut-être même que ça l'était, en fait. Puis, sûrement par faiblesse ou peut-être par simple caprice, même si j'étais fâchée, livide, je n'ai pas résisté; je me suis vautrée dans ses bras.

– Où et pour faire quoi?

Le bout de ses doigts a frôlé mon cou, passé sous mes cheveux dans un mouvement lent et délicat. La tendresse de ses gestes n'a malheureusement pas tempéré la teneur décevante de ses paroles.

– Havre-Saint-Pierre, pour plonger.

Devant la réponse que je ne voulais pas entendre, j'ai relevé la tête.

– Encore ? Y a pas de flaque d'eau à ton goût en Montérégie ?

Mon sarcasme – il le connaît trop bien –, voilà longtemps qu'il ne l'atteint plus. Il a toujours su y répondre avec bonhomie, désamorçant du coup ma colère. Ah ! s'il n'avait pas ce regard chaud toujours un peu voilé par une paupière souple comme s'il allait me retourner la réplique géniale de l'année…

– Je vais en profiter pour photographier des anémones et chasser de gros poissons.

– T'es pas sérieux, Gabriel Je ne pense pas que les gros poissons nagent jusqu'à Havre-Saint-Pierre, c'est bien trop loin.

Alors qu'il ignorait ma complainte, je me suis agenouillée sur le divan, les pieds croisés sous mes fesses, pour le regarder. C'était plus fort que moi. Je l'aime, cet aventurier.

Je le déteste aussi.

– T'as pris congé du bureau ?

Comme s'il voulait retarder sa réponse à ma question pourtant simple, Gabriel a tendu le bras vers sa bière qui pétillait sur la table basse.

– J'ai démissionné.

Démissionné. Aucune surprise là ! J'ai cru que j'allais l'étriper.

– Tu fais chier, Gab.

Je ne suis pas souvent grossière, mais là, j'étais au bout du rouleau. Lui aussi, manifestement, parce qu'il était las, ce qui n'est pas dans ses habitudes.

– Tu le sais que je m'ennuie à mourir.

J'étais au courant, oui. On ne pouvait pas s'attendre à ce que Gabriel Laurin se fixe à un endroit pour très longtemps. Je l'ai toujours su, d'aussi loin que je me souvienne. Malgré tout, j'avais mal. Un vent de panique me privait du peu de contrôle qui me restait de mes émotions. Mes foutus émois qui dictent ma vie !

Je m'étais promis de ne jamais, au grand jamais, pleurer devant lui. Pourtant, ce soir-là, j'avais la lèvre inférieure qui dansait. Je me suis pressé les tempes entre le pouce et l'index. Alors que la mer était dans sa tête, le fleuve était dans mes yeux.

– Viens ici. Oh ! Ève ! Je dois le faire. Ça n'a rien à voir avec toi.

Ma voix s'est éteinte avec ma peine, comme une faible flamme de chandelle qui arrive au bout de sa cire. En me regardant très attentivement, je suis certaine qu'on aurait pu voir un petit filet de fumée noire qui sent le brûlé. *Rien à voir avec moi.* Quelle affirmation glaciale !

– Combien de temps ?

Il a haussé les épaules, impénétrable, comme toujours.

– Et après ? ai-je insisté.

Gabriel a caressé mes cheveux, doucement, avec attention.

– Je ne sais pas.

– On ne va nulle part comme ça, Gab.

– Je ne te demande pas de gâcher ta vie pour moi. Quand je serai parti, ne m'attends pas.

– Donc, c'est la fin ?

Je ne lui ai posé aucune autre question.

Je le connais, je sais que ça ne sert à rien.

– Ma tante Évangéline, est-ce que tu vas épouser Gabriel ?

Ce n'était pas plus tard que la semaine dernière, chez mon frère. La porte s'est entrouverte et ma nièce s'est tue. Nous étions assises dans la salle de bains, moi sur le comptoir, elle sur la cuvette.

– Charlie, as-tu brossé tes dents ?

Stéphanie, ma belle-sœur, s'est pointée avec ses ordres parentaux.

– Maman, tu crois qu'Évangéline devrait épouser Gabriel?

La femme de mon frère m'a lancé un regard blasé. Elle et Pierre discutent souvent de mes déboires. Comme si j'étais la sauce qui liait leur couple, qui donnait un peu de saveur à leur conversation. *Parlons de l'éternelle amoureuse qui perd son temps avec un vaurien! Félicitons-nous de ne pas être aussi instables qu'Évangéline et Gabriel!*

Évidemment, c'était avant notre rupture.

– Si elle le veut...

– Mais t'as dit l'autre jour que c'était un trou de c...

Qu'est-ce qu'elle a dit?

– Charlie! a grincé Stéphanie entre ses dents, coupant la parole à sa fille.

– Mais, c'est toi qui as dit que...

Les joues et le cou couverts de plaques rouges, Stéphanie a forcé la brosse à dents dans la bouche de sa progéniture. Elle a agité sa main dans un mouvement de va-et-vient habile et efficace. La mousse débordait des lèvres de la petite. J'ai froncé les sourcils.

– J'ai jamais dit ça, Évangéline, s'est défendue Stéphanie sans cesser son manège. Elle dit n'importe quoi!

– He he hi ha himphore hoi!

– Quoi?

La petite a poussé la brosse à dents hors de sa bouche.

– Je ne dis pas n'importe quoi!

Les larmes embuaient ses yeux presque noirs. Ma nièce est déjà belle comme sa mère, mais c'est à moi qu'elle ressemble.

– Tu dis toujours que je dis n'importe quoi, maman! T'es pas gentille! Dis-lui à Évangéline que tu l'aimes pas, Gabriel! Tu l'as dit à papa hier soir, je t'ai entendue!

J'ai bien vu que Stéphanie était acculée au pied du mur. J'ai toujours détesté les malaises. J'ai donc refermé mon pot de crème avant de retirer le bandeau qui retenait mes cheveux.

– J'irai te border dès que ta mère t'aura dit bonne nuit, ai-je murmuré à ma nièce en m'éloignant du miroir.

Avant de m'endormir, je n'avais cessé de penser à cette conversation pourtant anodine entre ma belle-sœur et sa fille. Stéphanie pouvait avoir raison, Gabriel est peut-être un vaurien. Je prie le saint ciel que ce ne soit pas le cas.

À mon réveil, il y avait une note sur l'oreiller de Gabriel. On se serait cru dans une production hollywoodienne, mis à part le fait que mon maquillage du matin n'était certainement pas aussi frais que celui de Jennifer Aniston au saut du lit. La lumière du matin plombait sur un papier blanc replié sur lui-même. Sur le devant, une écriture masculine, des lettres anguleuses et inégales, probablement écrites rapidement.

Évangéline

Il aurait pu faire une photocopie de la note précédente et me la refiler de nouveau. C'était d'un cliché inavouable. Moi, seule entre les draps, tenant entre mes doigts un papier que je venais de chiffonner. J'ai ravalé ma salive avec peine, tentant de ne pas m'appesantir sur toutes ces années perdues. À force de croire qu'il était l'amour de ma vie, c'était comme si j'avais vendu mon âme au diable.

Je n'ai connu aucun autre homme que Gabriel, il a toujours été en orbite autour de moi, d'aussi loin que je puisse me souvenir. Adolescent, il venait souvent à la maison, puisqu'il fréquentait Pierre, mon frère aîné. Ils étaient inséparables.

Gabriel entrait et sortait de notre demeure comme s'il s'agissait d'un moulin. Ses parents étaient souvent absents. Je crois même que son père a passé quelque temps derrière les barreaux, mais ça, c'était un sujet tabou. Bref, Gab était chez nous comme chez lui. Une entente tacite semblait s'être établie entre ses parents et les miens. Ma mère, surtout, l'adorait.

Si, dans les sept dernières années, Gabriel a passé l'équivalent de quelques mois à Montréal, c'est beaucoup dire. Je l'ai toujours accepté tel qu'il était, mais il est venu un point où je n'en pouvais plus.

Mon cœur avait mal. Même s'il me disait qu'il m'aimait sur un bout de papier, le vide était de nouveau devant moi. Le mystère de Gabriel Laurin finira par me tuer.

CHAPITRE 2
Des idées maudites

Je préfère ne pas y penser, mais j'ai toujours su pourquoi Stéphanie et Pierre ont une opinion mitigée au sujet de Gabriel. Mon frère le connaît depuis l'enfance et, au départ, même si les choses ont grandement évolué avec les années, il n'était pas particulièrement ami-ami avec Gab.

Au fond, je peux le comprendre. Gabriel était un enfant terrible. Malgré son visage d'ange avec ses bouclettes châtaines, un coup pendable n'attendait pas l'autre. Disons que des araignées dans votre sandwich ou une grenouille dans votre soulier, ça ne donne pas le goût d'échanger une poignée de main secrète. J'en conviens. Malgré tout, et je ne saurais dire à quel moment, Pierre a fini par se lier d'amitié avec Gab. Comme moi, je pense que mon frère a souffert de cet attachement.

Gabriel a toujours été volage. Il prend le large à la première occasion. Il n'a jamais su rester en place. Il avait besoin d'exploser, de souffrir, de crier. Je serrais les dents et je grinçais en dedans. Mais qu'est donc l'amour, si ce n'est le désir du bonheur pour l'autre? Je me suis donc oubliée pour le laisser vivre ses expériences.

Je me suis longtemps demandé pourquoi il s'était intéressé à moi au départ. Gabriel ressemblait à une star, c'est-à-dire au genre de beau jeune homme des rêves d'adolescentes innocentes. Exactement comme celle que j'étais, et que je suis encore lorsque j'oublie d'activer les quelques degrés de maturité que j'ai cultivés au cours des dernières années.

C'est à mon vingtième anniversaire que Gabriel a mis sa belle main sur ma personne. J'étais particulièrement jolie ce jour-là. Mon teint était basané par un juillet passé dans un camp de vacances, où j'étais connue sous le sobriquet de Boule de gomme. J'avais flirté avec Puceron, un autre moniteur de mon âge, mignon et gentil. Nous étions censés nous revoir à Montréal, justement le jour de mon anniversaire, et je m'étais mise en frais pour lui. C'était sans compter sur l'apparition de Gabriel. Puceron n'avait plus aucune chance.

– Elle est où, la princesse? avait-il crié en entrant dans la maison sans sonner.

Plus grand que nature, plus âgé que mes copains et copines, sa prestance d'homme était bouleversante. J'avais lâché la main timide de Puceron et m'étais avancée vers la voix familière.

– Ici…

Il avait une petite boîte en main, ornée d'une boucle blanche. Il revenait d'un voyage au Brésil, il était encore plus bronzé que moi et ses yeux bleus étaient troublants.

– Viens ici, Évangéline Labelle-Fontaine.

Les deux mains plaquées sur ma bouche et mon nez, je me souviens avoir oublié de respirer pendant plusieurs secondes tellement j'étais heureuse de le voir.

Je n'avais eu aucun égard pour la petite boîte. Je m'étais approchée et, comme si c'était naturel, mes bras s'étaient enroulés autour de sa taille, ma tête frisée sur sa poitrine, son odeur envahissant chaque parcelle de mon être. Ça sonne mélo-Harlequin dit comme ça, mais c'était vraiment ça: chaque parcelle de mon être, et j'insiste, *chaque parcelle de tout mon être*. Bref, il m'avait gardée dans ses bras et j'avais senti ses lèvres sur mon front.

– Tu veux voir ton cadeau?

Sa voix était changée et, pour la première fois de ma vie, j'ai vraiment compris l'effet que ça faisait d'être une femme. M'éloignant à regret, j'ai pris le petit présent en tirant sur la boucle. C'était une épinglette en forme de papillon. Entièrement façonné d'argent et de zircon, le bijou scintillait dans ma main.

– Je sais que tu aimes les papillons alors quand je l'ai vue, j'ai tout de suite pensé à toi.

Mes amis s'étaient approchés pour jeter un coup d'œil. Les yeux des filles, Michelle, Maya et Sonia, passaient systématiquement de Gabriel au bijou gisant dans ma main fébrile. Les gars avaient jeté un bref coup d'œil désintéressé à l'objet, beaucoup plus fascinés par le nouvel arrivant. Puceron ne s'était pas levé, préférant bouder dans son coin. Quelques minutes plus tard, il partait en claquant la porte.

– Ève, tu l'aimes? avait demandé Gabriel, cherchant mon regard.

Dans la candeur de mes vingt ans, la seule chose qui sortit de ma bouche fut les mots les plus importants de ma vie.

– Je t'aime, Gabriel.

Mon souvenir est vague, car j'étais distraite par autre chose, mais je crois que c'est à cet instant que la porte a claqué derrière Puceron.

– Je t'aime aussi, Boule de gomme.

Je le connaissais depuis toute ma vie; il m'avait vue grandir et m'avait protégée autant qu'il avait pu, lui-même traversant le passage ingrat de l'enfance à la vie adulte. Il était finalement parti au Brésil deux mois auparavant, laissant derrière lui un grand vide. Le même vide qu'il m'aura laissé tant de fois depuis les sept dernières années.

Cachée telle une voleuse dans la roulotte, je file vers l'Est, direction Havre-Saint-Pierre. Je me retourne sur le lit d'appoint.

Mes souvenirs sont vifs, ils défilent dans ma mémoire au rythme du paysage que je perçois par la petite fenêtre.

Toujours aussi élégante même sans faire d'efforts, ses cheveux lisses, presque noirs, encadrant son visage anguleux sur lequel sa diète disciplinée ne permettra jamais qu'un double menton s'installe, Stéphanie est entrée dans le salon. Je me suis terrée sur son divan, les jambes sur l'énorme pouf de velours blanc.

Leur salle de séjour est d'allure très moderne et trop chic à mon goût. Qui, avec toute sa tête, achète des divans blancs lorsqu'une fillette de six ans rôde dans les parages? Pierre et Stéphanie, évidemment. Ils font très «famille à enfant unique». «Charlie ne supporterait pas de partager avec un autre enfant», m'a dit un jour Stéphanie. J'essaie toujours de comprendre ce qui fait de ma nièce une reine. *Ah oui!* sa mère. Et la mère de sa mère avant elle. C'est un héritage maternel depuis les premières générations de bourgeois, dès leur arrivée en Amérique. OK, j'extrapole, mais je suis certaine de ne pas être très loin de la réalité.

J'ai dit que je n'aime pas Stéphanie? Non, je n'ai jamais dit ça. J'aime Stéphanie, au contraire. Seulement, parfois, elle me dépossède de mon trésor de patience.

Ma belle-sœur est dotée d'excellentes qualités. Elle est une épouse fidèle et dévouée à mon frère depuis huit ans. Elle fabrique son zèle dès qu'elle ouvre l'œil au petit matin et le maintient toute la journée. Aussi, il va sans dire que Stéphanie entretient sa manucure française à longueur d'année. J'aurais, moi aussi, de belles mains effilées si j'en prenais soin, elle me l'a souvent dit.

– Évangéline, comment peux-tu avoir à la fois un prénom aussi féminin et romantique et t'entretenir comme un garçon manqué?

– Je n'ai pas choisi mon prénom, mais je choisis mon allure. Je laisse la nature faire son œuvre.

J'ai frotté mon chemisier du bout des doigts, puis, de ces mêmes doigts, j'ai entortillé une mèche de mes cheveux sombres pour lui faire une moue d'actrice.

– Pourquoi? Tu ne me trouves pas *cute*?

Stéphanie m'a détaillée de nouveau. Je dis «de nouveau» parce que Stéphanie me reluque toujours dès mon arrivée, et ce, de la tête aux pieds. Elle avait remarqué ma repousse sous mes mèches rouges qu'elle déteste tant et elle avait vu que je n'avais pas pris la peine de sécher mes cheveux. Elle avait aussi sûrement remarqué que je portais encore la même blouse que le samedi précédent et elle avait certainement deviné que c'était ma préférée. Stéphanie avait aussi vu que je n'avais pas encore perdu les quatre kilos qui me collent aux fesses depuis plus d'un an déjà. Je savais qu'elle brûlait d'envie de jeter mes bottines lacées à bout arrondi à la poubelle.

Elle s'est assise à mes côtés, lançant par-delà la table à café, du bout des orteils, ses souliers pointus.

– On devrait aller magasiner, a-t-elle annoncé.

Ma protestation a été immédiate.

– Je n'ai pas besoin d'aller magasiner. J'ai de nouvelles bottes.

– Les bottes blanches que je t'ai données l'an dernier? Tu ne feras pas l'hiver avec ça! C'est pas suffisant, a-t-elle ajouté en essuyant de la poussière imaginaire sur son pantalon. T'as besoin d'une nouvelle garde-robe COMPLÈTE.

Devant la clarté de son opinion défavorable concernant mon *look*, je n'ai pu que sourire.

– Ç'a l'avantage d'être clair.

En réalité, je me fichais de ce que Stéphanie pensait de mon allure. Je voulais surtout savoir pourquoi la petite Charlie avait fait une scène la veille dans les toilettes. Je lui ai secoué doucement la main.

– Alors, qu'est-ce que t'as dit de méchant à propos de Gabriel devant ta fille?

– Ah! nous y voilà.

– Je veux savoir. C'était quoi, tes médisances?

Elle s'est retournée vers moi. J'ai bien vu qu'elle prenait la peine de regarder si une quelconque saleté avait imprégné la plante de ses pieds avant de les poser sur le tissu coquille d'œuf. Une fois satisfaite de la propreté de ses orteils, elle s'est laissée choir sur le bras duveteux du divan.

– Je jasais avec Pierre. Tout ce qu'on veut, c'est ton bien, Évangéline.

Je me suis placée de la même façon. L'imitant, je me suis vautrée contre l'autre bras du sofa. J'ai examiné la plante de mes pieds comme si je m'en souciais vraiment, ce qui n'était pas le cas, de toute évidence.

– C'est vraiment gossant, un divan blanc, Steph.

– Pierre pense que Gabriel est la huitième merveille du monde. Il l'a toujours envié, même s'il ne l'avouera jamais. Il en était à dire que ton cher amour s'assagira avec les années. Je l'ai contredit, évidemment, m'a-t-elle expliqué, ignorant ma grogne à l'encontre de son sofa.

– Depuis quand est-ce qu'il croit une chose pareille? Ça fait des années qu'il dit que Gab est un vaurien.

– Depuis que Gabriel fait de l'argent comme de l'eau.

– Ah! Pierre a toujours aimé l'argent, c'est pas nouveau.

Ce disant, j'ai soupiré longuement.

– Tout le monde aime l'argent, et le monde aime le monde qui a de l'argent, a affirmé Stéphanie.

Étendue sur le lit de la roulotte de Simon, je revois le visage de Stéphanie lorsqu'elle essayait de me convaincre que Gabriel est instable.

J'étais pensive. C'était vrai qu'il se renflouait à ce moment-là. Des hauts, des bas. Il montait alors la pente. Je ne me suis jamais vraiment posé de questions; puisque nous ne cohabitions pas, ses affaires étaient ses affaires.

– Mais Gabriel Laurin avec de l'argent, ça devient Gabriel *Laterreur*, ai-je dit en souriant tristement.

– Tu serais mieux avec quelqu'un de plus…, de plus…

J'ai levé les sourcils en attendant la suite. J'allais enfin connaître le fond de sa pensée, même si je m'en doutais déjà.

– De plus quoi? lui ai-je demandé, articulant chacune de mes syllabes avec soin.

– De plus sage et stable. Avec lui, tu ne sais jamais quelle espèce d'idée de fou il aura. C'était quoi, la dernière?

Ah! nous y voilà encore. Stéphanie aime radoter ce genre de truc en se tapant sur les cuisses.

– Il a voulu inventer un pèse-personne qui donne des décharges électriques lorsque le poids augmente.

Stéphanie et moi nous sommes caché le nez en même temps pour rire.

– Bon, tu vois ce que je veux dire, je n'ai pas besoin d'extrapoler!

– Y a rien de mal à rêver, Steph.

– Évangéline, c'est n'importe quoi! Laisse-moi te présenter le patron de Pierre. Il est nouvellement célibataire et…

– Stéphanie Belhumeur, arrête tout de suite! Je suis encore avec Gab.

– Jusqu'à ce qu'il lève les voiles. Tu vas le suivre au bout du monde? Où a-t-il essayé de vendre son invention, déjà?

– Il ne s'en va pas au bout du monde.

– Dès qu'il aura trouvé une nouvelle façon de gagner de l'argent, il partira là où ça sent la monnaie. C'était où, la dernière fois, pour le pèse-personne? Et pour quelle durée?

– Japon, six mois.

– Et on ne saura jamais si le pèse-personne avait quelque chose à y voir, a-t-elle indiqué. Moi, je trouve tout ça bien inquiétant.

Ses doigts se sont glissés sur les miens. J'ai lissé son index d'acrylique du revers de ma main en fermant les yeux très fort.

Je savais que Stéphanie avait raison et ça me fendait le cœur.

★ ★ ★

Une fois Gabriel hors de ma vie, cette dernière devait continuer. J'avais vingt-sept ans, un métier, un appartement confortable et le cœur en miettes. Ont passé les lundis, les mardis, les mercredis, et, le douzième jeudi suivant son départ, je me suis vue traînée à une soirée dans un bar qui ne m'enchantait pas.

Géraldine m'a forcée à l'accompagner.

– Simon sera là. J'ai besoin de soutien moral, a-t-elle insisté.

– Tu le vois toutes les semaines ici, ai-je répondu, blasée.

– Ici, c'est pas pareil. Toutes les bonnes femmes nous regardent.

Simon Duval, professeur d'éducation physique à temps partiel – il est sorti d'une boîte de Cracker Jack, un beau jour de mai – et aussi propriétaire d'une salle de gym. La prise de l'année pour Géraldine, la nouvelle remplaçante qui s'est faufilée en deuxième année grâce à un congé de maternité. Ils sont apparus dans le décor la même journée; Géraldine a pris la chose comme un signe du destin. Elle me chantait toujours que le grand Simon avait des pectoraux ainsi qu'une énorme virilité. Leur relation s'est terminée aussi rapidement qu'elle a commencé lorsque Simon l'a quittée pour Luce Sanschagrin, professeure de cinquième. Géraldine espère toujours que Simon verra la lumière et qu'il reviendra vers elle.

Entre dans la lumière, Simon… Mon amie cessera peut-être de me casser les oreilles à ton sujet.

– OK, mais je pars dès que je m'emmerde, l'ai-je menacée, l'index pointé vers elle.

Elle a haussé très haut les sourcils, ses paupières battant comme les ailes de magnifiques papillons qui prennent leur envol.

– Reste plus de cinq minutes au moins, s'il te plaît, m'a-t-elle suppliée la bouche en cœur.

Arf! Géraldine est tellement manipulatrice, je suis une pâte molle quand il s'agit de lui tenir tête.

– Il faut que je nourrisse mes chats.

– T'as même pas de chats!

– J'ai trois chats, ai-je protesté.

– Depuis quand? Et ils s'appellent comment?

Oh! l'incrédule!

– Chat 1, Chat 2, Chat 3.

– Des chats errants? Ne me dis pas que tu nourris des chats de gouttière, Ève.

– Oui! Et comme je me donne la peine de me lever la nuit pour leur donner du lait, ça en fait mes chats. J'ai des chats. Je suis la femme aux chats. Célibataire. Je vieillirai seule, avec eux.

– Qu'est-ce que tu racontes? Tu vas finir mariée avec plein d'enfants, m'a-t-elle prédit. Un bel homme te réclamera avant que tu ne voies pousser ta première verrue.

– Souviens-toi de la chanson *Évangéline* et retire tes paroles. Ta prophétie est nulle, Géraldine. Je suis vouée à finir mes jours dans un couvent, à prier le petit Jésus. Gabriel sera mort avant de devenir celui que je voudrais qu'il soit.

Géraldine a plaqué ses paumes sur mes joues, les écrasant dans un mouvement circulaire très familier. C'est ce qu'elle me fait toujours quand elle me donne des ordres.

– Je passe te prendre à 17 h, a-t-elle dit avant de disparaître dans la cohue du couloir.

J'ai versé mon café froid dans l'évier pour la suivre au sein de la marée d'enfants turbulents.

Géraldine a glissé son bras sous le mien. Son Simon était là, bouteille brune à la main. Du coup, j'ai trouvé sa façon de tenir sa boisson bien *sexy*. Je devais être en manque d'affection. Rapidement et juste à temps, je me suis concentrée sur autre chose.

Il y avait des tables rondes et hautes, entourées de tabourets en bois.

– Viens, ai-je dit à Géraldine, hissons-nous ici.

Je sentais toujours ses ongles sur mon bras; elle refusait de desserrer son étreinte.

– Tu peux me lâcher, Gé, je ne m'enfuirai pas.

Mon amie a mis de côté ses préoccupations l'espace d'un instant. Ses yeux bleus ont fondu sur mon désarroi.

– Il te faut un nouvel amant.

J'ai vivement secoué la tête.

– Non. Il me faut Gabriel.

Devant mon entêtement, elle a pris son air de savante.

– Il existe d'autres hommes que ton foutu Gabriel.

J'ai grimacé, l'air était lourd, mon cœur était de nouveau au supplice. Je n'avais qu'une envie : m'en aller de là et rentrer chez moi, dans le confort de mon petit salon sombre devant un film de filles. Géraldine, se moquant de mon état d'âme, a montré un coin de la salle.

– Regarde là-bas, le gars avec la chemise grise. Il est pas mal, non ?

L'homme qu'elle m'a mis en point de mire devait mesurer un mètre quatre-vingt-dix et peser quatre-vingt-douze kilos. Il avait le dos en V, la mâchoire carrée, les fesses musclées. Il était habillé comme une carte de mode.

– Oh ! mais je le connais, ce gars-là !

Géraldine m'a dévisagée avec surprise, puis espoir.

– Ah oui ? Qui est-ce ?

– C'est le colosse sur la couverture du dernier Harlequin de ma mère ! Il est *hot* ! Riche, viril, passionné Je crois qu'il est propriétaire d'une raffinerie de pétrole au Texas

– T'es pas drôle !

Sur ce, elle a fait mine de me frapper du revers de la main.

– C'est toi qui n'es pas drôle, d'essayer de m'envoyer me planter devant un mannequin pour Old Spice.

– Tu ne peux pas attendre Gabriel toute ta vie !

– Ça fait juste quelques semaines, à peine.

– Trois mois que tu te morfonds !

Nous en étions à lever le ton lorsque Simon est apparu dans le décor. Il emplissait l'espace avec son t-shirt noir sur ses épaules de Viking moderne. Décidément, la petite Géraldine avait un faible pour les géants. Il n'a pas dit un mot ; il n'a eu qu'à déposer sa bière sur la table voisine pour que plusieurs têtes féminines se retournent. Lui fixait notre petit duo, avançant vers nous sans un brin d'hésitation.

– Attention, sur ta droite, ai-je averti Géraldine.

– Quoi, sur ma droite ?

J'ai soupiré, tentant de le pointer du regard. Mais j'ai bien mal réussi, Simon avait les yeux braqués sur moi. J'ai bougé les lèvres discrètement pour répondre à Géraldine.

– Il arriiiive, ai-je soufflé d'impatience entre mes dents.

D'un coup de genou sous la table, j'ai fini par lui faire comprendre mon message.

– Salut…

Voilà mon signal, je pouvais m'en aller. Je me suis laissée glisser de mon banc, mais les griffes de Géraldine ont atterri sur ma taille. Son air affolé a achevé de me rasseoir.

– Comment va Luce ?

C'est moi qui ai dit ça d'une voix très haute. C'est sorti tout seul. *Coup bas.*

– Il faudrait le lui demander, on n'est plus ensemble.

Sûrement en résultat à ce nouvel état de choses, la poigne de Géraldine m'a attirée vers le plancher. Dès que j'ai senti la semelle de mes bottes blanches toucher le sol, j'ai saisi mon sac pour filer vers la porte. J'ai laissé Géraldine à sa folie pour courir vers la bouche de métro et me vautrer dans la mienne.

En arrivant chez moi, Chat 1 et Chat 3 m'attendaient sur le pas de la porte. C'est triste à avouer, mais comme c'était agréable d'être attendue! Même si c'était par des bestioles presque sauvages, friandes de mes bonnes grâces.

– Ça va, Minous? *Maman* revient avec votre boîte de thon.

Oui, du vrai thon, le même que celui que je mets dans ma salade. Celui dans l'huile d'olive. Il paraît que ça donne du poil luisant. À 1,79 $ la conserve. Ils en engouffrent cinq par jour! Je sais, je suis folle.

Je ne pouvais pas me résoudre à leur acheter de la simple nourriture pour chats. Acheter du Cat Chow aurait impliqué un engagement officiel, je n'étais pas prête à ça.

Je n'étais pas si différente de Gabriel, après tout.

Il n'a jamais voulu m'acheter de Cat Chow, il m'a toujours donné mieux que du Cat Chow. Il a toujours été… Oh mon Dieu! Je ne veux même pas me le remémorer.

Il devait être environ 22 h lorsque j'ai attrapé Géraldine sur Skype. Nos conversations sont toujours assez succinctes.

«Salut», ai-je tapé, ajoutant un soleil souriant.

Elle m'a répondu par une tête jaune armée de verres fumés. Ah! elle devait être de bonne humeur! Simon aurait-il été «gentil» avec elle?

«Et puis? Où est Simon?»

«Chez lui.»

«Il m'a demandé d'arrêter de le fixer des yeux à l'école.»

Là, je me suis insurgée!

« Le salaud ! »

« Il y a pire. »

« Comment est-ce que ça peut être pire ? »

Oh là ! Je tapais vite sur mon clavier, le bout de mes doigts frôlait à peine les touches.

« Il m'a demandé pourquoi tu étais partie. Il voulait te parler », a-t-elle écrit.

J'ai reculé dans ma chaise de cuir.

« Il t'a dit pourquoi ? »

« Il ne voulait pas me le dire, » m'a-t-elle répondu.

Je lui ai envoyé un :-S.

Elle m'a mis un bonhomme jaune qui pleure.

Je lui ai répondu par un cœur brisé en ajoutant :

« Je ne toucherai jamais à ton Simon, mon amie. »

« Je sais. Je vais me coucher. »

J'ai reçu un cœur.

J'ai soupiré, étirant mon cou vers la gauche, puis la droite, ankylosée. C'est là que j'ai soudainement eu un éclair d'espoir, une poussée d'adrénaline que j'ai sentie jusqu'au bout des doigts. Le genre d'énergie soudaine qui vous propulse hors de votre chaise. Simon connaissait bien Gabriel, ils avaient fait de la plongée ensemble encore ce printemps. Simon le sportif, prêt à tout essayer au moins une fois dans sa vie, avait approché Gab lors d'une fête de fin d'année. Il avait dû voir mes photos de lui en *wetsuit* et, naturellement, ç'avait ouvert la conversation. Alors, je me suis demandé s'il voulait me parler de Gabriel ou s'approcher de moi.

Je me suis tapé la joue. Bonjour l'ego ! Voyons, Évangéline, tous les hommes ne sont pas à tes trousses.

Toujours est-il que Simon connaissait Gabriel.

Aurait-il eu de ses nouvelles ?

Mon cœur s'est emballé.

Après trois mois de silence, c'était ma première parcelle d'espoir. Je devais contacter Simon le plus rapidement possible.

Plusieurs tours de grande aiguille plus tard, j'avais Géraldine à ma table de cuisine qui chipotait dans son assiette. Soit elle était en chicane avec mes patates pilées, soit elle avait perdu l'appétit.

– On pourrait carrément aller le voir dans son club de gym, a-t-elle proposé, sans me regarder.

J'étais exaspérée par le désespoir hors de proportion de Géraldine. Avais-je l'air de ça lorsque je parlais de Gabriel ? Étais-je prête à m'humilier de cette façon, à sauter sur n'importe quelle occasion pour entrevoir sa silhouette, le profil de son visage, sentir son parfum ? Je me suis revue à genoux devant lui alors qu'il m'annonçait qu'il partait chasser d'horribles poissons dans des eaux si froides que même les phoques cendrés ont besoin d'un manteau. J'étais pathétique, moi aussi. Ma seule consolation se trouvait devant moi, sous le masque d'un mignon visage encadré de mèches blondes.

– Simon Duval n'est certainement pas dans son club de gym un vendredi soir, Gégé. Laisse tomber ! C'est pas bon pour toi de chercher à le voir. Je n'aurais pas dû t'en reparler.

Géraldine est jolie. À tel point qu'on ne voit plus son menton un peu long et son nez au bout légèrement tordu vers sa lèvre supérieure. Elle a un regard plein d'amour et de bonnes intentions.

J'ai rempli nos verres, puis j'ai déposé la bouteille vide bruyamment sur la table.

– Je ne crois pas qu'il fréquente encore Gabriel. Alors pourquoi voudrait-il me parler, à moi ?

Elle a opposé un sourire triste à ma supposition.

– Il a peut-être des vues sur toi.

J'ai dévisagé mon amie.

– Il ne ferait pas ça.

Je ne sais pas si ce sont les effets de l'alcool, mais son regard a soudainement changé. On aurait dit qu'un éclair était passé entre ses deux oreilles. Elle a frappé la table si fort de la paume de sa main que j'ai sursauté.

– Ah! tu m'as fait peur! Quoi?

– Il faut que tu ailles voir Gabriel. Il faut que tu fermes la boucle une fois pour toutes. T'as jamais su comment il vit lors de ses escapades. Il est temps d'y remédier!

Ma respiration est devenue saccadée. *Aller... voir... Gabriel...* Mon sang n'a fait qu'un tour, comme si on venait de m'injecter une dose de dopamine. Y songer seulement était de la pure folie. La vie, ce n'est pas du cinéma. On ne peut pas tout bonnement suivre quelqu'un à l'autre bout de la province juste pour se rincer l'œil. Surtout que Gabriel m'a quittée en bonne et due forme. Cela ferait de moi une ex hystérique qui le pourchasse partout, non?

– C'est pas une escapade cette fois-ci. Il m'a laissée pour de vrai, Géraldine.

La voix de Gégé s'est faite plus forte, comme lorsqu'elle était tout à fait convaincue de son discours. Même si je ne la connais pas depuis longtemps, elle en sait trop sur les peines d'amour. Pauvre Géraldine! Avoir à écouter sans relâche mes fabuleuses histoires déprimantes.

– Mais tu ne t'es pas libérée de lui. Parfois, il faut aller jusqu'au bout de notre folie. Y a pas d'autre solution.

Le fond de mon verre est passé cul sec dans ma gorge. J'étais déjà engourdie, je ne sentais plus la brûlure de l'alcool sur ma langue.

– Tu n'y penses pas! C'est loin, Havre-Saint-Pierre. C'est là où le Québec cesse d'exister. Et puis, je n'ai pas de voiture.

– Loues-en une.

– Mmmm! J'ai peur de conduire sur les chemins de campagne. À moins que...

Elle a eu un mouvement de recul.

– Je n'ai même pas renouvelé mon permis de conduire, s'est-elle exclamée. Tu pourrais prendre l'avion !

– Gégé, je suis terrifiée par les routes de campagne, imagine l'avion.

– Bon, bien, ce n'est pas que je ne t'aime pas, mais moi, je vais aller me coucher. Maintenant que je t'ai mis des idées folles dans la tête, je te tire ma révérence.

– Tu devrais dormir ici, tu ne marches pas très droit.

Elle a saisi ma nuque d'une main pour étamper un baiser sonore sur mon front.

– On ne peut pas se faire arrêter dans le métro pour démarche en état d'ébriété !

Lorsque j'ai refermé la porte derrière mon amie, j'ai prié le ciel pour que cette idée complètement déraisonnable se dissolve avec la nuit et les vapeurs de l'alcool.

CHAPITRE 3
Barack Obama

Je connaissais le nom du gymnase de Simon Duval. *Duva-Gym*, il n'a pas cherché loin. Il se trouve rue Jean-Talon, près de Saint-Urbain. C'était une marche de dix minutes. Il faisait froid pour un 20 novembre, alors je me suis habillée comme si on était en janvier : tuque, foulard, mitaines. De cette façon, si le courage me désertait à la dernière seconde, il ne me reconnaîtrait peut-être pas.

J'avais besoin de savoir ce qu'il me voulait. Je devais soulever chaque pierre, pousser chaque branche, écarter chaque feuille. Je me devais ça à moi-même, pour ma santé mentale.

Lorsque je suis finalement entrée dans le hall du gymnase, après avoir marché de long en large sur le trottoir d'en face, une superbe brunette m'a fait signe de passer le tourniquet.

J'ai enlevé mes mitaines, laissant ma main libre traîner sur le comptoir lisse. J'étais arrivée à bon port, pourtant, j'hésitais encore.

– Madame ? Je peux vous aider ? a fait une voix derrière moi.

C'était une blonde qui m'avait interpellée. Deux employées pour me servir ! Incroyable ! La nouvelle venue avait un visage sculpté dans la roche et des cuisses de cheval de trait. Rien à voir avec la silhouette filiforme de la brunette.

– J'aimerais parler à Simon Duval, dis-je, mon regard allant de l'une à l'autre.

– Je peux savoir qui le demande?

Décidément, cette blonde prenait son rôle à cœur. On aurait dit que j'essayais de m'approcher de Barack Obama. Une partie de moi espérait qu'on me refuse l'accès, ça m'aurait calmée.

– Évangéline Labelle-Fontaine.

Je l'ai regardée disparaître dans un couloir aux multiples portes closes, l'une d'elles devait être celle du bureau de Simon. Il était important, le monsieur. Qui l'eût cru?

Lorsqu'il est finalement apparu devant moi, ses cheveux bruns un peu fous sur son front, cachant par quelques mèches rebelles ses épais sourcils, son regard presque noir est tombé pile dans le mien, sans détour ni ambiguïté. Et moi, pauvre imbécile, j'étais encore indécise.

Puisqu'il était là, autant plonger, même si c'était pour bégayer des salutations maladroites.

– Salut, hum…, Simon.

– Évangéline, qu'est-ce que je peux faire pour toi?

Sa voix était aussi grave que le regard qu'il projetait en ma direction. Le simple fait de «parler» à Simon Duval était en quelque sorte intimidant. Je ne savais plus où poser les yeux. D'ailleurs, il fallait que je me torde le cou pour rencontrer son regard.

– Bien, c'est embarrassant, en fait…

Il m'a fait un sourire en coin. Il a presque un beau visage, le coureur de jupons. Je comprends un peu mieux Géraldine. La pauvre! Malgré ses sourcils un peu trop fournis et toujours renfrognés, il a un certain je-ne-sais-quoi qui, à la fois, fait peur et intrigue… certaines. Car moi, ce genre d'homme, ça me laisse froide. J'aime mieux la beauté pure, le nez droit, la bonhomie, la candeur, Gabriel… *Les complications, oui*, insiste une petite voix au fond de moi.

– C'est que j'ai cru que tu avais quelque chose à me dire et j'ai espéré que…

À mon grand désarroi, il a levé les paumes dans un geste de défense.

– Hé! Je ne flirte pas avec les copines de mes ex.

Flirter? Avais-je l'air de flirter?

– Non! C'est pas ça que je veux savoir. Est-ce que tu voulais me parler de... hum...

Il a baissé les mains, j'ai perçu son hésitation.

– J'aurais dû me taire, a-t-il bafouillé.

– De quoi parles-tu, Simon?

– Viens, on va aller discuter dans mon bureau, a-t-il proposé.

Je n'ai pas eu à attendre avant que Simon n'entre dans le vif du sujet qui m'amenait; il s'est exécuté à la seconde où j'ai pris place sur la chaise libre de son bureau.

– Donc, tu veux me parler de Gabriel? s'est-il informé en fermant la porte derrière lui.

Je me suis assise, les mains crispées sur mes mitaines.

– Il t'a contacté? C'est ça? ai-je demandé.

Malgré son assurance de maître des lieux, il semblait nerveux. Sa jambe droite sautillait et, d'une main, il jouait machinalement avec un stylo.

– Oui. J'allais t'en parler, c'est pour ça que j'ai demandé à Géraldine où tu étais. Mais ce matin, il m'a rappelé pour me demander de ne rien te dire. Alors, me voilà pris entre deux feux.

J'ai fait un demi-sourire. Les larmes me transperçaient les cils.

– Je vois, ai-je dit en combattant mon propre souffle.

Il m'a tendu un mouchoir que j'ai pris d'un geste raide; il s'est déchiré en deux.

– Je suis désolé, Évangéline. Si j'avais su, je n'aurais jamais abordé le sujet.

– Tu t'en vas là-bas?

Simon s'est laissé aller contre son dossier.

– Je pars demain matin à la première heure, m'a-t-il annoncé en soupirant.

– Je peux venir avec toi?

Évidemment, Simon a été catégorique lorsqu'il a refusé de m'emmener avec lui.

☆ ☆ ☆

– Il possède un énorme pick-up et une roulotte ultramoderne. Il a tout, là-dedans : frigo, poêle, lit double, douche, chauffage, réserve d'eau.

Géraldine est revenue souper avec moi pour me consoler. Mon esprit voyageait vers un plan fort peu sage tandis qu'elle me parlait.

Une petite maison sur roues, hein ?

– J'ai ce qu'il faut pour déverrouiller la porte, a dévoilé Géraldine sans me regarder.

– Ah oui ? Intéressant.

Mon amie a laissé échapper sa fourchette, un morceau de steak toujours accroché aux dents de l'ustensile.

– Non, Ève.

J'ai ramassé sa fourchette pour porter la viande à sa bouche.

– Ouvre le petit garage, Géraldine ! Tu viens de dire que tu sais comment l'ouvrir ! ai-je susurré.

– Non ! On ne peut pas faire une chose pareille ! Ah ! je savais bien que je ne pouvais pas dire quelque chose d'aussi débile devant toi ! T'es folle à lier.

Moi ? Folle à lier ? Tellement pas ! Du moins, pas normalement. J'ai pris son commentaire pour un énorme compliment. Elle a porté ses dix doigts à sa poitrine, tentant d'avoir l'air scandalisée.

Je lui ai tout de suite servi le même ton enjôleur qu'elle déverse sur moi lorsqu'elle veut quelque chose.

– Allez, Gégé ! C'est un besoin viscéral que j'ai, de faire ce voyage. J'ai si mal que je n'en vois plus clair. C'est samedi soir, il sera sorti. Les clés de sa roulotte sont probablement sur un autre porte-clés. Pour moi, fais-le pour moi. Je serai ton obligée pour le reste de mes jours.

Le visage caché dans ses mains, elle a émis un son de gorge de protestation qui ressemblait à une complainte. J'ai décidé de tenter le tout pour le tout.

– Je te donnerai mon sac à main gris que j'ai payé une fortune.

CHAPITRE 4
En cavale

Si j'ai pensé que je pourrais dormir durant la majorité du trajet, je me suis lourdement trompée. Comment pourrais-je fermer l'œil quand chaque changement de vitesse me fait sursauter? Un autre coup d'œil au hublot. Ah! Lachenaie. Enfin, nous sommes sortis de Montréal, mais je suis encore loin de mon objectif.

Je m'étends sur le lit en tirant sur l'oreiller que Simon a poussé tout au fond. Je le tapote tel un chat avec ses pattes jusqu'à ce qu'il ait la consistance voulue. Il est où, mon oreiller en duvet? Je ferme les paupières, appréciant malgré moi l'odeur de talc laissé par son dernier occupant. Certainement Simon lui-même.

J'ai beau me dire que le but de ce voyage est de fermer la boucle, je me mens. Mon souhait est de voir Gabriel en chair et en os, d'obtenir un peu de son attention, en bien ou en mal, peu importe. Pourvu qu'il se souvienne que j'existe. J'aime mieux souffrir que de me noyer dans le néant de ses souvenirs.

Alors que les minutes s'égrainent au rythme d'une messe dominicale présentée en latin, je me lève pour me dégourdir les jambes et je fouine un peu. Ma curiosité porte surtout sur les armoires verrouillées à double tour. Pourquoi mettre sous clé les céréales? Son grand sac noir contient un ordinateur portable ThinkPad d'IBM. Il doit avoir un mot de passe, c'est dommage, j'aurais pu passer le temps. Et pourquoi deux appareils photo? Est-ce un pistolet dans ce boîtier de vinyle? Ça en a la forme, c'est à s'y méprendre! Je croyais qu'il chassait au harpon! Je n'en vois aucun dans toute la cabine. Je referme le sac dans un élan de culpabilité pour mon indiscrétion.

Couchée sur le matelas, je me raconte des histoires pathétiques pendant plus de deux heures. J'ai perdu la notion du temps lorsque nous franchissons le pont de Québec. Je dois commencer à penser à me camoufler : un plein d'essence sera nécessaire sous peu. S'il me trouve à Québec, il pourra trop facilement me jeter sur le bord de la route sans remords.

Je replace l'oreiller à son endroit d'origine, puis je replie la couverture comme il l'avait laissée. Mon sac sur le cœur, je retourne dans la cabine de douche. La décélération du camion est inquiétante.

☆ ☆ ☆

– *Put me on a train, mama!*

C'est Simon que j'entends chanter par la fenêtre? Il n'a pas une voix de soprano, c'est plutôt un baryton cassé. La porte de la roulotte grince, puis le battant frappe le mur. Un léger balancement de l'habitacle m'indique qu'il y est monté. Il semble fouiller dans son sac, il doit chercher son portefeuille pour payer l'essence. Quelques pas vers le lit, de longues secondes d'immobilité. Plus un son ne parvient à mes oreilles. Je stresse!

Pourquoi s'éternise-t-il? Oh non! Il a remarqué que son sac de couchage est déplacé davantage que par le simple mouvement de la route. Puis, des pas rapides, la cabine bouge de nouveau, se surélève comme allégée d'un poids. Paf! Ses pieds sur le gravier. Il est sorti. Ouf! Il s'en est fallu de peu.

La portière du camion claque, le moteur s'arrête Nouveau claquement. Des pas sur la roche. Je crois que je vais vomir. Le plancher branle encore, Simon est remonté dans la cabine. Mon cœur cesse de battre, mes mains tremblent, des gouttes de sueur froide trouvent leur chemin sur ma peau, entre ma nuque et mes reins. Mes doigts s'enfoncent dans ma tignasse, je ferme les yeux, laissant ma chevelure me servir de cachette.

Ça y est, le voilà qui s'approche, j'entends presque sa respiration. Il est à quelques…

Woosh!

Le bruit est ahurissant, pourtant ce n'est qu'un rideau de plastique ouvert brusquement. Je suis assise au fond de la cabine, les deux bras croisés sur mon front, comme si une brique allait me tomber sur le crâne. Je n'ai pas encore relevé la tête lorsqu'une poigne d'acier me relève brutalement.

– C'est quoi, ce squattage?

Il saisit mes avant-bras pour me lancer parmi les sacs. Je tombe à la renverse, toute ma chevelure brune couvrant mon visage. Mes boucles balaient mon nez, mes joues, avant de voler encore une fois dans tous les sens. En atterrissant, une pointe de métal vient me piquer le côté du corps. «Aïe!» ne puis-je retenir alors que la douleur me fait grimacer. Je lève les mains, vaincue. Il me reprend par le collet, mes bras sont déjà dans mon dos, maintenus par ses mains trop vigoureuses pour mes pauvres os. J'aurai plusieurs bleus, c'est certain.

– Simon, c'est moi.

Je repousse les mèches de mon visage. Il me ressaisit le poignet pour me tirer à lui.

– Évangéline? Mais qu'est-ce que tu fais là?

– Tu le sais, ce que je fais là!

Devant le silence qu'il maintient de longues secondes, ma voix ne devient qu'un souffle. De plus, je m'interdis de lever les yeux vers lui lorsque je précise l'évidence.

– Je dois voir Gabriel!

Nous sommes collés l'un à l'autre, il a libéré mes poignets, mais il me tient toujours par le bras gauche.

– Tu peux me lâcher. Je ne suis pas une voleuse.

– Non, t'es une squatteuse clandestine. Je me demande ce qui est le pire entre les deux!

– Oh! arrête donc! C'est pas comme si c'était pas prévisible. Si t'avais simplement accepté de m'emmener avec toi, on n'en serait pas là.

Il est étonné par mon effronterie. Je dois dire que je me surprends moi-même de mon propre culot.

Wow! Bravo, Évangéline. Franchement.

– Descends.

Je lève les paumes vers le ciel avec impatience. Puis, une douleur me porte à glisser une main sur mon flanc. Est-ce que l'objet pointu m'a blessée? Ça élance, je jette un coup d'œil, pas de sang, tout va bien. J'en garderai un souvenir désagréable, mais sans plus.

– Descendre où?

– Dehors.

– Fais-moi pas ça S'il te plaît, Simon…

Je ne suis pas surprise que Simon puisse être aussi autoritaire, c'est même sûrement ce que les filles aiment de lui. Moi, c'est le genre de chose qui m'énerve. Il est fâché, je peux comprendre. Ce que je ne peux pas faire, c'est abdiquer.

Pour être honnête, sortir à l'air frais est un réel soulagement. Je commençais à avoir un peu la nausée là-dedans. Il doit faire près du point de congélation, je tire sur les manches de mon manteau pour cacher mes doigts.

– Je m'excuse.

Repentante, je le regarde d'un air coupable. Il est grand, je dois me casser le cou pour le fixer de mes yeux de chaton mouillé.

– Je pourrais te faire arrêter, me menace-t-il.

– Oh! exagère pas, tu ne feras pas ça!

– Mais je peux te laisser ici, par contre.

Je prends une longue inspiration. C'est maintenant que tout se joue. Je dois négocier. Je pointe un petit restaurant.

– Viens, je te paie un café. On va discuter de ma sentence.

– Je n'ai pas le temps de discuter, Évangéline!

Il aurait pu se raser avant de partir, il paraîtrait moins Crocodile Dundee après deux mois d'aventure en brousse!

– Alors, partons tout de suite! Moi non plus, je n'ai pas de temps à perdre!

Pauvre Simon! Il doit être embêté, il ne bouge pas d'un millimètre. Sa bouche, d'ordinaire charnue et bien dessinée malgré sa gueule de tueur à gages, n'est qu'une ligne droite plissée par l'exaspération. Je l'irrite pas mal fort, je crois.

– Tu veux combien pour m'emmener avec toi?

– C'est pas une question d'argent.

Je lève la main pour lui toucher l'épaule. J'ai une idée géniale.

– Tu peux même me laisser descendre avant d'arriver au village! Ni vu ni connu! Personne ne saura…

– Mille dollars.

Je fais de grands efforts pour ne pas perdre ma contenance.

– Ça fait cher de l'heure. Ça inclut le retour, aussi?

– Je reste une semaine.

– C'est parfait!

Il me toise longuement, surpris de ma réponse. S'il n'avait pas encore compris à quel point j'étais motivée, il vient de saisir.

– Si tu te fais lyncher, tu devras rester quand même. Pas de pleurnichage.

– Évidemment. Je serai de marbre.

Des promesses!

– Tu te prends une chambre à l'auberge.

– Bien sûr.

– Tu sais, l'autobus te coûterait bien moins cher.

Je n'ai pas le goût de chercher le terminus, je préfère de loin suivre Simon, même si ça me coûte les yeux de la tête. J'irai voir Gabriel. Je vendrai mon âme au diable, je coucherai sur un banc de parc s'il le faut. Surtout, j'endurerai les grognements de mon ventre vide avec courage.

Monter aux côtés de Simon me donne une sensation de retour à la civilisation. Son camion sent le cuir neuf et sa chaîne stéréo déverse sa musique avec une puissance prodigieuse. Toutes ces émotions m'ont donné un mal de tête carabiné. J'essaie de ne pas être exigeante, de me faire toute petite. Même si je tente de l'ignorer, le volume est réellement trop élevé; je me cale dans mon siège, les paumes sur les oreilles.

Nous roulons sans échanger un seul mot pendant une bonne quinzaine de minutes. Puis, il baisse le volume du bout des doigts. Avec une énorme gratitude, je me redresse. Je tortille mes doigts sur mes genoux, ne sachant trop comment me comporter.

– Tu aurais pu le dire que la musique était trop forte.

– Merci d'avoir baissé le volume.

Il esquisse son premier sourire depuis ma découverte.

– Tu vas vraiment aller t'humilier devant lui?

Je fouille dans mon sac pour prendre une gomme sans sucre. Je lui en offre une qu'il refuse avec un nouveau sourire. Je commence à croire que ça fait un peu son affaire que je sois là.

– Qui a dit que j'allais m'humilier?

Il tapote son volant de ses pouces, suivant le rythme triste et lent de *When I Was Your Man* de Bruno Mars. C'est d'une ironie…

– T'es une adulte, t'es au courant qu'un gars intéressé, ça s'enfuit pas.

Je soupire. Je sais qu'il a raison.

Il a tellement raison.

Malgré tout, je lève le nez.

– Gabriel est différent.

Ses yeux ne quittent pas la route lorsqu'il éclate de rire.

– Ils le sont tous !

– Crois ce que tu veux, Simon. Pourvu qu'on se rende. Ça t'ennuie si je ferme les yeux pour dormir?

– Absolument pas.

Géraldine me texte sans cesse. À chaque nouvelle missive, mon appareil frissonne. Simon finit par le remarquer.

– La complice de tes méfaits?

– Je n'ai pas de complice.

– Arrête de mentir, Évangéline. Je sais que c'est Géraldine qui t'a ouvert la porte. Vous êtes entrées chez moi?

– Pourquoi le demandes-tu si tu le sais déjà? Tu veux m'humilier, toi aussi?

Il cligne des paupières, vraisemblablement incrédule devant mes propos. Je commence à être habile en matière de manipulation de conversation. Faire la victime au bon moment, c'est un art.

– Non, je…

– Alors, laisse tomber.

Je n'en crois pas mes yeux ni mes oreilles lorsqu'il freine brusquement pour se ranger sur le côté de la route. Il éteint le moteur et détache sa ceinture.

– Sors.

Je laisse ma nuque atterrir sur l'appuie-tête en serrant les dents, puis je me rechausse. Après avoir débouclé ma ceinture, je pousse la portière et je mets le pied sur le gravier humide. Mes bottes sont jolies, mais je commence à me rendre compte qu'elles ne feront pas long feu dans cette région.

Nous devons être près de Baie-Saint-Paul, nous longeons maintenant la Rive-Nord par la 138. Le paysage est magnifique. J'aperçois des vallons à perte de vue, quelques clochers entourés de petites maisons, des villages adorables où le curé fait sûrement encore l'aumône. Si la grande main de Simon ne m'avait pas plaquée contre le camion, j'aurais pu admirer le décor un peu plus longtemps.

– Là, tu vas m'écouter, Évangéline Labelle-Fontaine.

À l'intonation de sa voix quand il prononce mon nom, je sens qu'il le trouve ridiculement long. Je lui donne entièrement raison. Même s'il est romantique, ce nom est un fardeau.

– Tu me fais mal, Simon. Au moins, laisse pas de marques sur ma peau. Gabriel n'aimera pas tellement ça

– Gabriel se fiche de toi !

Puis, il me lâche. Je vois bien qu'il se contrôle. Il adorerait me jeter dans le fossé. Je devrais être plus gentille, il ne m'a pas invitée après tout.

– OK, Simon, je serai sage. Je sais que t'avais pas prévu d'avoir une compagne de voyage, et encore moins, hum… moi. Je m'excuse. Je ne sais pas pourquoi j'agis comme ça avec toi. Sérieusement, c'est…

J'allais me vautrer dans des explications ridicules. J'ai de la chance : il me coupe la parole juste avant que je m'enlise.

– Tu devrais prendre l'autobus et retourner à Montréal. Ça t'épargnerait beaucoup de peine.

– J'ai besoin d'aller jusqu'au bout. Même si t'as raison. Surtout si t'as raison.

– Je ne comprends pas comment on peut aimer quelqu'un à ce point-là, murmure-t-il.

Je secoue la tête doucement. Apparemment, il n'est pas le seul à ne pas saisir à quel point j'aime Gabriel.

– Tu ne peux pas comprendre parce que ça ne t'est jamais arrivé. Honnêtement, Simon, je ne te souhaite pas ça. Ta vie est parfaite.

– Tu ne sais pas de quoi tu parles.

Je le sens suffisamment calmé pour m'en approcher. J'ose même saisir un pan de sa veste d'un geste amical.

– Allez, viens. Tu pourras me raconter tout ça en chemin. On a au moins onze heures de route pour que tu puisses m'expliquer à quel point ton existence est un désastre.

CHAPITRE 5
La nuit

Je n'avais pas prévu qu'on s'arrêterait pour dormir. Je n'avais pas non plus espéré découvrir en Simon Duval un homme sensible, intelligent et bon. C'est un choc. Le gars a une maîtrise en criminologie, il est ceinture noire de karaté – bon, ça, ce n'est pas une surprise, Géraldine me l'a chantonné mille fois – et il donne des cours bénévolement aux enfants défavorisés. Une admiration nouvelle s'immisce en moi, je le perçois différemment. J'archive ces nouvelles informations dans un tiroir de ma mémoire, là où repose l'ensemble des raisons qui me donnent confiance en ce nouvel ami.

Nous nous arrêtons à une halte routière à l'orée de Sept-Îles. Depuis Baie-Comeau que je rêvais d'une pause, j'ai pris mon mal en patience.

Le vent me frappe en plein visage. Nous longeons un fleuve Saint-Laurent qui ne ressemble plus à une simple rivière, mais bien à une étendue d'eau grise animée de vagues qui ramènent une odeur singulière d'algues à mes narines de citadine. Mon regard passe de l'horizon blanc au visage sérieux de Simon.

– Nous allons vraiment dormir ici ?

Secouant la tête, il tire brusquement la porte de la roulotte, puis monte dans le véhicule en m'offrant une main. Transie de froid, mes bras croisés sur la poitrine, je reste là, figée comme une statue de glace. Simon se penche avec impatience pour attraper mon avant-bras avec force. Rapidement, mes belles bottes blanches quittent le sol froid et je dois agripper son manteau pour ne pas basculer. Dès que je trouve mon équilibre, il me tourne le dos, pénétrant plus loin dans l'habitacle.

– Il n'y a qu'un lit.

Je dis ça comme si je n'y avais pas songé depuis des heures. Plus étroit qu'un double standard, la fameuse couchette n'est garnie que d'un seul sac de couchage, d'un seul oreiller. Je regarde Simon, sa carrure, sa trop haute stature pour ce matelas qui ne peut certainement pas accueillir un tel colosse sans le forcer à se recroqueviller sur lui-même, puis j'évalue les dimensions de l'espace disponible. Comment ferons-nous ?

– Qu'as-tu imaginé quand tu t'es faufilée dans ma cabine de douche sans permission, Évangéline ?

– Que tu ne me découvrirais pas avant le panneau routier « Havre-Saint-Pierre ».

– T'as pas songé au trafic de Québec, aux arrêts pour manger, à l'essence et aux plaques de glaces noires sur la route ? Ni à toutes les fois qu'on s'est arrêtés pour que tu puisses aller aux toilettes ?

Je m'exaspère moi-même devant le ridicule de ma planification.

– J'ai pensé à Gabriel.

– Si au moins il pensait à toi, lui aussi.

– Arrête de dire ça, Simon. Ce n'est pas très gentil.

– Tu ne me paies pas pour être gentil, souligne-t-il. Arrête de faire le bébé, Évangéline. On va dormir quelques heures avant de reprendre la route. Ça te va ?

– Je croyais que tu voulais que j'aille à l'auberge !

– Tu vois une auberge, ici ?

Vaincue, il ne me faut que quelques secondes pour saisir mon sac et m'enfermer dans les minuscules toilettes où j'ouvre la lumière d'appoint. Mon reflet dans le miroir me fait presque plaisir. Toutes les émotions de cette longue et ardue journée ne sont pas trop visibles.

Nouvellement dotée d'espoir, je me sens revivre, et ce, malgré le doute et la peur. Aucune plaque rouge, résultat de mes crises de larmes récentes, ne marque mon épiderme. En outre, je ressemble de nouveau à la poupée de porcelaine à laquelle ma mère m'a toujours comparée, celle qu'elle avait reçue pour ses cinq ans.

Le silence glacial de la campagne est brisé lorsque j'élève la voix à travers la paroi.

– Je vais me brosser les dents. Il y a l'eau courante?

Quelle idiote! *L'as-tu vu apporter un boyau à la roulotte? Non.*

– J'ai une réserve d'eau limitée.

Je fais une grimace disgracieuse, langue tirée, à mon miroir.

– Je peux me brosser les dents ou non?

J'entends des bruits de métal. Simon doit être assis sur un des bancs de la petite table d'appoint, les deux mains dans son grand sac.

– Oui, tu peux.

Lorsque je sors des toilettes vêtue d'un pyjama de flanelle rose, boutonné jusqu'au cou, il se met la main sur la bouche pour cacher son rire.

– Pourquoi tu ris?

– Je ne te pensais pas du genre «flanelle».

– Je garde mon déshabillé pour Gabriel.

Je mens, évidemment. Je n'ai jamais porté de déshabillé de ma sainte vie.

– T'en auras pas besoin.

– Qu'est-ce que t'en sais? rugis-je.

Il se lève pour aller aux toilettes à son tour. Ce faisant, il doit passer devant moi. Lorsque nous sommes nez à nez, sa voix est très assurée.

– Je le sais, c'est tout.

– Tu ne sais rien! Tu ne connais pas mon Gabriel!

Il a déjà glissé la porte mince derrière lui. Je cogne pour avoir une réponse.

– Laisse faire! lance-t-il derrière le panneau. Fais comme si j'avais rien dit. Tu m'en reparleras après l'avoir revu.

Un peu plus tard, dans la noirceur, je suis incapable de fermer l'œil. J'entends la brise glaciale qui remue les conifères, qui siffle à la minuscule fenêtre de la roulotte. Sans le chauffage d'appoint que Simon a éteint pour la nuit, mon haleine forme un nuage de brume dans l'obscurité qu'un lampadaire non loin arrose d'une faible luminosité. Je suis gelée jusqu'aux os, seule la chaleur qui émane du corps robuste de mon compagnon de fortune me donne un peu de tiédeur. À constater la chaleur qu'il dégage, Simon ne souffre pas du froid, lui. Peut-être que si je me collais à lui juste un peu… Alors que je suis sur le point de m'approcher, il remue les jambes. Il ne dort peut-être pas.

Je me hasarde pour un brin de conversation, pour me changer les idées.

– Tu vas plonger avec Gabriel?

Ma voix n'est qu'un murmure. S'il dort, il ne répondra pas. Quelques secondes passent, puis sa réponse résonne dans le noir.

– Oui.

– Juste pour le plaisir?

Quelques autres secondes passent avant qu'il n'ouvre la bouche de nouveau.

– Oui. Aussi pour chasser.

– Tu vas chasser quoi?

– Ce qu'on trouvera. C'est aussi pour l'aventure.

– Pourquoi aller si loin?

– J'ai des connaissances là-bas, de vieux amis. Je fais d'une pierre deux coups.

– Ah! mais juste une semaine, il me semble que c'est pas la peine de parcourir tout ce chemin... Et il ne fait pas un peu froid pour se jeter à l'eau? Il me semble que...

– Évangéline, dors, veux-tu?

Sa voix grave se fait lasse. Il se retourne sur son flanc, manifestement prêt à sombrer dans le sommeil du juste.

– Oui, je veux dormir!

Quelques instants plus tard.

– Simon.

Le silence s'étire encore.

– Quoi?

– Je ne pourrai jamais dormir.

– Tourne-toi sur le ventre.

– Hein? Non! Pourquoi?

– Tourne.

J'obéis et je sens qu'il pousse le panneau supérieur du sac de couchage. Je me crispe si fort que mon cœur s'arrête.

– Relaxe.

– J'essaie. Mais qu'est-ce que tu vas f...

Mes mots se perdent sous la main qui se dépose avec fermeté entre mes deux omoplates, par-dessus la flanelle. Ses doigts touchent chacune de mes vertèbres avec une telle habileté que je me retiens d'émettre un gémissement de soulagement.

– J'ai fait de la massothérapie pendant deux ans pour payer mes études, m'explique-t-il, sans cesser son manège.

Je me soulève sur les coudes. Son visage apparaît dans la pénombre. Il est couché sur le côté, sa nuque dans la paume de sa main gauche, sa main droite toujours sur mon dos. Je ne vois pas l'expression de son regard, mais je discerne ses lèvres, sa mâchoire et son nez.

Dans le noir, sans la vigilance de ma lucidité, n'écoutant que mon instinct, je m'approche de quelques centimètres. Je ne veux pas le toucher, je ne veux qu'entrer dans son espace vital pour me sentir moins seule. Mon besoin de sentir sa respiration sur ma peau est irrésistible. Et sa chaleur, oui, c'est de ça que j'ai besoin présentement.

OK, il ne fait pas qu'irradier. Il est charismatique, même s'il est reconnu pour sa gueule d'acteur méchant. Pourtant, à cet instant précis, son apparence dure n'entrave en rien le calme que je ressens.

Il n'a pas bougé lorsque j'ai incliné ma tête vers lui. Je ne saurais dire combien de temps nous sommes restés à nous regarder à travers la noirceur. Au bout d'un moment, il s'est laissé choir sur le dos en m'attirant à lui. Ainsi enveloppée, j'ai dormi entre son bras et sa poitrine jusqu'aux premiers rayons du soleil.

Au matin, c'est Simon qui a bougé le premier. Il s'est levé si délicatement que je n'ai rien senti.

– Une chance que je ne suis pas ton genre, dis-je avec un sourire, un peu plus tard.

– Qu'est-ce qui te fait croire que t'es pas mon genre?

– Le gabarit de tes conquêtes.

Comme il me tend un café chaud, je me dépêche de me redresser pour le saisir.

– Tu crois que je mesure mon intérêt sur un pèse-personne?

Toujours en manipulant ma tasse pleine à ras bord avec précaution, je m'installe sur le matelas. Mes pieds nus se balancent dans le vide.

Pour bien répondre à sa question, puisque mon avis semble l'intéresser, je le détaille de la tête aux pieds. Ses cheveux bruns ondulent sur son cou et ses oreilles, ce qui indique clairement le désintérêt qu'il porte à son apparence. Son air de *bad boy* charme les femmes d'emblée. Je commence à saisir l'engouement de Gégé. N'eût été le souvenir envahissant de Gabriel Laurin dans chaque parcelle de ma peau, je serais probablement en admiration, moi aussi.

Il a enfilé un col roulé noir sur sa musculature quasi parfaite ainsi que des jeans qui ont roulé leur bosse. Il a plus l'air d'un garde du corps que d'un professeur d'éducation physique. Comme accompagnateur – même hostile –, j'aurais pu avoir pire.

– Parce que... c'est juste une impression, Simon.

– Bon. Alors, t'as aucune idée.

– C'est pas mal ça, oui.

Nous nous taisons. Au bout de deux gorgées et trois interminables minutes de silence, je renchéris.

– Alors, je suis ton genre?

Il lève une main défensive devant mon sourire.

– Pousse pas la note! Considérons le sujet clos.

J'émets un petit rire nerveux. Je me sens stupide, cette conversation ne mène nulle part.

– Je te donne cinq minutes pour t'habiller et me rejoindre dans le camion. On reprend la route immédiatement.

– Mais, Simon...

– Quoi? demande-t-il, impatient.

– Tu vas me dire ce que Gabriel t'a dit à mon sujet?

– Non. C'est entre toi et lui. Je ne veux rien savoir!

– Mais il t'a forcément dit quelque chose. T'es tellement convaincu qu'il ne veut pas me voir.

– Évangéline, ne me place pas dans une position où je ne veux pas être.

– OK, excuse-moi.

Quelques secondes passent.

– Simon?

– Oui, Évangéline.

– J'espère que t'as bien dormi.

CHAPITRE 6
Havre-Saint-Pierre

Je me suis tenue tranquille jusqu'à la rivière Moisie. Regarder les champs familiers se transformer en toundra a quelque chose d'exotique. Je crois que c'est ce qui m'a coupé le souffle et la parole.

J'ai amplement de temps, entre deux brèves phrases échangées avec Simon, de penser à ce que j'ai laissé derrière moi, à Montréal, pour mon petit périple. Je me demande comment se débrouillera Liguori. Je suis enseignante et, de toute ma classe, ce jeune est mon pire cas. Il est aussi mon favori, par son ardeur et ses difficultés scolaires. Si c'était possible, je l'adopterais, je le bercerais jusqu'au sommeil tous les soirs. Sa mère est toxicomane, il est évident que tout part de là. Au début de l'année, septembre était à peine terminé qu'il avait déjà été absent cinq fois. Il doit être suivi par la psychologue, madame Binette. Elle fait de son mieux, mais, déjà, le petit se cache sous son pupitre lorsqu'elle apparaît dans le cadre de la porte.

C'est pour lui que je garde les meilleures collations.

La semaine dernière, il allait relativement bien. «Il dévore ce que je lui donne», ai-je confié à Géraldine, qui s'est scandalisée de mon ingérence dans la vie privée de l'enfant. «Tu ne peux pas nourrir tes élèves, Évangéline. Ce ne sont pas des chats de gouttière qui miaulent à ta porte. Ce n'est pas de ta responsabilité!» Affirmation juste, chère Gégé qui suit les règles à la lettre.

Toutefois, je ne peux que poser les vraies questions. «Qui le fera? Il n'a que six ans, Gégé! Sa prochaine famille d'accueil? Sa mère est encore sur une mauvaise pente.» J'ai chuchoté ces derniers mots, comme si le seul fait de les dire tout haut allait empirer les choses.

De ma fenêtre, rue Saint-Denis, je les vois marcher, ces femmes «perdues» qui font les cent pas sur le trottoir, de l'autre côté de la rue. La mère de Liguori y était encore la semaine dernière et il n'a fallu que cinq minutes avant qu'un client s'arrête. Elle est arrivée de l'Est, habillée de sa jupe rouge surmontée de son corsage blanc, manteau ouvert sur son ventre nu, maigre, voire osseux au niveau des hanches. Elle a fait son numéro, c'est-à-dire marcher de long en large, cigarette *king size* au bout des doigts. Lorsqu'une Honda Accord noire est arrivée, elle y est montée. J'ai regardé l'heure, 18 h 32. Je suis allée ranger la cuisine pour revenir à ma fenêtre quinze minutes plus tard, au moment où la même voiture la déposait sur la même dalle du même trottoir d'où elle était partie.

– T'es où, Évangéline?

La voix de Simon me ramène à la réalité.

– Quoi?

– T'as l'air loin dans tes pensées. À quoi penses-tu?

– À la vie en général. Il y a un élève qui m'inquiète, finis-je par avouer.

Simon hoche la tête d'un air entendu.

– Laisse-moi deviner. Liguori Tremblay.

– Comment le sais-tu?

– Géraldine m'a raconté que t'en faisais trop pour lui.

Tentée d'exprimer mon désaccord, mais lasse d'en parler, je soupire. Heureusement, j'aperçois une affiche qui me permet de changer de sujet facilement.

– Tu parles d'un nom à donner à une rivière: «Moisie». Wow!

– J'ai déjà fait du *rafting* ici.

– Pourquoi est-ce que je ne suis pas surprise?

Il sourit plus souvent depuis le lever du soleil. Je crois qu'il s'est fait à l'idée d'avoir une nouvelle copine, et ce, peu importe la qualité de la conversation avec celle-ci.

– Tu devrais l'être, pourtant.

– T'es l'homme-orchestre, plus rien ne m'étonne.

– Tu veux gager?

– Non, tu as de l'information privilégiée.

Il regarde par la fenêtre en pointant vers l'horizon.

– Je me suis presque noyé ici. J'avais dix-sept ans. On était un groupe de huit. Le *raft* a chaviré, on a perdu Jacques Turgeon, ce jour-là. C'était mon meilleur ami.

– Oh! Simon, je suis désolée

– Ça va, ne t'en fais pas. Ça fait quinze ans de ça.

– Quand même. C'est triste.

– Oui. Ça l'est. Il avait mon âge. Un gars hyper brillant.

– Et toi, tu t'en es sorti comment? Accroché au bateau?

– À une roche. Même à la fin du printemps, l'eau est jamais chaude ici. Je me suis tapé une hypothermie sévère.

– T'écouter parler me donne une sacrée leçon d'humilité, Simon.

Je ne sais pas pourquoi, mais il vient de prendre ma main dans la sienne. Il doit avoir besoin de réconfort. La nuit dernière a changé la teneur de notre relation. Je serre doucement sa paume chaude. Depuis que nous avons perdu le signal du cellulaire, j'ai l'impression artificielle que Géraldine n'existe plus, que de prendre la main de Simon est totalement innocent. D'une certaine façon, même si ce n'est pas le cas, on dirait que personne ne peut en souffrir. Nous sommes dans un autre monde ici.

– Je veux dire, j'ai tellement rien vécu, dis-je, déçue.

– Il n'est pas trop tard.

– Je crois que c'est ce que je suis en train de faire depuis hier. Violer ta propriété est la plus grande folie de ma vie.

– Non, la plus grande folie de ta vie a été d'attendre Gabriel Laurin.

Je tourne la tête vers l'horizon qui s'étend à ma gauche, pensive.

– Je l'attends toujours.

Il choisit ce moment pour lâcher ma main et la replacer sur le volant.

Havre-Saint-Pierre est situé à un peu plus de deux cents kilomètres de Sept-Îles, avant nulle part et après une multitude de conifères. Plus on avance, moins les épinettes sont fournies. On dirait des piquets conservant une distance polie entre eux sous un soleil froid.

Simon semble rouler moins vite maintenant. Tant mieux, je suis soudain moins pressée de quitter le cocon réconfortant que m'offre son camion. C'est une idée absurde que de venir s'aventurer ici en plein cœur de novembre. La route 138 est le seul chemin terrestre entre le Havre et le reste de la civilisation. La route est escarpée, une tempête de neige représenterait un sérieux obstacle. Lorsque nous traversons Uhatshimatakahp, je me crois dans un film du terroir. La Minganie est peuplée d'Amérindiens. Leurs villages sont dignes d'un western américain.

– On arrive dans 15 minutes. Es-tu prête ?

– Oui. Non. Oui. Ah ! Simon, ralentis ! Je capote un peu, là.

Paniquée, je glisse ma paume dans la sienne, un mouvement de refuge émotif désormais curieusement familier. Il croise ses doigts entre les miens et émet un léger rire en levant nos mains entremêlées.

– Tu es spéciale, Évangéline.

– Non, pas vraiment. Ce n'est sûrement pas la première fois qu'une fille te prend la main.

– Normalement, quand ça arrive, la fille me vénère, sourit-il.

– Oh ! mais je te vénère, moi aussi !

Ma protestation n'est pas crédible, il n'est pas dupe.

– Tu cherches à m'amadouer pour ne pas te retrouver sur le bord de la route, ce n'est pas la même chose.

Puis, il me lance un regard de biais.

– Ça, ou t'as un grand besoin de réconfort, ajoute-t-il avec un sourire qui forge dans sa joue une fossette que je n'avais jamais remarquée auparavant.

Après plusieurs secondes de silence, ma réflexion est pathétique.

– J'ai déjà le cœur éparpillé sur le pare-brise, il est trop tard pour me consoler.

Les nuages sont gris lorsque nous arrivons. Après une telle route et un si grand nombre d'épinettes, je me serais attendue à une énorme enseigne illuminée criant haut et fort : « Vous êtes finalement arrivés ! Bienvenue à Havre-Saint-Pierre ! Que diable faites-vous donc ici ? »

Mais, non.

La pancarte doit faire un mètre et demi de haut et partage la vedette avec Natashquan. Je suis soudain heureuse de ne pas aller à Natashquan, il nous resterait cent cinquante et un kilomètres à parcourir. Honnêtement, j'en ai plein mon casque.

Sans crier gare, la réalité se plante devant moi comme un mur de briques. La première chose que j'aperçois est un bateau de pêche rouillé, monté sur une énorme remorque. Il semble me dire : « Hé, aurais-tu oublié la raison de ta visite chez moi, par hasard ? »

Je ne sais plus si c'est moi qui ai repris la main de Simon ou l'inverse. Reste que le pauvre gars se fait tordre les doigts par ma panique incontrôlable. Il ne bronche pas pour ses jointures sûrement endolories, toutefois, son opinion quant à ma situation, il me la sert sans réserve.

– Je ne te mentirai pas. Je ne pense pas que ça va bien se passer, mais dis-toi que c'est mieux comme ça.

Ouille, je le savais franc, mais il est d'un brutal! Mon pauvre cœur...

– Merci pour tes mots d'encouragement...

Devant mon désespoir évident, je le vois changer d'air. Il se sent mal. Je ne l'ai jamais vu bafouiller, pourtant, c'est ce qu'il fait à l'instant.

– Je... hum... Je vais lui parler! décide-t-il d'un ton sans appel.

Dans un autre contexte, j'aurais été encouragée qu'un homme de la trempe de Simon Duval se charge de protéger mes arrières. Aujourd'hui, c'est seule que je dois aller au bout de mon aventure. Le pire qui puisse arriver, c'est quoi? Que Gabriel soit furieux de me voir arriver comme un cheveu sur la soupe? Telle une tache... une vraie tache, du genre qui ne part pas avec du savon ordinaire.

Seigneur, qu'ai-je fait?

– Non! Je préfère que tu ne t'en mêles pas.

Le regard qu'il pose sur moi est rempli de pitié, semblable à celui qu'on porte avec empathie sur une personne en pleurs.

– Je peux au moins préparer le terrain.

– Pour lui dire quoi? Que t'as une folle avec toi?

Je garde mon autre main sur mon cœur. Je me sens prise dans mon propre piège. J'ai peur de ce que je suis en train de provoquer. Mes narines palpitent comme les branchies d'un poisson hors de l'eau. J'ai besoin de Gabriel. J'ai surtout besoin de faire l'autruche, de me laisser croire à cet amour et de vivre de mes belles sornettes. Si je pouvais imaginer qu'il m'attend, que c'est lui qui m'a invitée ici Je ne suis pas suffisamment sotte pour gober une telle farce.

– Simon, t'avais raison. J'aurais dû prendre l'autobus à Québec et retourner à la maison.

– Trop tard.

Nous passons devant l'église, qui est étonnamment haute et grande pour une municipalité isolée de moins de quatre mille habitants.

– Où est-ce que tu vas garer ton camion ?

– J'ai une place spéciale. Madame Jomphe nous attend.

– Quelqu'un nous attend ? Qui est madame Jomphe ?

– La sœur du curé.

– Tu connais le curé, toi ?

Lorsqu'il éteint finalement le moteur, nous sommes derrière une grande maison affichant le drapeau acadien bleu, blanc, rouge étoilé. Il est exactement comme le drapeau français, si ce n'est qu'une étoile jaune se trouve dans la bande bleue. La fierté des gens de la place pour leurs racines acadiennes est palpable. En dix minutes, j'ai dû croiser au moins cinq drapeaux, et je n'ai encore rien vu !

Du coup, je suis frappée d'une grande humilité. Pour la première fois de ma vie, mon propre prénom m'intimide ! Je ne suis pas acadienne, jamais été. Ma mère est tombée amoureuse de la chanson *Évangéline*, chantée par Isabelle Pierre à l'époque. Évangéline qui perd son Gabriel lors de la déportation des Acadiens, qui le retrouve au seuil de la mort et qui n'a que le temps de lui faire un baiser long comme la vie. J'en ai des frissons rien qu'à y penser. Peut-être me suis-je inconsciemment mis en tête de changer l'histoire ? Trouver le bonheur que la pauvre femme n'a jamais pu atteindre, ne serait-ce pas une belle façon de lui rendre hommage ? Je sais, je suis une incurable romantique.

Je suis nerveuse d'être ici. Je me promets de prendre mon courage à deux mains, d'affronter mon obsession. Je vais lui dire qu'il…, qu'il… Oh mon Dieu qu'il est beau !

Gabriel porte ses cheveux plus longs qu'à l'habitude. Son visage s'est-il aminci ou est-ce sa barbe de quelques jours qui me donne cette impression ?

– Ne bouge pas, me fait la voix lointaine de Simon. Ne bouge surtout pas…

À l'entendre, on dirait qu'il a vu un tigre et qu'il s'apprête à tirer dessus.

Même si j'ai insisté pour qu'il ne se charge pas de parler avec lui avant moi, Simon sort du camion pour avancer vers Gabriel d'un pas décidé. Je vois Gabriel hocher la tête et se retourner vers moi. Les deux hommes échangent une poignée de main. L'espace d'un court instant, je me sens comme une marchandise. Une drôle d'impression naît en moi. Je sais qu'ils discutent de mon sort et ça me donne froid jusque dans l'épine dorsale. Je ne connais pas Simon suffisamment pour être certaine qu'il agit en ma faveur. Quant à Gabriel, soupir…, il peut aussi bien lever le nez sur moi et prétendre que je ne suis pas là. Oh! comme je m'en veux d'être venue jusqu'ici! J'ai envie de me rouler en boule sur la banquette pour pleurer ma vie.

Ce qui suit me jette dans une incompréhension momentanée. C'est Simon qui vient ouvrir ma portière, qui m'invite à descendre, prenant ma main une fois encore. Son bras autour de mes épaules m'indique soudain un scénario monté de toutes pièces. Ah! comme j'aimerais savoir ce qu'il vient de dire à Gabriel.

– Salut, Évangéline.

– Salut, Gab.

J'essaie de me défaire de Simon pour marcher vers Gabriel, mais la main de mon compagnon de route est solidement ancrée dans mon épaule et m'empêche d'avancer. Le regard de Gabriel est impénétrable. On dirait qu'il est figé sur une couverture de magazine tellement il est immobile. Il possède un visage aux traits fins, un nez très droit, des pommettes hautes et saillantes, une mâchoire carrée mais pas aussi forte que celle de Simon, des yeux d'un bleu sombre mais d'une pureté à se demander s'il ne triche pas avec des lentilles colorées. Je suis subjuguée malgré mes bonnes intentions. Son attention vole de Simon à moi. Je ne sais pas s'il est soulagé, surpris ou en colère. Mon cher amour n'a jamais été un livre ouvert.

– Bon, je vous laisse vous installer. Il fait bon de te revoir, Évangéline.

D'un hochement de tête destiné à Simon, Gabriel tourne les talons. Les mains dans les poches de son Kanuk rouge, il se dirige vers la maison sans regarder derrière. Même pas un petit coup d'œil, rien, *niet*. Dès qu'il est hors de vue, je me détache de Simon avec colère.

– Qu'est-ce que tu lui as dit? Pourquoi m'as-tu retenue? Tu n'avais pas le droit de me faire ça, Simon!

Je suis livide. Simon ignore mes questions et, d'un pas assuré, il contourne sa roulotte pour ouvrir la porte arrière. Il entre en me laissant rouge de confusion sur le gazon gelé.

– Simon!

Des larmes chaudes montent à mes paupières. Je n'ai pas le choix, je dois le suivre. Je ne peux pas rester dehors à crier telle une perdue.

– Ferme la porte derrière toi, dit-il en fouillant dans son grand sac.

– Veux-tu bien me dire ce que tu lui as raconté?

Il continue de déplacer ses vêtements d'une main brusque.

– Je lui ai dit que je t'avais demandé de venir avec moi.

– Quoi?

– Que tu ne voulais pas venir au départ parce que tu avais peur qu'il croie que tu voulais le supplier, que ça te gênait énormément. Que j'ai insisté, ayant peur de m'endormir au volant.

Je cherche à m'asseoir. J'ai tout à coup les jambes molles. Je suis émue et confuse, soulagée et fâchée à la fois.

– Qu'est-ce que tu cherches?

– Ça! me dit-il en brandissant une bouteille de whisky.

– C'est pas le temps de prendre l'apéro, Simon!

– Ouvre l'armoire derrière toi, sors deux verres, m'ordonne-t-il en ignorant ma protestation.

Quelques minutes plus tard, nous sommes assis à la table d'appoint, verre à la main.

– Tu m'as sauvé la face.

– Oui.

– Je ne comprends pas ce que tu y gagnes.

Simon prend une gorgée rapide de son verre avant de le déposer sur la table. Je l'observe comme si je le voyais pour la première fois.

C'est bizarre lorsqu'on a une certaine perception d'une personne que l'on connaît vaguement et qu'elle devient un pivot majeur dans le déroulement de notre vie. Simon vient de jeter toutes mes appréhensions par la fenêtre. Il vient de me permettre d'approcher Gabriel sans arrière-pensée. Surtout, il vient de se tirer dans le pied s'il croyait se farcir une jolie Acadienne durant son séjour ici.

– Je ne voulais pas que tu ailles t'humilier devant un gars qui ne sait pas ce qu'il veut, ni ce qu'il manque.

– Ce qu'il manque?

Simon sourit en regardant son verre, un bras étendu sur la banquette, sa cheville négligemment posée sur sa cuisse opposée.

– Tu ne le sais même pas toi-même, Évangéline. Tu ne sais pas ce que tu dégages. T'as aucune conscience de ta propre valeur.

– Simon, je ne…

Il lève une main pour m'arrêter. Il est magnifique à sa façon, dans la pénombre comme au grand soleil. Ses yeux sombres me couvrent de protection. Plus j'apprends à le connaître, plus je comprends Géraldine, plus je comprends Luce. S'il les a toutes touchées de la même façon qu'il me touche aujourd'hui, je leur lève mon verre.

– Ne dis rien, Évangéline. On a une entente, on va s'en tenir là. Le but de ton voyage est de reconquérir Gabriel, je ne me mettrai pas sur ton chemin.

Mes lèvres s'entrouvrent pour demander: «Est-ce que tu *veux* te mettre sur mon chemin?» mais je me tais. À cette question, je préfère le mystère. Sinon, ça devient compliqué. Je ne suis pas habile avec les complications.

– Il croit qu'on est ensemble ?

– Non. En fait, il croit que je veux qu'on soit ensemble. Énorme différence. T'as le beau jeu, le beau rôle, tu arrives ici triomphante. Il s'agit maintenant de voir de quelle façon tu vas jouer tes cartes.

– T'as mis les as dans ma manche.

– En quelque sorte, oui.

– Alors, la première chose que j'ai à faire est de louer une chambre à l'auberge. Je ne peux pas rester ici, avec toi…

– Bonne idée, renchérit Simon, terminant son verre cul sec.

À l'Auberge Boréale, la dame est particulièrement gentille. Elle ouvre la porte de la chambre sur un doux parfum de lavande qui m'effleure les narines. Après m'avoir décrit le menu du petit-déjeuner du lendemain, mon hôtesse referme la porte derrière elle. Je défais mon sac pour le vider sur le lit double orné d'un couvre-lit fleuri que ma mère adorerait.

Je n'ai pas apporté grand-chose. Deux chandails, cinq petites culottes que j'ai empoignées rapidement au passage, cinq paires de bas et un seul pantalon autre que celui que je porte déjà. Tout ça et mon pyjama de flanelle. J'avais besoin d'un sac facile à camoufler. Il fallait qu'il soit léger. J'ai quatre cents dollars pour me nourrir toute la semaine. Ma carte de crédit est hors d'atteinte. C'est ma belle-sœur Stéphanie qui en a la garde. C'était le meilleur moyen de contrôler mes achats irrationnels. Les mille dollars que je dois à Simon, je les lui donnerai sur mes trois prochaines paies.

Je m'apprête à sortir de ma chambre pour me rendre au restaurant Subway que j'ai aperçu un peu plus loin dans la rue Boréale. Il trône en roi et maître du *fast-food* des environs. Gabriel doit être malheureux, lui qui ne vit que pour le trio MacPoulet de McDo !

Au moment où je mets mon manteau pour sortir, une silhouette apparaît à travers le rideau de la fenêtre de ma porte. Je la reconnaîtrais entre mille. Mon cœur bondit.

Gabriel est à ma porte.

CHAPITRE 7
Plus comme avant

J'ai les mains engourdies. Je suis convaincue que la poignée de porte est brisée, car je suis incapable de l'ouvrir au premier essai. Je la sonde encore pour me rendre compte sottement que le verrou est tiré. Je prends une profonde inspiration avant de déverrouiller.

Il me tourne le dos, les mains dans les poches. Avec son chapeau en imitation de fourrure de renard, il fait très «explorateur de l'Arctique».

– Salut, entre.

Voici donc l'homme de ma vie. Il est debout devant moi dans toute sa splendeur, plus grand que dans mon souvenir, plus impressionnant que dans mes rêves. Je commençais à m'habituer aux traits de Simon, plus irréguliers. Me voilà maintenant devant le visage parfait de l'homme parfait, aux yeux bleus comme le fond d'une piscine, au sourire éclatant. Non. Je ne me laisserai pas éblouir de nouveau, c'est moi qui décide !

Nos retrouvailles passées étaient marquées d'embrassades passionnées et de rires. Une fois seuls, nous faisions l'amour comme des bêtes.

Pas aujourd'hui.

– Évangéline, je…

Je lève la main droite à la façon de Simon.

– Dis rien. Je ne suis pas venue te supplier. La seule chose que j'aimerais pouvoir faire lors de mon séjour ici, c'est servir de copilote à Simon, voir le paysage et me reposer. Ensuite, tu ne me verras plus.

Il pince les lèvres avant de prendre place sur mon lit.

– Viens ici, dit-il en me tendant la main.

J'hésite. Il insiste.

– Évangéline, assieds-toi, s'il te plaît.

Je finis par accepter. À la seconde où je suis installée à ses côtés, il m'entoure de son bras. Je ne sens pas son corps chaud à travers son manteau. C'est aussi bien. Sincèrement, je paniquerais.

– Je ne comprends pas ce que tu fais ici, Ève.

– Je viens de te le dire! Je suis ici pour…

– Accompagner Simon, je sais, j'ai compris ce bout-là. Alors, toi et lui, c'est du solide?

Mon rire est amer. J'aimerais tellement que cette feinte jalousie soit réelle.

– Non, ce n'est qu'un ami. Pose pas de questions, Gab.

– Ce gars-là, c'est un coureur de jupons! Je m'inquiète pour toi.

– Arrête, Gabriel. Tu ne me feras pas croire que tu t'en fais pour moi! Franchement!

Il secoue la tête, passe ses doigts dans ses cheveux châtains, puis pose son regard bleu sur moi. Il semble si triste. Est-il si bon comédien?

– Je vais toujours t'aimer, Ève.

– Ah! tu dépasses les bornes! Tu dis des conneries!

Enfin, je peux me fâcher! *Merci, Gab! Merci pour l'occasion d'exorciser un peu de ma peine!* Forte de ma nouvelle assurance, je me lève. Puis, alors que je suis sur le point de le traiter d'idiot, de pâte molle, d'imbécile, je remarque qu'il courbe l'échine. Son expression est si triste, si accablée que je perds soudain l'envie de le rouer de coups. Suis-je trop impressionnable, crédule? Peut-être. Je suis désorientée, je ne sais plus où placer mon cœur. Résolue à ne pas envenimer la situation, je laisse échapper un long soupir.

– T'as pas à t'en faire. Je ne suis pas ici pour te reconquérir. Je voulais peut-être t'entendre dire… hum!… ce que tu viens de dire. Mais maintenant que c'est fait, ça ne résonne pas à mes oreilles comme je l'avais imaginé. T'as pas besoin de me refaire la scène du «ce n'est pas toi, c'est moi!». Je suis passée à autre chose.

– C'est vrai, ce que j'ai dit, Ève. Je vais toujours t'aim…

– Chhhh…

Ma voix est calme, sans animosité. Je laisse tomber mes épaules.

Puis, mes nerfs ne tiennent plus, je me désintègre comme la sorcière dans *Le Magicien d'Oz*. Si c'était à refaire, je me mettrais un mouchoir dans le fond de la gorge pour étouffer le son strident de mes cordes vocales.

– Peux-tu me laisser seule, s'il te plaît?

Il se racle la gorge, il est aussi mal à l'aise que moi.

– Bien sûr. J'étais venu t'inviter. Madame Jomphe tient à ce que tu sois des nôtres pour le souper.

– Tu habites chez elle?

– C'est une longue histoire.

– OK, je viendrai tantôt. C'est la maison rouge et bleue?

– Oui, c'est ça.

Gabriel piétine avant de refermer la porte derrière lui.

Exténuée, je cherche mon lit. Je m'étends de tout mon long à l'endroit exact où Gabriel était assis quelques minutes auparavant.

Madame Jomphe, Laure de son prénom, est gracieuse. Ses cheveux blonds tirés vers l'arrière par une coiffure appliquée et ses yeux maquillés illuminent son visage qui a dû être autrefois absolument époustouflant. Son sourire m'accueille avec une gentillesse maternelle. Je m'ennuie presque de ma mère.

– La belle Évangéline, te voilà enfin !

– Bonsoir, madame Jomphe. On vous a parlé de moi ?

– Gabriel et moi avons eu bien du temps pour discuter en jouant aux cartes.

Ai-je souri aux anges à ce moment précis ? Il a parlé de moi ! J'ai occupé ses pensées. Je ne suis pas une virgule dans le néant !

– Alors, le plaisir est pour moi, madame Jomphe.

– Tu restes à l'auberge ?

– Oui, l'Auberge Boréale.

– Elle appartient à mon frère.

– Le curé est propriétaire de l'auberge ?

Ma maladresse brise la glace parmi les invités. Simon, qui est déjà assis au bout de la table, sourit. Gabriel échappe un rire discret et une autre jeune femme blonde que je devine être la fille de madame Jomphe s'esclaffe timidement.

– Non, mon autre frère Daniel. J'ai cinq frères. Michel est boulanger, Jean est prêtre, Guy est notaire, Marcel est pilote d'avion et Daniel possède l'auberge où tu loges.

Madame Jomphe s'exprime avec un petit accent chantant, c'est tellement charmant !

– Quelle idiote je fais ! Excusez-moi.

– T'en fais pas avec ça. Je te présente ma fille cadette, Isabelle, m'annonce-t-elle en désignant l'inconnue assise à table qui me fait un signe de tête.

– Bonjour, Isabelle, dis-je en lui tendant la main. Je suis Évangéline.

– Je sais. J'ai l'impression de déjà te connaître, me confie-t-elle d'une voix plus douce qu'un nuage de crème fouettée.

Je lance un regard plein d'incompréhension vers Gabriel. Il pince les lèvres tel un garçon pris en faute.

– Je vois, dis-je, la main toujours dans celle d'Isabelle.

Me voilà installée entre Simon et Gabriel. Isabelle est en face de moi et madame Jomphe, à sa droite.

– Est-ce que monsieur Jomphe se joindra à nous?

Ma voix sonne faux. Je suis toujours affublée de ma maudite maladresse.

– Il n'y a pas de monsieur Jomphe à part mes frères et mes cousins. Je n'ai jamais été mariée, me sourit-elle, visiblement fière de me surprendre.

– Ma mère nous a élevées seule, m'informe Isabelle.

– Vous êtes plusieurs enfants?

– Ma sœur et moi. Mireille n'a pas pu venir ce soir, elle ne se sentait pas bien, précise Isabelle.

Isabelle est jolie, son visage ressemble à celui d'une des filles dans ces téléromans américains où tout le monde est beau. Ses cheveux lisses, d'une blondeur qui ne peut être que naturelle, doivent tomber jusqu'à sa taille et ses joues rosies par la timidité me rappellent celles de Charlie, ma nièce, lorsqu'elle est contente de me voir. Ce qui m'amène à avoir une pensée pour ma belle-sœur. Si Stéphanie, la femme de mon frère, savait où je suis actuellement, elle en ferait une syncope. Une grosse, grosse syncope.

– Tu sais broder, Évangéline? me demande Laure.

– Non, pas du tout, je dois l'admettre.

– Maman et moi nous demandions si tu voulais te joindre à nous demain, propose Isabelle.

– Avec plaisir! Pour faire quoi?

– Une grande courtepointe communautaire.

– J'ai peur de gâcher votre œuvre.

– T'as pas tort, grimace Gabriel. Cette courtepointe, c'est du sérieux, par ici! Si j'étais toi…

– Nous te montrerons, me promet gentiment Isabelle en coupant l'élan de Gab.

Cette jeune femme est trop belle, trop douce, trop gentille. Je regarde Gabriel, je la regarde. *Oh, oh! Houston, je pense que nous avons un problème!* Ils ne se sont pas regardés de la soirée. C'est louche. Même si je combats mes pensées qui voltigent, mon cœur se serre comme si on tournait la vis-écrou d'un étau d'acier. Mon appétit vient de s'envoler à peine la moitié de mon assiette vidée.

– Ça va, Évangéline? s'inquiète Simon de sa voix grave.

– Oui, ça va.

Je dépose mes deux coudes sur la table, laissant ma tête s'appuyer sur le bout de mes dix doigts. J'ai le cœur qui monte vers ma gorge, une pression venue de mon âme en peine fait rapidement gonfler mes paupières. J'abdique.

Je force un sourire qui, je l'espère, a l'air vrai.

– Excusez-moi, je vais me retirer. La route a été longue, je suis fatiguée.

Gabriel se lève, mais Simon fait de même, plaçant sa main sur l'épaule de mon ex-amoureux.

– Laisse, Gabriel, je vais la raccompagner.

Je perçois au travers mon trouble que la mâchoire de Gabriel se crispe, mais, déjà, ma tête me fait souffrir. Oui, je préfère la présence de Simon pour prendre l'air. Je ne suis pas prête pour Gabriel.

– Merci, Simon.

Je regarde Laure qui semble inquiète. Elle s'est levée aussi.

– Ça va aller. Rien qu'une bonne nuit de sommeil ne peut pas régler.

– Viens déjeuner, ici, demain à l'heure que tu veux. Ensuite, nous irons chez Gisèle.

– D'accord. À demain. Merci encore.

Aucune idée de qui est cette Gisèle, mais je ne m'en fais pas, je garde l'esprit ouvert.

☆ ☆ ☆

Aussitôt que nous sommes sortis à l'air frais, Simon saisit mon bras. C'est si naturel, si amical, et je suis si fatiguée que je n'ai aucun réflexe de retenue. Avec lui, c'est spécial. C'est comme avoir un grand frère qui veille sur moi. Le genre de relation fraternelle que j'aurais voulu avoir. Pierre est un bon gars, mais la chaleur humaine n'a jamais été son fort, tandis que Simon n'essaie pas de me tenir à distance; il me touche, c'est d'une spontanéité qui me surprend chaque minute que je passe en sa compagnie.

– J'ai du mal à les voir ensemble…

– Gabriel n'est pas avec Isabelle, me corrige Simon.

– Comment tu le sais?

– Parce que… parce que… Isabelle est…

J'arrête de marcher, soudain agitée par une prise de conscience. Je retire mon bras du sien. Les choses s'éclaircissent, et plus les choses s'éclaircissent, plus je suis embrouillée.

– Tu es venu ici avant, récemment, c'est ça?

Simon tend son visage vers le ciel, laissant quelques flocons fondre sur sa peau.

– Oui.

– Souvent?

Puis, je me ravise. Il avait déjà mentionné qu'il avait des amis par ici.

– Isabelle est avec toi.

Je viens de faire cette affirmation dans un murmure. Simon et Isabelle, c'est ça. C'est même logique. L'histoire de plongée pourrait aussi être du vent, une simple excuse pour ne pas heurter Géraldine, Luce, sûrement d'autres. Il a une femme dans chaque port, littéralement.

Je suis en colère pour mon amie, je suis en furie pour toutes les femmes qui croient les belles paroles des hommes tels que Simon Duval. N'a-t-il pas dit lui-même que ces femmes l'adoraient?

– Non…, oui, en quelque sorte. Je ne sais pas…, je ne sais plus.

– Comment peux-tu ne pas le savoir, Simon? T'es pas un adolescent! Isabelle semble être une femme extraordinaire. Elle est superbe, douce, elle ne délire pas.

Puis, tout devient encore plus clair.

– C'est pour te débarrasser d'elle que tu laisses croire que t'es avec moi? Tu te sers de moi…

– Hier, j'étais ton sauveur, aujourd'hui, je suis un manipulateur. Tu veux Gabriel, je ne vois pas ce que…

Il s'arrête, lève une main et ajoute:

– Pense ce que tu veux, Évangéline.

La tête me brûle, j'ai besoin d'une pilule, d'un oreiller et de douze heures de sommeil. Tout est trop compliqué. Je l'ai déjà dit, je n'aime pas les complications.

– Ah! peu importe, Simon. Dans quelques jours, tout ceci sera fini, je pourrai tourner la page.

Nous restons debout, l'un devant l'autre. Plus personne ne parle jusqu'à ce que je revienne à la charge.

– Mais tu sais ce que Gabriel fait ici. Tu ne m'as pas tout dit.

– Il travaille ici.

– Pour faire quoi? Ce n'est pas la plongée qui va mettre du beurre sur son pain! Y a même pas de poisson à chasser au harpon par ici, j'ai fait mes recherches! Y a que vous deux qui venez ici pour chasser sous l'eau! Non, mais, vous me prenez tous pour une idiote?

– Marchons, tu commences à geler sur place.

Derrière moi, la main de Simon glisse sur ma hanche pour s'infiltrer dans ma poche. Je pleure tellement que j'interprète mal son geste. Je me retourne en attirant le visage de Simon vers le mien. Sans toucher ses lèvres, je colle mon front au sien. Nous restons ainsi, nos haleines entremêlées dans le froid. Je ne sais plus ce que je fais, je suis perdue. Ça doit être ça, la folie.

– Je vais ramasser tes clés, elles sont tombées, murmure-t-il, sa voix devenue rauque.

– Merci.

Nous entrons, je retire ma tuque et mon attirail d'hiver. J'entends la porte se refermer.

Je me sens seule, mais ça va aller mieux. Bientôt, c'est certain.

CHAPITRE 8
L'aventurière

À nouveau matin, nouvelle vie, nouvelle chance d'être heureuse malgré le bordel qu'est désormais mon existence. Nous sommes déjà mardi et sortir du lit n'a pas été difficile tellement j'ai hâte de revoir Laure Jomphe. J'adore les personnages fascinants. Cette dame en est un, alors j'ai bien l'intention de la côtoyer autant que possible. Son calme, sa sagesse, sa beauté et sa générosité me rejoignent jusque dans mon lit. Même si le plancher est froid, je suis enthousiaste et je m'élance sous la douche sans porter attention au frisson qui me parcourt l'échine. Penser à l'extraordinaire journée que je passerai à apprendre à broder chasse mes idées noires.

Simon et Gabriel sont déjà au port, ils feront ce qu'ils ont à faire, ça durera des heures, des jours, peu importe. J'ai autre chose à penser, j'ai ma vie, je suis une femme en vacances improvisées, une aventurière qui n'a rien à envier aux autres aventurières de cette planète! Et cette aventurière-ci brodera telle une artiste aujourd'hui.

Jamais on n'aura vu d'aussi belles fleurs mauves sur fond blanc, avec des feuilles vertes en relief. Je ferai faire au fil de coton des tourniquets compliqués et…

Mon téléphone vibre, j'ai des messages texte. J'ai Géraldine qui me tapote des nouvelles de mon balcon.

«Chat 1 a eu chatons 1-2-3-4-5-6-7 hier soir, dans la boîte qui traînait sur ton balcon. T'as choisi une chatte errante enceinte très prolifique! Félicitations.»

En effet, sept chatons, c'est beaucoup!

«Veux-tu un chat?»

«Non.»

«Je te laisse, je vais broder, à plus tard xxx.»

«Mais Évangéline, tu ne sais même pas broder! ^^»

Pour me rendre à la maison de Laure, je dois traverser le pont Titi, un minuscule passage de bois au-dessus de ce qui doit être un ruisseau symbolique en saison estivale. La marche est agréable; le temps, clair et lumineux; le ciel, bleu et accueillant; le vent, doux et frais; la neige, fine et dispersée. Il reste des touffes de gazon qui ne sont pas desséchées, tel un hymne à l'espoir d'un été qui reviendra un jour. Peut-être l'hiver est-il arrivé si vite que la végétation est restée figée sur place? L'été ici n'est pas long, environ deux semaines de chaleur quelconque. Personne n'a de piscine dans sa cour et les potagers sont couverts d'abris en polyéthylène, faisant de ceux-ci davantage des serres que des jardins.

Je tiens ces renseignements de Simon, il me les a transmis au cours des dernières heures de notre route menant jusqu'ici. J'ai cru que sa connaissance des lieux venait de sa période de *rafteur*. Je n'ai pas une seule seconde imaginé qu'il venait souvent dans le coin.

Avant de m'infiltrer clandestinement (j'aime le dire, je me sens comme James Bond!) dans sa roulotte ultramoderne, je ne connaissais pas grand-chose de Simon à part ce que Géraldine en avait dit.

En réalité, je suis un peu sauvage, je ne fréquente pas mes collègues à l'extérieur de l'école, je ne discute pas avec tout le monde, je ne me mêle pas à la masse. J'évite les réunions, les soupers, les soirées. Je suis bien chez moi, dans mon petit appartement douillet avec mes livres, mon amie Géraldine, et, un week-end sur deux, je passe une nuit chez mon frère qui habite à Laval pour voir ma filleule Charlie. J'ai toujours droit à ma séance de papotage avec notre belle Stéphanie, son rôle dans ma vie étant de me rappeler de me comporter comme une dame.

Voilà pour ma vie sociale.

Ah oui ! Et jusqu'à cet été, j'attendais les retours de Gabriel en tricotant des bas de laine. Façon de parler, bien sûr, il est évident que je ne sais pas tricoter. Encore moins broder !

Aujourd'hui est un grand jour. C'est une ère de changement. Je sors de ma coquille, je me dégourdis. Je prends une grande inspiration avant de frapper à la porte bleue de la maison de Laure.

Moi qui n'aime pas les œufs, même brouillés, je me régale comme si je venais de découvrir la combinaison chips au BBQ, trempette à l'oignon et Pepsi pour la première fois de ma vie. Le jambon nappé de sirop d'érable et les saucisses de porc auront raison de mon foie dans quelques minutes, mais pour l'instant, le plaisir de manger est au paroxysme. Mes papilles gustatives dansent la rumba avec mon palais. Je dois en avoir sur les lèvres, le nez, les mains.

– Veux-tu une serviette ? m'offre Isabelle.

Je m'esclaffe tellement la question est pertinente. Isabelle sourit, et Laure porte sa tasse de café à ses lèvres non sans faire sautiller ses épaules frêles de son rire amusé.

– Laure, c'est tellement bon que j'en perds mes manières. On dirait que vous avez recueilli un chaton affamé.

– Savoure, ma belle. C'est tellement agréable de cuisiner pour les grands appétits.

Rassasiée, je couche ma fourchette sur mon dernier bout de crêpe.

– Pourquoi es-tu venue, Évangéline ? demande Isabelle.

Immédiatement, sa mère, qui est assise entre nous deux à table, dépose ses longs doigts élégants sur l'avant-bras de sa fille.

– Isa, sois pas indiscrète.

– Non, ça va. Je…, je vais vous répondre le plus honnêtement possible, dis-je. À vrai dire, j'ai un peu besoin de votre avis.

– T'as pas à…

– Non, Laure, je vous assure que ça va. Je serai honnête avec vous et, je vous en conjure, s'il y a des choses que je dois savoir, dites-les-moi.

Laure acquiesce en silence.

– Depuis que j'ai quinze ans, Gabriel est le seul homme que j'ai aimé de ma vie. Le seul auquel j'ai rêvé, le seul que j'ai embrassé. C'est d'autant plus pathétique quand on sait que j'ai vingt-sept ans.

Pendant mon monologue, le couple mère-fille me regarde comme si personne d'autre au monde n'existait pour elles.

– Quand j'ai eu vingt ans, nous sommes devenus un couple, mon rêve s'était réalisé, je pouvais mourir satisfaite. Mais je me suis vite aperçue – même si j'ai passé des années à ne pas l'admettre – que Gabriel ne peut pas tenir en place, il doit bouger. Il n'était pas bien en ville, alors il partait souvent. Et longtemps.

C'est maintenant sur moi que Laure dépose sa main élégante.

– Et toi, tu l'attends.

– Constamment, fidèlement, sagement, ajoute Isabelle.

Je lève mon visage triste vers Isabelle. On dirait une experte en la matière. Pauvre Isabelle ! J'imagine qu'elle attend Simon, elle n'a pas fini d'être déçue.

– Oui. Tout ça et plus encore. J'ajouterais «bêtement».

– T'es pas bête, t'es amoureuse, me corrige-t-elle.

Ça y est, c'est confirmé, elle est aussi conne que moi. Laure, plus sage que sa fille, est philosophe.

– Il vient un temps où l'on ne fait plus la différence entre l'amour et le rêve. Lorsque l'amour ne peut plus nourrir sa source, c'est le rêve qui prend la relève. Vous êtes toutes les deux en amour avec l'amour.

– Vous croyez que je vis dans le rêve, Laure ?

– Nous vivons toutes dans le rêve. On s'invente toutes sortes de balivernes pour alimenter notre amour, nos frustrations, nos espoirs et nos peurs. Ton discours intérieur doit être très fort pour attendre, comme ça, des mois durant.

Laure touche l'épaule de sa fille pour la secouer délicatement.

– Oui, je me parle tout le temps. Je ne suis pas toujours gentille dans mes conversations intérieures. J'ai tué Gabriel d'innombrables fois dans ma tête.

Nous rions du même rire entendu, puis laissons le silence parfaire notre instant de complicité.

La maison de Gisèle Boudreau, rue de la Digue, est jaune et coquette comme la plupart des demeures de Havre-Saint-Pierre. En bonne Montréalaise de souche, je suis complètement ignorante face à leur histoire et à leur culture. La dame du dépanneur avait un fort accent acadien. Les Jomphe ne l'ont pas aussi prononcé, seulement un petit air se dévoile dans leur voix.

Nous sommes passées devant les commerces durant notre marche de santé. Ici, pas de Walmart, mais il y a un Rossy. Du coup, je m'imagine vivre au Havre. Comment ferais-je pour y arriver sans toutes les boutiques des axes Saint-Denis et Saint-Laurent, sans l'avenue du Mont-Royal, les petits cafés…? Comment s'approvisionnent-elles de toutes les petites choses spéciales dont une fille digne de ce nom a besoin ? Où magasinent -elles ?

– On magasine sur Internet, voyons !

Et la lumière fut. Ça explique tout. Leur féminité est sauvée par la technologie! Vive la modernité!

– Ouf, quel soulagement! La citadine en moi a eu un instant de panique!

Nous sommes mortes de rire lorsque nous gravissons les trois marches menant à la porte de la demeure de Gisèle. Une femme aux cheveux ponctués de mèches rousses nous ouvre. Ses lunettes à monture rouge illuminent des yeux verts qui vous transpercent l'âme.

– Bonjour! Qu'avons-nous là? Une petite Évangéline?

Je rougis en souriant. Je le savais, mon prénom ne passerait pas inaperçu par ici.

– Arrête, Gisèle, tu vas la gêner! Est-ce que Mireille est arrivée?

– Oui, elle est là depuis une demi-heure. Traînez pas dehors, entrez.

Nous pénétrons dans une pièce qui sent le café, la cannelle et la muscade. Même si novembre n'est pas terminé, Gisèle a déjà tapissé son comptoir de trois plaques à biscuits remplies de petits bonshommes de pain d'épices.

Devant nous, une table qui doit mesurer au moins trois mètres de long est recouverte de la fameuse courtepointe. Une copie conforme d'Isabelle Jomphe pique déjà dans le tissu sans nous regarder. Il s'agit manifestement de Mireille. Plus les secondes passent, plus je découvre qu'elle se fout du reste du monde.

– Mireille!

C'est Gisèle qui vient de s'exclamer, mains sur les hanches, roulant le *r* au passage: «Mirrreille». Première différence avec Isabelle, Mireille a le regard dur et ses yeux sont sombres, presque noirs.

– J'aimerais te présenter Évangéline.

– Bonjour, dit-elle de sa voix plate.

Ma réponse n'est guère plus joyeuse.

– Bonjour, Mireille…

Wow! Voici ma nouvelle meilleure amie. Elle jubile de me voir, il n'y a pas à dire. L'énergie qu'elle dégage est à cirer les oreilles d'un prêtre.

Gisèle soupire.

– Alors, assoyons-nous. Il ne manque que Madeleine. Évangéline, tu vas te placer à côté de moi, je vais te montrer des trucs de base.

– D'accord.

Mireille dépose son ouvrage avec brusquerie.

– Elle a jamais brodé ? demande cette dernière du haut de sa grande gentillesse.

Elle n'est pas très affable, dois-je le mentionner ?

– Mais je sais coudre !

On dirait que j'essaie de me racheter. Je suis d'un pathétique ! Parfois, l'enthousiasme n'a aucun effet sur les renfrognés.

– Maman, tu vas la laisser gâcher notre travail ?

Laure est embarrassée, Isabelle regarde le plafond, alors que moi, je réprime un fou rire.

– Je vais lui donner un morceau de tissu à part. Elle pourra s'entraîner.

Mireille reporte son attention sur son ouvrage sans broncher davantage. La tension tombe, on dirait qu'on vient d'éviter le naufrage du navire. Le ton était cassant.

– Évangéline, il y a une couleur que tu préfères ?

– Noir.

– Noir ?

– J'étais distraite, je m'excuse. Il y a du mauve ? J'aime les fleurs mauves.

– Tu ne feras pas des fleurs en partant, dit Mireille, son nez pointé vers la table.

– Pourquoi pas ?

Gisèle me serre le bras comme si j'étais celle qu'elle attendait depuis longtemps.

– Oh toi! Je sens que je vais t'aimer! me dit-elle en collant sa joue maquillée contre la mienne.

Isabelle et Laure sont déjà concentrées sur leurs œuvres. Je suis impressionnée par leur travail. J'ai osé jeter un coup d'œil sur celui de Mireille, j'ai eu un choc. La qualité de sa broderie, incluant couleurs, textures, plans et perspective, se place dans une tout autre ligue. C'est ce qu'on appelle une artiste. Jamais mon petit carré de tissu ne sera ajouté à la même courtepointe que celle de Mireille. C'est certain!

– As-tu visité le coin, Évangéline? me demande Gisèle en tirant un long filament de coton du tissu blanc. C'est très intéressant pour les touristes, ici.

Je plisse le nez, incertaine de la réponse à fournir. Je suis loin de me percevoir comme une touriste. Je pencherais plutôt pour «intruse».

– Pas encore. Je ne pense pas avoir le temps de faire de la vraie villégiature.

– Peut-être que Gabriel peut prendre quelques heures pour te faire faire une tournée. Lui as-tu demandé? C'est vrai qu'on est pas mal hors-saison, mais tout de même.

Dans son coin, Mireille gigote en silence sur sa chaise. Elle semble rager. J'aimerais comprendre quelle mouche l'a piquée, celle-là. Je prends mon parti de l'ignorer, même si la tâche est quasi impossible.

– Non. C'est pas une bonne idée. Gisèle, vous savez que Gabriel et moi, ce n'est plus… enfin, c'est terminé.

– Alors, qu'est-ce que t'es venue foutre ici? s'écrie Mireille à l'autre bout de la table.

Le chat vient de sortir du sac. Les carottes sont cuites. Je viens d'avoir la réponse à ma grande question existentielle. Mireille Jomphe n'est pas étrangère à mon malheur! Est-elle amoureuse de Gabriel? Et si c'est le cas… qu'est-elle pour *lui*?

Où est mon cœur? Toujours en place? Sourire, il faut sourire, c'est la meilleure arme du monde quand on ne sait plus où se mettre.

Comment Gab aurait-il pu s'amouracher d'une mégère pareille? Quitte à me tromper, pourquoi ne pas avoir choisi Isabelle? Pour cette dernière, j'aurais mieux compris! Elle est faite d'une parcelle de nuage du paradis! Mais Mireille... elle est... aaaark!!!

– Mireille..., tente Laure en me souriant avec maladresse.

– Non, maman! Elle n'a rien à faire ici! Déjà qu'elle est là sans être là la plupart du temps!

Ses propos me sidèrent. Je dois ouvrir la bouche. Maintenant!

– Quoi? Mais de quoi est-ce que tu parles, Mireille?

Je n'ai pas sitôt terminé ma phrase que nous sommes interrompues.

– Maman? fait une petite voix enfantine. Maman...

Mireille est debout derrière sa chaise depuis le début de sa crise. Lorsque l'enfant apparaît dans le cadre de la porte du salon, elle change d'expression.

– Ce n'est rien, Tristan. Maman va bien. C'est une amie de notre Gabriel qui s'en ira très très vite!

C'est à un gamin de tout au plus quatre ans qui trottine vers elle pour se jeter dans ses bras que Mireille précise *notre* Gabriel. Elle s'est fait un point d'honneur de le souligner sans manquer d'accentuer chaque syllabe. Le petit est blond et frisé tel un petit valentin. Quelque chose dans son regard me transperce. Il me dévisage jusqu'à ce que sa mère saisisse sa nuque pour qu'il détourne les yeux.

Alors que c'est moi qui devrais être enragée, Mireille me lance un coup d'œil menaçant. Je n'ai pas le temps de rétorquer ni de réagir qu'elle est déjà sortie de la pièce avec son fils collé contre sa poitrine.

– Qu'est-ce que j'ai fait?

C'est à moi-même que je pose cette question. Mon faux sourire a été vain. Je suis sidérée, même si je ne devrais pas l'être. N'est-ce pas la réponse à toute ma quête ? Je devrais être soulagée d'avoir enfin trouvé ce qui me prive de mon amour. Je suis là sans être là, je suis le fantôme de la vie de Gabriel ; il parle de moi, il me garde présente avec lui.

Une grande question m'habite : notre amour peut-il vaincre toutes les circonstances de cette histoire de fous ?

CHAPITRE 9
Ce n'est qu'un vieux poème

Je suis sortie de chez Gisèle en insistant pour rester seule. J'avais un besoin pressant de recentrer mes pensées. Surtout, il fallait faire cesser le tremblement incontrôlable de mes mains. Le froid de la Côte-Nord est parfait dans ces cas-là.

Il doit être presque 15 h de l'après-midi. Une fine neige tombe du ciel. L'air est différent ici. Ce n'est pas celui de Montréal que nous respirons. C'est l'air marin, l'air pur, l'air qui n'a pas été respiré par des millions de personnes à la fois. Les gens que je croise dans la rue se sentent obligés de me saluer, comme si j'étais une cousine éloignée. Alors, Gabriel avait raison : ici, les gens se parlent et se regardent dans les yeux.

J'expire l'air que je retiens. Chaque molécule forme une buée qui se dissipe rapidement. Mes souvenirs se bousculent, j'essaie de décortiquer en quelques secondes des années d'anecdotes. De toute évidence, ses voyages partout au Québec durant ces derniers mois n'étaient que des leurres. Il n'a probablement même jamais déposé le gros orteil ailleurs. Il n'a sûrement jamais mis le pied au Japon ! Pourquoi ne pas me l'avoir avoué avant ?

Il devait avoir deviné que je viendrais. Plus j'y réfléchis, plus mon sang se glace, plus les larmes me montent aux yeux. Je me sens comme la pire des connes. Un nœud serre mon estomac tel un cordon de feu qui envahit ma poitrine.

Où est mon portable? Je dois parler à Géraldine. Elle me manque. J'ai tellement besoin de ses conseils, non, de ses commentaires – ses conseils ne sont jamais bons.

Première chose à faire: retrouver l'auberge. La municipalité fait environ trois kilomètres carrés, je devrais pouvoir marcher seule et retrouver mon chemin facilement. Où est le pont Titi? J'avance rapidement: il fait sept degrés sous zéro et j'ai oublié ma tuque chez Gisèle. Déjà heureux que j'aie pensé à l'apporter.

Des pas courent derrière moi. Cric, cric, crac! font la glace, le ciment et la neige. Je continue à marcher, j'ai besoin de m'isoler avec mes pensées.

– Évangéline!

De plusieurs maux, je m'aperçois que c'est le moindre. C'est Isabelle qui me poursuit.

Ç'aurait pu être pire. Mireille aurait pu être armée.

– Évangéline! insiste-t-elle.

Je ralentis mon pas pour me retourner. Pour Isabelle, je suis prête à forcer mon faux sourire. Comment pourrait-on brusquer une si belle petite personne?

– Isabelle. Salut.

– T'as oublié ta tuque.

– Merci.

Je pivote pour continuer mon chemin, mais le soupir d'Isabelle m'arrête dans mon élan. Bon, quoi encore?

– Je dois te parler. On peut aller prendre un café?

La question est posée avec empressement. Ai-je le choix? Oui, on a toujours le choix, surtout qu'Isabelle n'est pas de taille, je la mettrais au tapis en trois coups. Et je ne sais même pas me battre. Mais Isabelle a une façon insidieuse de me convaincre.

Elle est époustouflante en contre-jour avec la neige qui luit d'un reflet bleu derrière elle. On dirait qu'elle est née sur un nuage de frimas. La fée des neiges est devant moi.

– Oui, d'accord. Mais dans ma chambre, à l'auberge. J'ai une cafetière.

– OK.

– Justement, où est-elle ?

– Quoi ?

– L'auberge, où est-elle ?

Par cette question, j'avoue d'emblée être complètement perdue.

☆ ☆ ☆

Nous entrons dans ma chambre une dizaine de minutes plus tard. Je n'ai qu'à ouvrir les rideaux pour que le soleil d'hiver plante ses rayons blancs sur la petite table qui borde la fenêtre. C'est une admirable pièce qu'on m'a octroyée.

– Donne-moi ton manteau.

Et la voilà, cette cascade infinie de cheveux blonds qui déboule sur son corps délicat, comme dans une annonce de Vidal Sassoon. Désolée pour Géraldine, mais elle n'est pas de taille. Je comprends Simon de parcourir des milliers de kilomètres pour la retrouver. J'ai presque le goût de revenir moi-même juste pour revoir Isabelle. Ai-je bien compris que Simon tente de s'en séparer ? Je dois avoir mal saisi.

En quelques minutes, le café coule dans la carafe, puis je place les tasses chaudes sur la table.

– Je voulais excuser Mireille, lance-t-elle en introduction, comme une brique.

– Elle et Gabriel…

Isabelle roule ses lèvres vers l'intérieur, puis regarde ailleurs.

– Pas besoin de te faire un dessin, dit-elle. Elle te l'a annoncé sans mâcher ses mots !

– Non, pas besoin. Ce que je comprends, c'est qu'il lui fait subir le même sort qu'à moi. Elle passe des mois à l'attendre.

– Chaque fois qu'il revient vers toi, oui.

– Depuis quand ?

Isabelle semble hésiter, index sur les lèvres, pupilles maintenant dirigées vers le plafond.

– Ne t'en fais pas, Isabelle, je ne ferai pas de crise.

– Tristan a quatre ans. Alors, mettons cinq ans, annonce-t-elle en me regardant droit dans les yeux.

Je suis en train de m'ébouillanter les cuisses avec mon café qui vient de se renverser, mais je ne bouge pas, je ne bronche pas, je suis complètement figée sur place.

Tristan! Bien sûr que j'y ai pensé! Il a ses cheveux, son nez, il est doux... J'étais en déni total, j'espérais avec ma *super* pensée magique étouffer une vérité qui me sautait en plein visage. Comme si, en fermant les paupières assez fort, le problème disparaissait. Je suis la fille la plus dupe du monde, la plus conne du Québec entier! Mon cher amour est bigame.

Peut-on être bigame sans être marié?

J'essaie de combattre mes idées noires en me posant des questions stupides, mais rien ne fonctionne. La douleur est trop vive. Je déteste Tristan. Pour Mireille, je n'ai pas de mot pour décrire mes sentiments exécrables à son égard. La haine est mon seul refuge pour le moment. Je ne peux pas, je ne DOIS pas diriger ma haine contre un enfant. J'ai une pensée pour Liguori, si petit, si mal aimé. Non, les enfants, c'est sacré. Ma colère va passer. C'est Gabriel que je dois viser, pas eux. Même elle, la vipère, ce n'est pas sa faute. Mais j'ai trop mal, je ne peux pas contrôler mon envie de lui arracher les yeux.

Ouch! Je pense que je me suis réellement brûlé la peau des cuisses. Je me lève pour secouer mon pantalon de velours côtelé.

– Évangéline, ça va?

Je lève une main pour l'empêcher de m'approcher.

– Et elle sait qu'il revient vers moi? Comme si de rien n'était?

– Oui. Depuis le début.

– Comment peut-elle accepter une chose pareille?

– Tu sais, ici, ce n'est pas comme si on avait un choix infini pour trouver un père pour son enfant. Est-ce que ça va? Laisse-moi t'aider!

Je regarde la fée des neiges me tripoter les jambes avec une serviette blanche. Je suis encore incapable de bouger.

– Je suis désolée, Évangéline. Je pensais que tu avais compris pour Tristan.

– Je vais prendre le premier avion disponible, dis-je entre mes dents.

– Non, il faut que tu l'affrontes.

– Pour faire quoi? Hein? Dis-moi ce qu'il peut bien rester de notre amour! Il a un enfant, ici! Un enfant secret. C'est la réalité qui dépasse la fiction! Comment puis-je rivaliser avec ça?

Je porte la main à ma tête. On se croirait dans un drame écrit pour Robin Williams. Celui du gars qui mène une double vie avec un accent différent dans chaque rôle. L'image de Mrs. Doubtfire me revient. Je vois Gabriel retirer son masque de caoutchouc.

– C'est mon neveu, il est merveilleux.

– C'est l'enfant de Gabriel, il ne peut pas être autrement.

– Tu... tu l'aimes encore?

Je la considère un instant. Autant y aller avec une affirmation pour éviter la question que je n'ose pas lui poser.

– Autant que tu aimes Simon.

Elle sourit tristement.

– Simon ne m'aime pas. Enfin, pas comme ça.

Alors, j'ai visé dans le mille!

– Impossible, tu es parfaite.

– Non, ce n'est pas vrai. Même si ça l'était, ce n'est pas la perfection qui crée la magie entre deux personnes, au contraire.

Isabelle me sourit en me prenant les épaules. Je ne résiste pas lorsqu'elle m'attire dans ses bras, la main dans mes cheveux bouclés.

– Oh! Évangéline, ta visite est la meilleure chose qui puisse arriver dans nos vies. Tu ne sais pas à quel point. Dommage que ce soit dans ces conditions. Ma sœur… c'est un cas.

Un cas? C'est un code secret pour dire *une folle*?

Elle cherche mon regard.

– Promets-moi une chose, Évangéline…

– Quoi?

– Je sais que c'est une situation complètement cinglée, mais promets-moi de garder l'esprit ouvert tout en étant prudente.

– Je ne comprends pas…

– Je ne voudrais pas que tu laisses passer la chance d'être heureuse et de reconnaître la magie quand elle passe. Je ne voudrais pas que tu te fasses du mal non plus.

– Quoi? fais-je, encore plus embrouillée.

– Tu comprendras quand ça te sautera au visage. Parfois, il faut sortir de nos préjugés. Ta vie ne sera jamais ordinaire, Évangéline. Elle ne peut pas l'être. Tu es l'héroïne de notre chanson. Fais-le pour elle.

– Pour qui?

– Notre Évangéline.

– Ce n'est qu'un vieux poème, Isabelle.

– Je ne crois pas au cynisme.

– Tu peux bien avoir l'air d'une fée.

– Parce que je crois à la magie?

– Oui. Tu es comme une enfant.

Isabelle me sourit. A-t-on déjà vu pareille bouche? Pulpeuse, rose, avec des dents parfaites? Cette pauvre fille a dû se faire détester.

– On m'a toujours dit que j'étais une vieille âme. Mais promets-moi, Évangéline.

Ma tête, toujours prise entre ses belles mains, se secoue en un «oui» silencieux. Maintenant, c'est moi qui la serre très fort.

Nous sommes toujours enlacées lorsque la porte s'ouvre toute seule, poussée par la brise froide. Des flocons de neige virevoltent sur le tapis.

CHAPITRE 10
Tête de cochon

Je ne comprends rien de ce qu'Isabelle a tenté de me dire. Je ne vois pas où est mon conte de fées! Je suis cocue depuis au moins cinq ans, ma vie est une farce, en plus j'ai fait un voyage ridiculement long pour me le faire mettre sous le nez.

Je ne sais pas quoi penser de Gabriel ou de Mireille Jomphe. Tout ce que je sais, c'est que je n'ai qu'une seule idée en tête : déguerpir au plus vite. Voilà pour la prudence! Affaire classée.

Mes vêtements ne sont pas replacés dans mon sac, ils y sont projetés avec force et vigueur. Jamais de ma vie je n'ai rassemblé mes effets personnels aussi rapidement. Je dois toutefois avouer que je n'ai jamais voyagé avec aussi peu!

Il me faut un billet d'autobus. C'est si simple, pourquoi n'ai-je pas fait ça avant? Je n'ai qu'à aller au terminus, c'est au dépanneur au coin de la rue. Tous les ennuis que je me serais épargnés si j'avais pris un billet d'autobus pour venir! Je sais, Simon me l'a répété cent fois J'ai une maudite tête de cochon.

Heureuse de ma décision et l'esprit complètement désarçonné par le choc, je marche d'un pas mal assuré vers le bâtiment de bois garni d'un large perron d'où descendent deux escaliers. La cloche tinte à mon entrée, pourtant il n'y a personne à la caisse pour m'accueillir.

Je me dandine d'un pied sur l'autre, touchant du bout des doigts les macareux moines en peluche. J'en prends un, le plus beau, pour Charlie. Puis, je suis attirée vers une rangée de t-shirts jaunes, bleus, rouges, roses, mauves. Tous portent l'inscription des îles Mingan. Qu'importe si je ne les ai pas visitées, personne ne le saura. Je prends le rose, taille 7, avant de retourner à la caisse.

Au tintement de la clochette, j'ai bon espoir de voir la caissière revenir à son poste. Mais je me trompe, c'est Simon qui entre avec une bourrasque d'air froid.

– Évangéline, je te cherchais partout !

Je fais une grimace de lassitude.

– Pourquoi ? Tu es certainement au courant de tout, tu sais pourquoi je m'en vais. Ma visite touristique est terminée. Ce fut très… instructif.

– Tu ne peux pas partir tout de suite.

Pourquoi sa main est-elle sur mon épaule ? Je me dégage avec un mouvement si impatient que l'oiseau de peluche en fait une pirouette pour terminer sa chute dans la main agile de Simon. Il me le rend avec un demi-sourire.

– Ben, voyons ! C'est pas comme si tu allais t'ennuyer de moi, Simon, franchement.

Je suis tellement découragée que ma poitrine est lourde. Je laisse finalement tomber l'oiseau et le t-shirt.

– Je vais retourner à ma chambre. Je ne veux plus voir qui que ce soit. Je partirai demain.

Je contourne Simon, mais il recule et m'empêche d'avancer.

– Simon, laisse-moi passer.

– J'ai quelque chose à te dire.

– Oui, vas-y…!

Je soupire, impatiente et agacée. Un drame de plus ou de moins, au point où j'en suis !

– J'étais pas certain pour Tristan.

– Ben oui, et quoi encore ?

J'essaie d'avancer de nouveau, mais son bras me bloque encore. Simon porte un manteau noir et une tuque gris acier.

À mes yeux, il est devenu beau, je vois de la bonté dans son regard. Toutefois, à ce moment précis, je n'ai pas le cœur à contempler qui que ce soit.

– OK, je le savais, admet-il. J'aurais pu te le dire. Je m'excuse…

Je l'étripe dans la seconde ou j'attends qu'il me donne une bonne raison de ne pas lui faire mal ? Mais je suis lasse, épuisée, vidée. À quoi cela servirait-il après tout ?

– C'est rien, Simon, c'est pas comme si c'était toi qui m'avais trompée pendant des années. C'est pas toi qui m'as fait gaspiller les meilleures années de ma vie. C'est pas toi qui as une double vie ! Alors, si quelqu'un doit s'excuser, ce n'est pas toi ! C'est lui ! C'est lui, le salaud ! C'est lui, qui a fait un enfant en cachette ! C'est lui…

Je pleure et je pleure encore. Je suis venue à mille cent quinze kilomètres de chez moi pour brailler toutes les deux heures. Sur ma volée d'accusations visant Gabriel, Simon m'a attirée à lui, collant ma joue humide contre son manteau noir, sa main sur mon oreille, ses lèvres sur mon front.

– Chhhh…. On va partir d'ici dès samedi et ne plus revenir.

Il caresse mes cheveux et je me laisse choir sur sa poitrine. Je suis bien dans les bras de Simon, c'est si… facile.

– Simon ?

– Oui ?

– Pourquoi est-ce que tu parles comme si on était ensemble ? Personne n'est là pour t'entendre. Et puis, n'oublie pas Isabelle, elle est vraiment spéciale.

– Je me sens responsable de toi. Je veux dire de ta présence ici.

– Il ne faut pas, tout est ma faute.

– J'aurais pu te laisser à Québec. J'aurais dû insister.

– J'aurais fait de l'autostop. J'aurais trouvé un autobus. J'aurais marché.

Il me serre encore plus fort contre lui. Nous sommes au milieu du magasin. La caissière est maintenant à son poste, elle peut facilement entendre toute notre conversation. D'ailleurs, elle vient de poser ses coudes sur le comptoir, menton sur ses paumes, elle assiste à la scène comme s'il s'agissait d'un feuilleton.

Me gardant contre lui, il ramasse mon oiseau de peluche.

– Tu voulais prendre ceci ?

– Avec le t-shirt rose.

– OK.

Il colle son menton à sa gorge pour me regarder.

– Ça va, tu peux essuyer tes larmes sur mon manteau, il est vieux de toute façon.

Il place les deux objets sur le comptoir. La fille rousse retient un petit sourire en frappant sur les touches de sa caisse. Simon paie mes souvenirs, il prend le sac que la fille lui tend et nous quittons le magasin sans billet d'autobus.

Je dois être aliénée. Je suis de retour chez Laure, comme si c'était normal de m'y retrouver. Cette dernière est au piano, Gabriel est campé devant moi, Mireille et Tristan à ses côtés. Je suis assise entre Simon et Isabelle.

Quel beau tableau !

Avant de me retrouver dans cette fâcheuse position, j'ai eu du *coaching*.

Simon, Isabelle et moi étions à la cuisine. Ils préparaient des hors-d'œuvre. Ils avaient l'air d'un couple heureux, allant et venant dans la pièce, l'un rangeant les condiments que l'autre avait utilisés. L'une coupant des morceaux de saumon fumé pendant que l'autre ajoutait les câpres. Même physiquement, ils étaient bien assortis. On aurait dit le portrait parfait de fiancés heureux.

À mon apparition dans le cadre de porte, autant l'un que l'autre a souri.

– Je ne resterai pas longtemps, les ai-je avisés.

Les deux ont contourné le comptoir pour m'entourer.

– Ils sont au salon, m'a dit Isabelle. J'ai longuement discuté avec Mireille aujourd'hui. Elle m'a promis d'être gentille avec toi.

– Mais ça n'a rien à voir avec ça, Isabelle. Si j'étais à sa place, je me lyncherais aussi. Je la comprends. C'est lui qui m'évite comme si j'avais la lèpre.

– Ce n'est pas à propos de lui, Évangéline, m'a corrigée Simon. C'est toi qui dois passer à autre chose.

– C'est facile à dire.

J'ai reculé, les bras croisés sur ma poitrine. Je suis peureuse dans l'âme, mais je fais toujours face à mes problèmes.

– Simon, Isabelle, pouvez-vous nous laisser, s'il vous plaît?

Gabriel était sur le seuil, sous l'arche qui sépare la cuisine du salon.

Il avait l'air fatigué, ses traits étaient tirés. Même s'il était loin d'être aussi grand que Simon, il emplissait la pièce de sa prestance. Ses cheveux tombaient sur son front si volontaire, si fort, si…

En déséquilibre sur la frontière entre l'amour et la haine, mon élan spontané n'a rien eu de tendre.

J'ai ouvert la bouche pour parler, non, crier, cracher, mordre… mais Gabriel a posé un doigt sur ma bouche avant que le premier son strident sorte de ma gorge.

– Je sais, je ne suis pas mieux que mort. Si tu veux, je vais même te donner le couteau de cuisine.

– Exactement. J'ai pensé à la chaise électrique, à la guillotine, mais ça ne se trouve plus en magasin. J'ai pensé au fusil de chasse de mon père. D'ailleurs, dès que tu te montreras à Montréal…

– Je t'aime, Évangéline, m'a-t-il coupée.

J'avais les deux mains sur mon visage. J'étais si lasse que ses mots ne m'affectaient même pas.

– Assieds-toi, s'il te plaît. Je vais tout t'expliquer.

CHAPITRE 11
Passer l'éponge

J'ai pris la chaise la plus éloignée que j'ai pu trouver. D'un geste de la main, je lui ai intimé de ne pas s'asseoir trop près, mais il avait un air malheureux que je n'ai pu ignorer, comme d'habitude. Gabriel sera toujours Gabriel, peu importe la vacherie qu'il me fait. Cette fois-ci, même si j'ai essayé, c'était difficile de faire l'autruche.

– Ce que j'ai à dire, j'aimerais le dire à voix basse.

– Pour le bien de ta *famille* ?

J'ai eu la nausée en prononçant ces paroles. Sa *famille*. Qui étais-je pour rivaliser avec ça ?

C'était mon Gabriel. Comment tout cela était-il possible ? Je n'avais rien fait pour mériter ça.

Là était toute l'ampleur de mon erreur. Le résultat s'étalait devant moi. J'avais *tout* fait pour mériter ce qui m'arrivait. Je lui avais servi ma patience sur un plateau d'or. Il n'avait fait que pousser l'effronterie jusqu'à ses limites.

La boule de feu dansait encore dans ma gorge, j'étais tellement en colère ! Voilà à nouveau les larmes qui rappliquaient.

Gabriel s'était approché pour prendre mes mains dans les siennes. Il les avait caressées avant de commencer à parler. À mon réflexe de retrait, il avait resserré son étreinte. J'avais cédé, c'était évident.

– Il y a cinq ans, je suis venu ici pendant quelques mois.

– Il y a cinq ans, tu étais censé être dans l'Ouest canadien.

Son expression était pitoyable. Je me suis frappé le front.

– Tu n'y es jamais allé.

Son regard s'est redirigé vers mes doigts lorsqu'il a secoué la tête pour confirmer mon murmure.

– Lâche mes mains.

Je n'avais moi-même pas la force de fuir son emprise. Il était évident qu'il s'agissait du dernier contact physique que j'aurais avec cet homme. Mon seul espoir était qu'il se retire de lui-même, mais il me serrait encore plus fort.

– Je ne peux pas, Évangéline. Je t'aime tant, depuis que tu es toute petite.

Ses yeux se sont embués, une larme a glissé sur sa peau.

Pourquoi me faisait-il ça ?

– Gabriel, ai-je dit entre mes dents, mue par un soudain agacement. Arrête de jouer la comédie, ta mascarade est terminée, tu devrais te sentir libéré, ajoutais-je.

– Pourtant, la situation est encore plus lourde à porter.

– Est-ce que tu l'aimes ?

Il m'a regardée, perdu, perplexe. Il avait l'air d'un cerf aveuglé par les phares d'une automobile.

– Je te demande si tu l'aimes ! Je parle de Mireille !

– J'aime Tristan.

– T'aimes pas Mireille ?

– C'est ce que je voulais t'expliquer. Je ne suis pas amoureux de Mireille, mais je ne peux plus vivre loin de mon fils qui grandit. Je dois rester ici en permanence. La situation n'est pas simple. Si tu savais !

Je n'avais jamais vu son visage aussi défait. Je n'y lisais que du regret, voire de l'amertume. Il semblait réellement accablé. Était-ce mon imagination qui me jouait des tours ? Étais-je en train d'inventer de toutes pièces ce que je souhaitais voir, c'est-à-dire que Gab était malheureux comme les pierres sans moi ?

Je me sentais infâme, c'était terrible. Il fallait que je creuse la question, c'était plus fort que moi. Je devais tout savoir.

– Tu dis que tu m'aimes, et pourtant tu ne m'as jamais demandé de venir vivre ici.

– Je ne pouvais pas te demander ça. Pas avec la façon dont les choses se sont produites. Je t'ai trompée mais c'était il y a si longtemps. Il y avait des mois que je ne t'avais pas vue à l'époque. Je me suis retrouvé dans une position… disons… délicate.

Qui m'avait dit de garder l'esprit ouvert déjà? Ah oui! Isabelle. Isabelle m'avait fait promettre de ne pas fermer la porte, même si tout était sens dessus dessous. Une longue minute s'est écoulée avant que j'inspire l'air environnant au complet pour parler. Puis, tout est sorti d'un bloc, libérant d'un seul coup tous mes doutes, et mon cœur s'est affolé.

– Admettons que je sois prête à te pardonner?

– Comment le pourrais-tu? Non, je n'attends rien de toi.

Depuis le début de notre conversation, j'avais constaté qu'il fuyait mon regard.

– Mais si je l'étais, Gabriel? Si je te pardonnais, si on passait l'éponge? Tu m'offrirais de vivre ici, avec toi?

C'est à cet instant que Gabriel a monté ma main à ses lèvres, sans répondre à ma question, sans non plus quitter mon regard.

C'est ainsi que j'ai pu me rendre au salon sans traîner mon cœur brisé au fond de ma gorge.

Je suis donc assise entre Simon et Isabelle, la Sainte Famille devant moi. L'ange Gabriel ayant fait le miracle de la conception du petit Tristan, Mireille étant la Vierge mère, priez pour nous, pauvres pécheurs. Tout baigne; ils ne sont pas un vrai couple, c'est moi qu'il veut, pas elle. Je peux me bercer d'illusions et croire qu'ils ne se touchent plus depuis cinq longues années. Je me bâtis d'ailleurs toutes les chimères de la terre. Si je ferme les yeux très fort, le bonheur est à ma portée. Si, par contre, je cherche des failles dans mon histoire… Non. Positiver fait trop de bien. Mon cœur s'accroche à ce bout d'espoir, à ce rêve.

Ma tête est en mode course effrénée; je dois sourire dans le vide quand Isabelle me tapote l'épaule.

– Évangéline, où es-tu ma belle?

– Nulle part. Ici, dans mon futur.

– Tu devrais arrêter de fixer Gabriel comme si c'était le bon Dieu incarné, me chuchote-t-elle à l'oreille. Ça met Mireille mal à l'aise.

– Ça ne devrait pas, pourtant, dis-je en dirigeant mon regard de Gabriel à Mireille.

– Ah non?

La voix douce d'Isabelle semble lointaine. Mes yeux viennent d'avoir très mal. *Wô, minute! C'est quoi ça?*

C'est quoi ÇA?

Je plisse les paupières pour être certaine de bien voir.

Ça luit pas mal.

Je dirais même que ça brille.

Et c'est à un doigt très important.

CHAPITRE 12
Fiançailles

– Vous êtes fiancés ?

Je viens de hurler en sautant sur mes pieds.

Laure cesse de jouer sur une fausse note; Gabriel porte une main à son front; Mireille sourit de toutes ses dents; le petit se vautre dans les bras de son père.

– Tu ne lui as pas dit ? demande Mireille à Gabriel, son faux sourire figé sur ses lèvres colorées d'un rose qui ne lui sied pas du tout. Je croyais que c'était ce que tu étais allé faire dans la cuisine !

Je rêve ou Mireille a les lèvres un peu bleues ?

– Non ! Il était trop occupé à me dire… à me dire…

Bon, je pourrais être méchante. *Vache*, même. Je pourrais crier haut et fort que c'est de MOI qu'il est amoureux. Qu'il est pris au piège avec elle. Que c'est une garce, que je la déteste. Je pourrais ajouter que Gabriel la déteste aussi parce qu'elle le tient dans un étau, dans sa marmite de vieille sorcière, tiens !

Cependant, je regarde Tristan. Dans ses grands yeux bleus, il y a tellement d'espoir, d'innocence. Mon cœur n'est pas de pierre, surtout lorsqu'il s'agit d'un enfant.

À ma gauche, Simon se lève pour prendre ma main, exactement comme il l'a fait dans son camion. La chaleur familière de sa peau dans ma paume enrobe d'une sécurité nouvelle mon cœur meurtri. Alors que je m'apprête à terminer ma phrase et à jeter mon venin sur la fiancée de Gabriel, il me tire doucement à lui, presque imperceptiblement. Je sens son souffle dans mes cheveux, sa poitrine contre mes épaules.

– Évangéline, murmure-t-il derrière moi. Je t'aime.

Les mots de Simon ne sont qu'un murmure sur ma nuque. Personne d'autre n'a pu les comprendre. Je ne suis pas certaine de les avoir bien entendus moi-même. Pourtant, leur effet est instantané. Mes muscles se détendent. Je ne souhaite même pas savoir si j'ai bien déchiffré ses paroles. Je ne peux pas m'arrêter à ses propos et me demander s'il le pense vraiment, ni ce qu'une telle confidence provoque entre nous. Pour l'instant, j'ai seulement besoin d'y croire pour en tirer de l'énergie.

Ma tête est vide, mon cœur aussi. Il y a un trou dans mon âme. Plus rien ne peut y adhérer, pas même Simon. L'essence de ma personne est au point mort. J'ai oublié qui je suis, où je suis et ce que je dois faire. Je ne vis que sur l'énergie momentanée de la présence de Simon derrière moi. C'est une chance inouïe qu'il soit là. Il a quelque chose de mystérieux, de fondamental. Qui dit des mots aussi fous à la nuque d'une fille au bord du gouffre, même s'il est impossible qu'il les pense vraiment? Et devant sa copine par-dessus le marché!

Le gars a du front, je dois l'admettre.

Tous les regards sont rivés sur moi. Laure pose ses mains sur ses genoux. Ses lèvres semblent prononcer une prière silencieuse. Gabriel m'implore de son regard bleu. Il est où, son courage de valeureux? Je viens de comprendre. Il est entre ses bras et il pèse environ vingt kilos. Elle est là, sa bravoure. Son sacrifice est assis à côté de lui, elle a des yeux aussi austères qu'un monastère.

– Il ne m'a pas parlé de vos fiançailles. Il était trop occupé à me dire de retourner à Montréal, finis-je par articuler.

☆ ☆ ☆

Ce que je fais.

Je suis certaine que c'est un éclair de génie, de folie, de sagesse, appelons ça comme on veut.

Je ne reparle pas à Simon des mots glissés à mon oreille lorsque j'étais dans une bien mauvaise posture. Ce n'était qu'un «je t'aime» de grand frère, du simple soutien moral. Simon est un être spirituel, il a très bien pu me dire ça par grandeur d'âme. L'important, c'est que je rentre seule au bercail. Ça, j'y tiens.

Simon vient avec moi acheter mon billet pour Sept-Îles. De là, je peux prendre une navette vers Montréal.

Le voyage se passe comme dans un rêve. Je monte dans l'autobus après avoir embrassé Isabelle et Laure sans réellement les voir. Je garde en souvenir la texture du manteau noir de Simon, la sensation de ses doigts dans mes cheveux, de ma joue sur son épaule.

– Ça va aller, murmure-t-il alors que le chauffeur commence à s'impatienter. Appelle-nous en arrivant, d'accord?

– D'accord. Je suis désolée d'être montée dans ta roulotte sans ta permission, Simon.

– Mademoiselle! Nous devons partir! gronde le chauffeur à la tête chauve.

– Merci pour tout. Je t'aime, Simon, dis-je sans réfléchir. Vraiment.

Comme une sœur le dirait à son frère.

Je grimpe dans l'autobus. Une fois assise sur le siège bleu, je colle mon front et mes doigts à la vitre froide. Je vois Simon, l'air triste, les mains dans les poches. Isabelle se colle à lui. Il entoure ses épaules sans quitter mon regard.

Ils forment vraiment un beau couple.

CHAPITRE 13
Retour à la réalité

– Je dois admettre que tu es encore plus démente que je le croyais.

J'arrive tard ce vendredi soir pour atterrir directement sur le divan blanc de mon frère Pierre. Je ne veux pas me retrouver seule dans mon petit appartement désert.

Le samedi matin, Stéphanie me tend un café crème versé dans une de ses tasses à quinze dollars pièce. Elle a changé de coiffure, mais son style est toujours aussi classique. Une coupe au carré reste un incontournable dans l'univers de ma belle-sœur. Il n'y a que la longueur qui varie.

Elle appelle ça vivre pleinement.

– T'as changé tes rideaux ?

Elle regarde derrière moi et sourit, heureuse de ma remarque. Si je parle déco avec Stéphanie, je la prends par les sentiments. Je peux ainsi dévier du sujet que je cherche à éviter.

– Oui ! Regarde bien ça ! dit-elle en levant l'index pour me dire d'attendre.

Elle revient avec une espèce de vase en mosaïque de verre rouge et le pose sur son comptoir de marbre gris.

– Il va bien avec tes nouveaux rideaux, dis-je en faisant mine d'être intéressée.

Je me penche vers mon sac pour sortir le chandail et l'oiseau.

– Tu donneras ça à Charlie.

– T'as eu le temps de faire du tourisme?

– Un peu.

Un petit mensonge sans conséquence n'a jamais heurté personne.

– Je ne peux pas croire que tu sois montée dans son camping-car…

– Son quoi? Ah! tu veux dire sa roulotte!

– Oui, c'est ça…

Incapable de tenir plus longtemps, je lui coupe la parole d'une voix forte.

– Gabriel a un enfant!

Stéphanie attrape le bord du comptoir et son corps se rejette vers l'arrière.

– Quoi?

– Il a quatre ans, il s'appelle Tristan. Sa mère est… hum… assez horrible. Oh! Stéphanie, ce que j'ai vécu depuis mon départ, ça dépasse l'entendement!

Mes doigts pianotent sur le matériau froid du comptoir.

Alors que je décris les événements qui m'ont ramenée à Montréal, mes paroles sont étrangement compatissantes. J'aurais pu décrire Gabriel comme le trompeur qu'il a été, mais j'en suis incapable.

J'ai aimé Gabriel profondément du plus loin que je puisse me rappeler. Si je commence à en douter, je me perdrai dans les méandres de mes pensées masochistes.

– Gabriel est tel qu'il est, dis-je à Stéphanie. Je n'aurais jamais pu le changer.

– Il va revenir. Il ne restera pas avec cette femme-là. Il va s'ennuyer à mort, là-bas. Enfant ou pas. Il peut se battre pour la garde, surtout si la mère est folle!

Je secoue la tête tristement.

– Non, Steph! C'est pas exactement le cas. Il est vraiment harponné, à moins de déserter le village, chose que je ne lui pardonnerais pas de toute façon. Tu sais à quel point les enfants, quels qu'ils soient, sont importants à mes yeux. Jamais je ne voudrais d'un père qui abandonne froidement sa progéniture.

J'ai le menton en repos sur mes genoux, mes jambes étant repliées sur ma poitrine. La solution facile serait celle que Stéphanie prophétise, pourtant je me prends à espérer qu'elle ait tort, que Gabriel ne revienne pas. Qu'il soit heureux avec son fils, dans ce coin reculé du Québec. Qu'avec le temps, je guérisse.

– J'espère qu'il y restera.

J'ai affirmé mon souhait tout haut. Stéphanie hausse les sourcils.

– Tu le hais à ce point-là, hein?

Son ton est rempli de sous-entendus. Elle l'exècre pour nous deux. Pourtant, il ne lui a rien fait, à elle.

– Non, je ne le déteste pas. Je lui souhaite d'être heureux.

Stéphanie croise les bras sur sa fausse poitrine, elle cherche avidement un signe de ressentiment de ma part.

– Évangéline, est-ce que tu prends des pilules? Du Prozac, de l'Effexor, quelque chose dans le genre?

Sa question ouvre un flot de rires qui sort en éclat haut et animé de ma gorge. Stéphanie semble connaître ça, les antidépresseurs.

– T'es pas normale, insiste-t-elle. Aurais-tu rencontré quelqu'un d'autre, par hasard?

– Non, je n'ai rencontré personne.

Chatons 6 et 7 ont dû rendre l'âme dans la nuit du samedi au dimanche, car Géraldine m'assure qu'ils étaient vivants la veille. J'ai le cœur brisé devant les petits cadavres encore minuscules et blancs comme des flocons. Chatons 1, 2, 3, 4 et 5 devront être mis à l'abri du froid, mais Chatte 1 refuse de les quitter. Elle est très protectrice. C'est toute une mère, elle a eu une énorme portée! Je respecte son territoire et je tente de faire de mon mieux, jetant sur la boîte une épaisse couverture de laine. Deux boîtes de thon devraient rassasier la nouvelle maman endeuillée. Je les achète à prix de gros, désormais.

Je contemple la petite famille en cavale sur mon perron. Chatte 1 me fait soudain penser à Mireille Jomphe. Agressive, méfiante.

Même si je suis convaincue que Mireille mord encore plus fort que Chatte 1, je ne ferai pas le test.

J'ai la main sur la poignée de la porte extérieure lorsque mon escalier craque. Et craque encore.

– Bonjour, Évangéline, fait une voix grave.

Je me retourne lentement, de peur de me tromper. Est-ce possible qu'il soit déjà revenu? Je pensais qu'il restait quelques jours de plus! Je vois apparaître une tête brune, un regard familier, sombre, d'épais sourcils, une mâchoire taillée dans le roc. La bouffée d'air qui s'empare de mes poumons se confond avec ma joie. L'intensité de mon bonheur à sa seule vue me surprend moi-même!

– Simon! Je ne savais pas que tu étais déjà de retour! Est-ce que tout va bien? Comment m'as-tu trouvée?

Il lève une main pour endiguer mon emportement verbal par une réponse simple.

– Géraldine.

Mes mains atteignent mon visage spontanément, couvrant mes joues et ma mâchoire. Ma bouche forme un *o* soucieux.

– Oh non!… Simon, t'aurais pas dû demander à Géraldine, elle va croire que nous… J'ai même pas encore eu le temps d'aller la voir! Elle va s'imaginer des choses…

– Et t'en vouloir? dit-il en terminant ma phrase et en comblant la distance entre nous.

– Oui.

– Entrons. T'es pas habillée pour rester dehors.

– Simon, tu devrais partir…

Je proteste en grelottant malgré moi. Il a raison, il fait trop froid pour mon chandail léger. J'ai raison aussi, il devrait partir.

Son visage est maintenant à quelques centimètres du mien, son manteau est ouvert. Je n'aurais qu'à lever mes mains pour les glisser dans la chaleur de son vêtement. Je l'ai déjà fait auparavant, mais c'était totalement innocent puisque nous étions à un millier de kilomètres de la réalité. Ça ne comptait pas.

Aujourd'hui, en ce dimanche ensoleillé d'une fin de novembre glaciale, la réalité me frappe de plein fouet. Des chatons morts gelés à mon amitié pour Géraldine, en passant par mon cœur brisé par Gabriel. Mes sentiments pour l'homme qui se tient devant moi, droit comme un chêne et mystérieux comme l'avenir, sont confus. Tout est là pour me rappeler que ma vie n'est pas le fleuve tranquille que j'aurais voulu qu'elle soit. Pour l'instant, Simon représente ma seule sécurité. Il est mon point de repère dans tout ce gâchis.

Et j'ai froid. J'ai tellement froid.

Simon me frôle pour ouvrir ma porte. Il me pousse doucement à l'intérieur, me guidant de sa grande main gantée de cuir brun dans mon dos. Il y a quelques marches à gravir pour arriver à mon appartement, pourtant, il ne monte pas.

– Je suis venu te porter ça, dit-il en sortant mon téléphone portable de sa poche.

Zut! Je croyais l'avoir perdu pour de bon, ce téléphone inefficace.

– Merci.

La déception qui me frappe en plein cœur m'écorche comme un bâton de dynamite. J'espérais quoi, au fond? Simon est venu faire une vulgaire commission. Je ne devrais pas être déçue.

– J'ai reçu une lettre de Laure, dis-je. Par courrier express, hier.

– Ah! ça doit être important. Elle dit quoi?

– Je ne sais pas, je n'ose pas l'ouvrir.

– Je te vois à l'école demain, d'accord? enchaîne-t-il sans insister.

Est-il déjà habitué à mon comportement irrationnel? On dirait bien.

– Oui. D'accord.

J'ai toujours le téléphone dans la main droite et ma main gauche refuse de m'obéir. J'agrippe son bras avant qu'il sorte.

– Simon!

Il me scrute sans parler. Il attend. Sa mâchoire se contracte. Il s'éclaircit la gorge. De toute évidence, il n'a qu'une envie : détaler de mon palier. Je me lance quand même, car je ne dors plus depuis deux jours.

– Tu m'as dit… Ah! zut! Laisse tomber. C'est hors contexte maintenant.

Je me dégonfle tel un ballon percé. Pourquoi aborder un sujet qui est mort dans l'œuf? Après tout, qu'est-ce que j'espère savoir? Même si c'était vrai, qu'est-ce que j'en ferais?

Pourtant, malgré mon retrait, ses yeux sombres sont inquisiteurs. Nous sommes confinés dans un vestibule grand comme une main de fille.

– Je sais ce que j'ai dit, Évangéline.

Je cherche la première marche de l'escalier derrière moi à tâtons pour m'y asseoir.

– Pourquoi as-tu dit ça?

Ma voix est à peine audible.

– Que je t'aime?

– Oui. Pourquoi as-tu dit une chose pareille? Devant Isabelle, en plus!

– Pour te faire comprendre qu'il n'y a pas que Gabriel Laurin dans ce bas monde. Que tu vaux plus que tout ça. Tu avais besoin de soutien, c'est ce que j'ai trouvé de mieux.

Ah bon! C'était thérapeutique. Il me rendait service. Bonne idée. Bravo, Simon.

– Merci, Simon. Tu m'as permis de partir avec grâce, sans trop perdre la face. Je te suis reconnaissante de tout ce que t'as fait pour moi depuis le début. C'est pour ça que je t'ai dit ce que je t'ai dit, moi aussi.

– En montant dans l'autobus?

– Oui.

– T'en fais pas, je sais que tu n'étais pas toi-même.

Le cœur en miettes, je fais mine d'être soulagée.

– Oh, parfait! Je savais que tu comprendrais…

– Sois sans crainte, insiste-t-il. Je comprends.

Peut-on être en peine d'amour de deux hommes à la fois? À la même minute, à la même fraction de seconde? C'est certainement possible.

La porte se referme sur les rayons de soleil qui passent à travers le vitrail coloré, dévoilant les grains de poussière qui valsent en tourbillons dans l'air froid.

Ma vie est aussi vide et esseulée qu'une bouteille de ketchup au milieu du frigo un vendredi soir.

CHAPITRE 14
Le chant du coq

La lettre de Laure demeurera pliée sur elle-même quelques heures de plus. Avant toute chose, je dois voir Géraldine. Ses messages textes multiples me rendront aussi débile qu'elle doit l'être en ce moment. De plus, la pile de mon portable est à plat.

Je l'avoue, je suis trop lâche pour ouvrir la lettre de Laure.

Voilà, c'est dit, j'assume.

C'est d'une grande commodité d'habiter si proche de Géraldine. L'appartement de mon amie est rue Saint-Vallier, tout près de l'intersection de la rue Bélanger. C'est une petite marche de huit minutes pour arriver à sa porte et déposer le pied sur son perron.

J'appréhende cette visite. Je ne sais pas comment lui raconter l'aventure de mes derniers jours. Puisque je me suis vantée d'assumer ma lâcheté, autant le faire jusqu'au bout; je n'ai carrément pas envie de lui raconter ce qui m'est arrivé. Ce par quoi je viens de passer m'appartient, c'est ma triste histoire. Je ne ressens pas le besoin de lui décrire l'intérieur de mon frigo vide, de lui dire que je suis un carton de lait oublié. Et ça surit, du lait. Je comprends Simon de ne pas vouloir m'approcher dans l'état où je suis.

Géraldine ouvre la porte très brusquement. Je n'ai pas le temps de la saluer que je suis tirée dans son entrée.

– Tu m'attendais...

Géraldine vient de lâcher mon manteau pour croiser les bras sur sa poitrine. Debout dans le vestibule, j'ai droit à un interrogatoire en règle.

– Bien sûr que je t'attendais, qu'est-ce que tu crois? Qu'est-ce qui t'est arrivé? Comment es-tu revenue?

– En autobus.

– Simon t'a lâchée? Ah! je savais bien!

– Non, il revenait plus tard. Je voulais rentrer seule.

– Il s'est passé quelque chose entre vous?

Voilà. Je savais qu'elle poserait cette question. C'est la principale raison pour laquelle je n'avais pas particulièrement envie de me montrer devant elle.

Assume, Évangéline.

– Gé, non! Pourquoi dis-tu ça?

Elle ne semble pas me croire, ni être dupe de ma question. Pourtant, je suis sincère. Il ne s'est rien passé! Malgré tout, ses pupilles sont sur le qui-vive. Elle scrute mon expression intensément.

– Sans raison. De toute façon, c'est impossible, n'est-ce pas?

– Oui. Impossible.

– Tu ne me ferais pas ça.

Elle marche vers le fond de l'appartement, là où se trouve sa minuscule cuisine.

– Café? me demande-t-elle sans me regarder.

– Géraldine…

Un bruit sourd accueille les deux tasses posées avec fracas sur le comptoir. Je vois son dos s'arrondir, ses épaules soudain secouées de soubresauts réguliers.

– Géraldine, tu pleures?

Elle porte le revers de sa main gauche à sa joue pour essuyer une larme maladroitement.

– Il t'a toujours trouvée belle, murmure-t-elle dans un souffle forcé.

– Quoi? Qui?

Elle se retourne lentement vers moi, une main dressée au-dessus de ses yeux sous le rayon trop fort venant de la fenêtre.

– Je ne t'en ai jamais parlé, parce que ça n'avait pas d'importance. Il me l'avait dit, un soir où nous avions terminé une bouteille de vin.

– Ça n'a pas plus d'importance aujourd'hui…

Ma voix sautille trop. Si mes mains pouvaient cesser de trembler, ça me rendrait vachement service.

Elle baisse le bras qui la protégeait du soleil, soudainement ramolli. Elle s'écrase sur sa chaise comme si elle pesait deux cents kilos. Le silence entre nous est chargé d'électricité. Il commence à faire chaud, une ligne de sueur descend le long de ma colonne vertébrale et mes mains sont si moites que je dois les frotter sur mon pantalon.

– Il est venu me voir, Évangéline.

Oh!…

– Je peux m'asseoir?

Ce n'est pas une vraie question. J'achète quelques secondes de répit, tout simplement. Une fois assise près d'elle, je mets ma main sur la sienne. J'attends qu'elle parle. De toute façon, je suis paralysée et je n'ai rien à dire.

– Il est resté environ vingt minutes, commence-t-elle. C'était la première fois depuis des semaines qu'il venait me rendre visite.

– Je vais faire le café, d'accord? dis-je.

Elle se tait, le temps de laisser le bruit de l'eau couler dans la carafe. J'ai besoin d'un café fort.

– Sur le coup, en le voyant, j'étais contente! J'ai senti mon cœur bondir dans ma poitrine! Bondir, Ève! Tu veux savoir ce qu'il m'a dit?

– Oui, bien sûr.

Non! Je ne veux pas. J'ai peur de savoir. Oui, je veux savoir. Non! Changeons de sujet!

– Il m'a dit que tu avais vécu un calvaire là-bas.

– Il t'a raconté…

– Oui, me coupe-t-elle. Il a fini par tout me dire : Gabriel et comment elle s'appelle, Mireille ? Et pour le petit.

– Il t'a parlé d'Isabelle ?

– Je connais Isabelle. C'était la femme de Charles, son associé. Elle est retournée s'enterrer là-bas, il paraît. Charles l'a tellement trompée, sans parler des coups qu'il lui a balancés. C'est Simon qui l'a finalement sortie de là, je m'en souviens comme si c'était hier. Il a tenu le traître par le collet pendant que j'aidais Isabelle à faire ses valises. C'est dommage ! Une si belle fille, aller vivre dans un coin aussi reculé au lieu de foncer dans sa carrière. Elle était mannequin, tu savais ?

Non, apparemment, je n'en savais rien ! Me voilà encore désorientée. Isabelle a été si gentille avec moi, si solidaire. Voilà pourquoi ! Nous étions les deux cocues du village. J'étais si centrée sur mes propres problèmes que je n'ai jamais vu qu'elle était en peine, elle aussi. Mais alors, Gabriel et Simon n'étaient pas étrangers avant que je les présente l'un à l'autre à ce party d'école quand Simon était nouveau… Gabriel connaissait Isabelle depuis au moins cinq ans, puisqu'elle est la sœur de Mireille.

– Tu ne m'as jamais raconté ça, dis-je lentement.

– Oui, je te l'avais raconté. Seulement, je n'avais pas nommé Isabelle, puisque tu n'en avais jamais entendu parler.

Elle a raison, cette histoire trouve une certaine résonance dans ma mémoire. Géraldine parlait tellement de Simon que je ne l'écoutais plus.

– Gab, lui, la connaissait depuis longtemps, tout comme l'associé de Simon, donc Simon lui-même.

– Oui… ! Ç'a du sens. Ce que je ne comprends pas, ajoute-t-elle, c'est pourquoi il a pris la peine de venir me raconter votre voyage.

– Moi non plus.

Le café que je verse enfin est si fort qu'il pourrait sortir de nos tasses tout seul. De la dynamite. C'est parfait.

– Tu veux savoir quoi d'autre? me demande-t-elle.

– Ah! parce que ce n'est pas tout?

– Non, ce n'est pas tout.

CHAPITRE 15
Je suis zen

Le lundi matin, fidèle à mes vieilles habitudes, je me bats avec mon séchoir pendant que mes cheveux dégoulinent dans mon cou. Un nouvel élément s'est ajouté à ma folie : la lettre de Laure que je traîne en tout temps dans ma poche. Tant que je la garde sur moi, elle me calme. Même si je ne sais pas ce qu'elle contient, ce bout de papier représente la possibilité de quelque chose comme une lumière au bout du tunnel. Tant que je ne l'ouvre pas, l'espoir ne meurt pas.

Simon en a beaucoup trop dit à Géraldine.

Elle n'avait aucun besoin de savoir que j'avais dormi avec lui. Ce n'était pas nécessaire d'aller tourner le fer dans la plaie de cette façon.

– Mais pourquoi t'avoir dit ça ? C'était un moment de nécessité et non de fantaisie !

– J'ai l'impression qu'il prépare quelque chose, m'a-t-elle dit. Tu ne m'aurais pas raconté ce bout-là, n'est-ce pas ?

Je l'ai regardée avec tout le sérieux du monde.

– Non, je ne t'aurais pas raconté ça, parce que c'était innocent. Ç'aurait pu être toi, dans ce lit, avec moi, ç'aurait été la même chose.

– Oui, je suis certaine que tu aurais dormi dans mes bras, à moi aussi, ta tête sur mon épaule, a-t-elle rétorqué avant de porter sa tasse à ses lèvres.

Qu'est-ce que j'ai répondu à ça déjà? Ah oui! Quelque chose comme: «il faisait froid».

Le silence qui s'est établi entre Géraldine et moi a été palpable. Si le téléphone n'avait pas sonné quelques secondes plus tard, je n'aurais pas pu me défiler comme une voleuse.

La lettre de Laure est toujours dans ma poche. Je devrais l'ouvrir. Si elle m'annonçait quelque chose d'important, quelque chose qui pourrait changer le cours de ma mésaventure? Quelque chose qui nécessiterait mon aide? Et moi, je n'en aurais rien su parce que je suis une poule mouillée? Non, je ne peux pas, j'ai peur qu'elle vienne jouer avec mes sentiments, avec mes émotions. Je n'ai pas besoin d'en ajouter.

Les décisions dictées par la peur ne sont jamais bonnes.

C'est la voix de ma mère que j'entends à nouveau. Elle est souvent dans mes pensées depuis que j'ai mis le pied dans la roulotte de Simon. On dirait qu'elle voit tout.

Bon, allez! Au boulot, Évangéline! Mais pas avant d'ouvrir une nouvelle boîte de thon.

En sortant de l'immeuble les épaules crispées par la bourrasque de froid qui emplit mes narines, je jette un coup d'œil au sud. Le condo à chats est toujours dissimulé sous la couverture, mais une mince couche de givre tapisse le toit de fortune.

– Allo, Minou… Regarde ce que j'ai pour toi!

Comme je lève la couverture, un énorme matou jaune moutarde sort en trombe, me faisant renverser le met prévu pour Chat 1. J'ai les doigts enrobés d'huile. Le produit a coulé sur mon pantalon. Je vais sentir de thon à trois mètres à la ronde. Je lâche un gros juron avant de me retourner vers la porte. Je constate que je ne suis pas seule.

– Géraldine! Tu m'as fait peur!

– J'ai pensé qu'on pourrait marcher ensemble vers l'école.

Elle a mis son béret bleu et son superbe manteau blanc. Avec son foulard bariolé de bleu, de noir et de blanc, elle est adorable. Pourtant, son visage est inquiétant, et je suis loin d'être certaine d'avoir envie de passer les vingt prochaines minutes en sa compagnie.

– Oui, bien sûr. Mais je ne veux pas te mettre en retard. Je dois aller me changer, comme tu peux voir.

– Il faudra faire quelque chose avec ces chats, Évangéline. Tu vas finir avec les 101 dalmachats. Je connais une dame à qui c'est arrivé. Ton balcon est trop petit pour ça. C'est d'une fourrière dont tu auras besoin.

J'ai soudainement un élan de tendresse pour mon amie. Elle ne m'en veut pas, elle n'est pas jalouse. Si elle l'était, elle ne me parlerait pas de mes chats. Elle ne m'adresserait plus la parole du tout.

– Merci, Géraldine.

– Merci pour quoi ?

– Tu sais très bien pourquoi, dis-je, les deux paumes levées vers le ciel, les doigts encore pleins d'huile d'olive au thon. Tu pourrais m'en vouloir, au sujet de Simon.

– Va donc te changer, tu vas te geler les mains. Allez !

La semaine commence avec un tumulte d'enfants très agités. Liguori est présent, ça me soulage énormément. Fidèle à lui-même, il est très énervé, mais le câlin auquel j'ai droit dès qu'il m'approche me pousse à lui pardonner n'importe quoi. La nouvelle neige qui est tombée à gros flocons a sûrement eu sa part de responsabilités dans la perte de contrôle visiblement ressentie dans l'école tout entière. Ça sent Noël, même si décembre est à peine entamé. Quelqu'un a dû faire brûler une chandelle à l'arôme de tourtière dans le couloir.

Géraldine revient à la porte de mon appartement le mercredi soir. Elle tient un sac de la SAQ et ses traits sont anormalement tirés.

– T'as nourri tes chats ? me demande-t-elle.

– J'y allais justement.

– Donne-moi ta boîte, tu n'auras pas besoin de t'habiller. Et tiens, prends ceci ! ajoute-t-elle en me tendant ce qui semble être une bouteille de vin.

De retour quelques minutes plus tard, Géraldine, qui fait normalement des gestes délicats, lance son manteau à travers mon salon, le laissant atterrir sur mon divan, puis balance ses bottes contre le mur du couloir.

– Ça va ?

– Je suis épuisée ! Ces petits monstres auront ma peau, je te jure. Je ne suis pas faite pour ça, moi !

– Ben non, voyons, ce n'est que l'esprit des fêtes qui entre dans leurs petits corps. Je te verse un verre et nous allons savourer la tourmente.

Nous sommes à la cuisine. Géraldine s'écrase littéralement sur sa chaise, me lançant un regard bien curieux.

– Tu es devenue folle, Évangéline.

– Pourquoi dis-tu ça ?

– Tu te prends pour Jésus ou quoi ? Venez à moi les petits enfants monstrueux, tant qu'à y être ?

– Mais non, le secret, c'est que j'ai décidé d'être zen.

– Zen ?

– Bah oui, zen. Si tu ne peux pas les battre, joins-toi à eux !

– Qui êtes-vous et qu'avez-vous fait de ma meilleure amie ?

Je rigole. J'ai eu une semaine d'enfer, moi aussi, évidemment. La seule différence est que j'ai vraiment tenté de prendre les choses du bon côté.

Depuis que je suis zen et que je fais semblant que tout va bien dans ma vie, que je fais comme si la lettre de Laure n'était pas importante, les plantes semblent fleurir en décembre, le soleil est plus rayonnant, les petits oiseaux sont revenus chanter sur mon balcon. Malgré tout cela, moi, Évangéline Labelle-Fontaine, je m'apprête à mourir d'ennui.

Et la lettre de Laure est toujours dans le noir de son enveloppe cachetée.

CHAPITRE 16
La sainte et la maudite

Une semaine plus tôt,
à mille cent quinze kilomètres de Montréal et d'Évangéline

La main de Laure Jomphe tremble à nouveau, de façon anormale, comme si un esprit machiavélique essayait de l'empêcher de mettre les mots qui lui tordent l'esprit sur papier. Prise de sueurs froides, la dame s'appuie au dossier de la chaise ancestrale.

– Maman? Que fais-tu?

Laure sourit tristement à sa fille.

– J'essaie d'écrire à Évangéline.

– Pour lui dire quoi?

Isabelle croise les bras devant l'évidence.

– Tu crois que c'est une bonne idée de tout lui révéler, maman?

– Je…

Isabelle s'approche de sa mère et, à la vue de ses traits tendus, elle affiche un air inquiet.

– Maman! Est-ce que ça va?

– Oui, ça va. Mes tremblements sont revenus, mais ça va aller.

Isabelle tire délicatement l'avant-bras de Laure. Elle la conduit vers le divan fleuri situé à quelques mètres de son bureau.

– Tu seras mieux ici. Tu veux me dicter ta lettre ?

Laure repousse ses cheveux sur sa nuque avant d'appuyer sa tête sur le coussin.

– OK.

Isabelle prend la place derrière le bureau massif que sa mère vient de quitter. Elle saisit le stylo, attendant patiemment que Laure formule le fond de sa pensée.

Comme Gabriel avant lui, Simon glisse sa tête dans son *wet-suit* en prenant soin de bien coller chaque centimètre carré de matériel humide et présavonné à sa peau. Fabriqué d'une seule pièce, le costume recouvre sa tête et son cou, ne laissant que son nez et sa bouche à l'air libre. Puis, il lève son appareil pour prendre quelques clichés.

Deux autres hommes, des connaissances de Gabriel, manipulent des boîtes à quelques mètres des deux plongeurs, dans le stationnement. L'un est de taille moyenne, arborant des verres fumés, bien que le ciel soit couvert. L'autre, immense avec un ventre rond, n'a pas pris la peine d'attacher son paletot gris. Ses cheveux presque noirs liés sur sa nuque complètent son air de mafieux. «Carlos et Rafael» murmure Simon pour lui-même. Un simple jeu d'échecs. Les cavaliers sont placés, mais le roi s'expose.

La transaction piégée a eu lieu la veille : cent mille dollars en petites coupures. Dire qu'Évangéline s'était assoupie tout près de ces boîtes dans la roulotte de Simon. Non, elle n'aurait pas pu les ouvrir. Tout était bien emballé, camouflé sous le carton rigide. Elle était davantage concentrée à ne pas se faire voir qu'à fouiller dans ses affaires.

Feignant d'ignorer ce qui se trame au loin, Gabriel, dans son costume de plongée du même modèle que celui de Simon, se tient sur la rive à deux pas de Mireille. Cette dernière, misérable et renfrognée, croise les bras sur son manteau jaune.

– Vous allez plonger combien de temps ?

– Jusqu'à ce qu'on ait pris suffisamment de photos. Simon ne prend pas congé souvent, Mireille. Il fait beau, on en profite. Va te reposer, tu es blême.

Simon descend son masque en marchant vers l'eau presque glacée, heureux de se replier. La dernière chose dont il a envie est d'assister à une scène de ménage.

– J'en ai ma claque de me reposer, Gab.

Visiblement figée par le froid, elle sautille sur place pour se réchauffer.

– Comment allez-vous faire pipi avec des accoutrements pareils ? grommelle encore Mireille.

Gabriel se redresse après avoir inséré son pied dans la seconde palme. Il répond en souriant :

– Il n'y a que deux sortes de plongeurs, Mireille : ceux qui pissent dans leur *wetsuit* et les menteurs.

– C'est dégoûtant, dit-elle en tournant les talons.

Gabriel incline la tête, blasé.

– Elle ne change pas, soupire Simon.

– Oh non ! confirme Gabriel alors que Mireille s'éloigne du rivage.

– Son moral est bas, je trouve. Elle est pâle.

– Je trouve aussi, concède Gab.

Mireille marche de la rive à la maison de sa mère, les poings serrés. Tristan est accroupi sur le balcon, tentant de pelleter la neige folle avec sa petite pelle de plastique rouge. Elle monte, puis sort un mouchoir chiffonné de sa poche pour essuyer le nez mouillé de son fils. Elle manque recevoir la porte en plein front lorsque sa sœur sort en hâte.

– Fais attention, Isa ! T'as failli m'assommer !

– T'as vu Simon ?

– Il plonge avec Gabriel. Pourquoi?

– J'ai décidé de partir avec lui.

Le visage de Mireille passe de triste à colérique en une fraction de seconde.

– Tu vas me laisser ici, toute seule?

– T'es pas toute seule, Mireille. Gabriel a décidé de rester. La visite d'Évangéline l'a forcé à prendre une décision solide, tu devrais te réjouir. Et… je reviendrai quand…

Une larme coule sur sa joue, qu'elle essuie aussitôt.

– Quand, Isabelle? J'en ai marre de tous les sous-entendus! Il faudra bien en parler ouvertement un jour!

– Quand t'auras besoin de moi, souffle Isabelle.

– Va chier, Isa.

– Mireille…

Le visage crispé de sa sœur ne laisse aucune chance à Isabelle de faire amende honorable.

– Tu veux retourner avec le beau Charles? Tu veux aller te faire tabasser à nouveau, Isa?

– Non! Pourquoi parles-tu de Charles?

– T'as toujours été une victime dans l'âme. La sainte martyre des temps modernes. T'es incapable de vivre seule.

Isabelle prend une grande inspiration.

– Mireille, je crois que tu devrais aller te reposer.

Même si Tristan n'est qu'à un mètre, même si Isabelle ne veut que son bien, même si elle n'est que l'ombre d'elle-même, Mireille assène un violent coup au visage de sa sœur, qui titube sous l'impact.

– Défends-toi donc, Isabelle Jomphe! Vas-y! Arrête de te prendre pour Jésus!

Sonnée, Isabelle s'accoude au muret de pierre du balcon.

– Pas devant ton fils, Mireille.

Mireille regarde son enfant qui est resté stoïque devant la scène.

– Il ne s'en souviendra pas.

– Oh! il s'en souviendra. Il se souviendra de chacune de tes crises. J'espère que Gabriel pourra atténuer le mal que tu lui fais. Avec le temps…

La jeune mère couvre sa bouche du dos de sa main endolorie, sa peau tournant violemment au rouge coquelicot.

– Regarde-moi, Isa. Tu vois ce que je suis devenue? Vous êtes tous là, à me prendre en pitié, alors que vous n'avez qu'une seule envie, celle d'être ailleurs!

Isabelle continue de reculer vers le petit, impassible devant le désarroi de sa sœur aînée.

– Tu crois que je ne sais pas que Gab ne reste que pour Tristan? Que notre mariage sera une formalité pour sceller sa paternité une fois que je serai «partie»? Et puis, il se sert de moi…

– T'as toutes les chances de vivre longtemps. Le docteur a dit…

– C'est de la merde, tout ça, Isa. Je me sens partir. Je sens ma vie couler entre mes doigts. Je m'empoisonne moi-même. Je pourris par en dedans.

– Arrête de te couvrir de haine, Mireille, parce que si tu pars, c'est tout ce que tu emporteras.

– T'es encore plus tarte que je ne l'aurais cru. C'est quoi ces grandes phrases de dalaï-lama? Tu t'es mise à lire?

– Bon. Si c'est de cette façon que tu veux vivre, libre à toi. Mais, au moins, ne transmets pas ça à ton fils.

– Si je vis trop longtemps, Gab va me haïr encore davantage. Ce n'est pas la peine de me vautrer dans le positivisme. Je vous emmerde tous.

Exaspérée, Isabelle prend Tristan par la main pour l'emmener vers le rivage.

CHAPITRE 17

Une lettre intrigante

Stéphanie et Pierre me jaugent du bout de la table de leur magnifique salle à manger. C'est donc vrai que les vieux couples, après quelques années de vie commune, et surtout lorsqu'ils ont procréé, en viennent à se ressembler physiquement.

À regarder mon frère, je vois que le phénomène est bien réel. Ses années de mariage ont amaigri ses joues, pincé ses lèvres, ridé son front. Stéphanie est pareille. Seule Charlie, qui dévore son dessert comme un jeune labrador, conserve avec moi un certain air de candeur.

– Où est cette fameuse lettre ? demande Pierre, les deux mains sur le rebord de la table.

– Dans ma poche.

Pierre et Stéphanie croisent les bras simultanément, on dirait un morceau répété d'avance.

– Nous sommes inquiets à ton sujet, Évangéline, commence Stéphanie, le regard ombragé.

– T'as maigri, ajoute Pierre.

– J'avais cinq kilos à perdre. Ben, c'est fait !

– Non, t'as maigri parce que tu ne manges pas bien. T'as perdu tes couleurs, accuse Stéphanie.

– Je vois que vous en avez discuté sur l'oreiller !

Ils devraient faire l'amour au lieu de tenter de recoudre les failles de mon humble petite vie. Voilà ce que j'en pense, de leurs réflexions !

– Je peux voir cette lettre ?

– Pierre, elle ne l'a pas encore lue elle-même, intervient Stéphanie. Non, continue-t-elle, je crois que c'est moi qui devrais la lire en premier.

– Vous êtes incroyables…

Je n'ai pas l'occasion de terminer ma phrase que Stéphanie essaie de philosopher sur la question.

– Si je lis la lettre, je pourrai te préparer graduellement à ce qu'elle contient. Si tout est positif, je vais te le dire d'un seul coup.

J'échappe un rire d'incrédulité.

– Je la lirai quand je serai prête, pas une seule seconde plus tôt. Et personne ne la lira avant moi !

– T'as peur de quoi exactement, Évangéline ? Je crois que le pire est déjà arrivé, non ?

– J'ai peur qu'elle me dise d'attendre encore, qu'il y a de l'espoir avec Gabriel. J'ai peur de l'écouter. Je préfère de loin laisser traîner…

☆ ☆ ☆

Le gymnase de Simon est bondé le samedi matin. C'est probablement la raison qui m'encourage à aller explorer les environs, en poule mouillée que je suis. Je pourrais l'observer à distance alors qu'il est occupé. Ah ! le *timing* est excellent, je le vois à travers la baie vitrée. Il donne ce qui semble être un cours de kick-boxing à un groupe de garçons prépubères.

Je suis hypnotisée par sa démonstration. Comment un homme aussi massif peut-il lever la jambe aussi haut ? Il porte un pantalon de coton flexible qui lui arrive à mi-mollet et qui moule son fessier d'une façon un peu trop sensuelle pour mes yeux de biche.

Évangéline, regarde ailleurs. Il va te voir en train de reluquer son postérieur.

Il va te voir.

Lorsqu'une main se dépose sur mon épaule, je sursaute si vivement que mon cri est suffisamment strident pour alerter Simon, son groupe, et toute âme qui vive à dix mètres à la ronde.

– Évangéline, c'est juste moi.

Déconcentrée par le regard de Simon qui me chauffe les joues malgré la vitre épaisse qui nous sépare, je me retourne. Un ange me regarde.

– Isabelle !

– Salut, répond-elle, comme si elle comprenait qu'elle devait confirmer qu'elle n'était pas un hologramme.

– Je suis contente que tu sois là !

Mon ton de voix est trop plat, mais Isabelle ne s'en formalise pas. Je devine tout de suite la raison de sa présence à Montréal lorsque je remarque le bleu qui marque sa joue gauche. Charles. Elle est retournée vers ce Charles batteur de femmes ! Il n'a pas perdu de temps pour la talocher !

J'ai le goût de crier, de la prendre dans mes bras et de la consoler. Je veux l'implorer de ne pas demeurer avec un homme qui la bat. Pourtant, je me retiens. Je ne suis pas censée être dans la confidence.

Je l'entreprendrai petit à petit. J'en parlerai à Simon. Charles était son associé, il doit être au courant de la situation. À nous deux, nous pourrons sûrement sauver Isabelle. Simon pourra s'occuper d'elle.

Je la prends doucement dans mes bras tellement j'ai peur de lui faire mal. Dieu seul sait à quel autre endroit de son pauvre corps fragile les marques douloureuses ont pu s'accumuler ! Je ne prends pas de risques et je ne fais que la frôler dans le cercle de mes bras.

– Qu'est-ce que tu fais ici ? me demande-t-elle.

– Rien. Je me promenais.

– T'as fait ton choix?

Je bats des paupières, confuse par sa question.

– Quoi? Quel choix?

– Bien… tu sais…, dit-elle tout bas d'une voix pleine de sous-entendus.

– Je ne sais pas de quoi tu parles.

Elle me toise de biais.

– Tu ne veux pas choisir, hein? Je te comprends. C'est difficile.

– Isabelle… pouvons-nous aller parler tranquillement ailleurs?

– Oui, certainement, allons prendre un café.

– OK.

Avant de suivre Isabelle, je cherche à voir Simon, mais tout le groupe a disparu.

☆ ☆ ☆

Isabelle me guide à travers les couloirs des bureaux administratifs. Nous entrons dans un local peint de mauve, où un ordinateur portatif gît sur un bureau. C'est là qu'Isabelle nous enferme, m'enveloppant par le fait même de son parfum sucré.

– Tu travailles ici?

J'inspire profondément en posant la question.

– Je vais donner un cours de yoga.

– Ah! le monde est petit, j'ai justement songé à recentrer mes chakras.

Elle sourit, amusée.

– Je te donnerai des cours privés, si tu veux.

Je souris à mon tour.

– Oui, j'aimerais ça.

Quand le silence s'impose entre nous, elle roule sa chaise vers son bureau. Elle a l'air d'un patron qui va renvoyer son employée.

– Tu n'as pas lu la lettre, n'est-ce pas?

– Quelle lettre?

– Celle que ma mère t'a envoyée.

– Je n'ai pas reçu de lettre.

Isabelle inclinant la tête de lassitude est une scène inédite dans mon univers, mais c'est pourtant ce qu'elle fait à l'instant même.

– T'as signé sa réception. Elle était envoyée par courrier recommandé, dit-elle.

– Huh, hummmm…

– Pourquoi ne l'ouvres-tu pas, Évangéline ?

– Je suis contente pour Simon et toi, dis-je pour changer de sujet.

– Écoute, Simon et moi, ce n'est pas… Nous ne sommes pas ensemble.

– Non ? fais-je, hésitant entre la surprise et le soulagement qu'elle me le confirme enfin.

– Non.

– Pourquoi pas ? Qu'est-ce que vous attendez ?

– La vie n'est pas faite ainsi, c'est tout.

– Pourquoi es-tu revenue vivre à Montréal, alors ?

– Comment sais-tu que j'ai déjà vécu ici ?

La question d'Isabelle est justifiée. Comment saurais-je, en effet ?

– Géraldine… Je n'en reviens pas que tu la connaisses !

Isabelle croise ses dix doigts ensemble en pinçant les lèvres.

– Pas intimement. Alors, elle t'a raconté. Je veux dire, pour Charles. Il avait… hum ! un tempérament colérique, articule-t-elle.

– Rien que les grandes lignes.

C'est à mon tour de m'avancer au-dessus du bureau, vers elle, comme si j'avais peur qu'on m'entende.

– C'est lui qui t'a fait cette marque au visage ?

Son visage se referme et trois coups brefs à la porte annoncent l'arrivée de Simon.

– Entre Simon, lance Isabelle.

– Salut, Simon, dis-je d'une voix inaudible.

J'ai un chat dans la gorge, je vais m'étouffer.

Il me répond d'un succinct signe de tête. Son regard est concentré sur Isabelle.

– Vous avez discuté?

– Elle n'a pas ouvert la lettre.

Simon souffle un *fuck* qui me fait sourciller. En quoi est-ce que ça le regarde?

– Évangéline, c'est important. Il faut que tu lises cette lettre, me gronde-t-il.

– Comment sais-tu que c'est important?

– C'est moi qui l'ai écrite, jette Isabelle.

– Dictée par ta mère, ajoute Simon à l'attention d'Isabelle.

Ils débitent ces informations comme s'ils m'annonçaient que le ciel se couvrait. Je suis bouche bée, ma gorge vient de s'assécher d'un seul coup. Mon attention se porte sur Isabelle lorsqu'elle continue ses explications. Je suis suspendue à ses lèvres.

– Oui. Maman a des tremblements aux mains, c'est sporadique. Elle en avait ce jour-là, alors j'ai proposé de l'aider. J'ai écrit les trois premières pages, ensuite, elle l'a terminée elle-même.

– C'est à propos de Gabriel et moi? demandé-je, incertaine de vouloir une réponse à ma question. Il n'aime pas Mireille, c'est ça?

Je me lève de mon siège. Je sens l'air s'alourdir. Nous parlons encore de Gabriel et ce seul fait m'étourdit.

– Il y a plus que ça, annonce Simon.

Il y a une chose dont je suis certaine, c'est que Gabriel aime Gabriel, et que ni Mireille ni moi n'avons de pouvoir sur lui. C'est ça, la vérité.

– Excusez-moi, dis-je, je n'aurais pas dû venir.

Je prends mon sac que j'avais laissé choir au sol, prête à contourner le grand corps de Simon, lorsque son bras se plante devant mes yeux, la paume de sa main appuyée solidement au cadrage de la porte.

– Simon, laisse-moi passer, ordonné-je, mi-irritée, mi-soulagée qu'il retienne mon humble existence dans la pièce.

Isabelle est à ma droite. Son immobilité est presque inhumaine.

– Évangéline, s'il te plaît.

S'il te plaît, quoi?

– Pourquoi ne me le dites-vous pas tout simplement au lieu de tourner autour d'une foutue lettre comme on tourne autour d'un pot?

– Parce que maman me l'a fait promettre. D'ailleurs, je ne connais pas tout son contenu.

Isabelle plisse les lèvres en levant les yeux au-dessus de mon épaule.

– Je pense que tu devrais la lire aussi, Simon…

– Bon. OK. Je vais la lire, mais vous restez là, dis-je, finalement convaincue.

– Oui, fait Isabelle.

Alors que je glisse la main à l'intérieur de mon manteau, que je touche le papier blanc pour l'extraire de ma poche, une tête brune apparaît dans le couloir.

– Monsieur Duval! Il y a un appel important pour vous sur la 2!

Simon soupire sans retenue. Sa main glisse sous mes cheveux, il m'attire à lui et dépose un baiser sur mon front.

– Je reviens, souffle-t-il au-dessus de ma tête.

CHAPITRE 18

Mon cœur chavire

J'ai peur de l'avion. L'idée d'être confinée dans une bulle d'acier qui vole à des milliers de mètres dans les airs ne m'entre pas dans la tête. J'ai le cœur qui s'emballe, les mains moites. J'ai déjà la nausée avant même d'embarquer. Pourtant, tirée par Simon et Isabelle, l'esprit embrumé par une vodka bien tassée, je file en altitude dans l'avion de ligne le plus minuscule que j'aie vu de ma vie.

Je dois faire un autre périple à Havre-Saint-Pierre.

Avant notre envolée, lorsque Simon est revenu de son appel téléphonique, il a demandé à Isabelle de sortir de la pièce et a ensuite refermé la porte derrière nous. Il a pris mes doigts avant de s'asseoir sur la chaise noire. Il m'a encouragée à prendre place en face de lui.

– Sors la lettre.

Incapable de m'opposer à Simon, j'ai obtempéré tel un automate. J'ai tiré le papier abîmé de ma poche. Je l'ai beaucoup tortillé entre mes doigts, je dois l'avouer. La lettre était froissée et les bouts, retroussés.

Je lui ai donc tendu le carré blanc entre l'index et le majeur. Simon l'a pris lentement, sans détacher son regard du mien. Nos genoux étaient presque en contact, nos visages, dirigés l'un vers l'autre.

Je pense que c'est moi qui me suis approchée en premier. Je me suis jetée sur sa bouche. J'ai penché mon visage vers le sien, attirée par la proximité, son odeur, son aura ou simplement l'ensemble de ces réponses. Toujours est-il que j'ai embrassé Simon Duval comme si c'était la chose la plus naturelle du monde. Il ne s'est pas débattu. Il a mis trois fractions de seconde avant de réagir, rempli d'incertitude devant la spontanéité de mon geste.

Il nous a fallu un certain temps pour arrêter. J'ai finalement lâché prise pour coller mon front au sien, fermant les yeux pour reprendre ma respiration. Il a semblé faire la même chose avant de parler.

– Tu veux que je la lise pour toi ? m'a-t-il demandé d'une voix rauque.

– Oui, s'il te plaît.

Ce qui est bien avec Simon, c'est qu'il ne remet jamais rien en question.

☆ ☆ ☆

Mireille Jomphe est morte dans la nuit de samedi à dimanche. Elle laisse dans le deuil son fiancé, Gabriel Laurin, son fils, Tristan Jomphe-Laurin, sa mère éplorée, Laure Jomphe et sa loyale sœur, Isabelle Jomphe.

Le coup de fil reçu par Simon avant notre tête-à-tête était de Gabriel, qui me cherchait. Ironique qu'il m'ait trouvée auprès de Simon. Celui-ci a dû m'annoncer la nouvelle les joues en feu, car je venais de lui dévorer le cœur en me laissant aller à mes bas instincts.

Toutefois, avant de m'annoncer la mort de Mireille et après avoir réussi à éloigner son visage du mien, il a ouvert le papier. Il l'a lu lentement, articulant chaque mot de sa voix grave.

Très chère Évangéline,

Il y a de ces gens que nous rencontrons au cours de notre vie, que nous ne côtoyons que quelques heures ou quelques jours, qui nous laissent le cœur changé et instruit d'une nouvelle façon de voir les choses. C'est ce qui s'est produit en moi après ton départ. Pourtant, j'ai vu neiger. J'aurai 69 ans dans quelques jours. Tu n'en as même pas vécu la moitié, pourtant, ton visage flotte encore dans mon esprit.

J'ai une confession à te faire, Évangéline. Loin de moi l'intention de commettre une indiscrétion, je dois pourtant avouer que j'ai empiété sur un moment important de ta visite. J'étais là lorsque Gabriel t'a avoué ne pas aimer ma fille et que son amour pour toi était toujours réel. J'ai vu la douleur sur ton visage et le soulagement dans tes yeux. Je sais d'expérience à quel point un amour impossible peut briser une âme en deux parties pourtant indissociables. Je sais à quel point on tombe dans une dualité impossible à gérer, on se perd dans notre propre misère et recoller les morceaux éclatés peut prendre des années. Je le sais puisqu'il me manque encore à moi-même quelques morceaux que je n'ai jamais retrouvés.

Simon a levé les yeux vers moi pour reprendre son souffle. Il venait de lire ces lignes lourdes de signification d'un seul trait.

– Tu veux lire la suite par toi-même? Je suis désolé, je ne savais pas à quel point ce qu'elle avait à te dire était profondément intime.

– Non, continue, s'il te plaît, ai-je demandé.

J'ai bien vu qu'il hésitait. Ses lèvres étaient pincées alors que ses yeux parcouraient le reste de la page.

– Simon, s'il te plaît.

– Non, dit-il en se levant. Je vais aller chercher Isabelle. Si tu veux, elle te lira la suite.

Les nuages d'hiver sont des boules de coton sous les ailes de l'avion de Air Labrador qui me sert d'habitacle jusqu'à notre atterrissage à Havre-Saint-Pierre. J'ai les mains moites et, honnêtement, je me demande ce que je fais là. Le hic, c'est que je n'ai pas encore décidé si j'abandonne Gabriel à son sort ou si je vis le romanesque de ma chanson; Évangéline et Gabriel, à la vie, à la mort.

Ce n'est toujours qu'une chanson, un poème écrit cent trente-six ans avant ma naissance! *So what* si nos prénoms et nos vies s'y moulent? Je veux descendre de cet avion, je n'ai rien à faire ici, ni là-bas. Ce n'est pas Laure Jomphe qui va m'influencer au point de chambouler complètement ma petite existence!

La grande main de Simon guide ma joue vers son épaule.

– Essaie de dormir un peu, dit-il.

– Simon?

– Oui?

– Je suis désolée pour hier. Je ne sais plus ce que je fais.

– Je sais.

– Je veux descendre de l'avion, dis-je, la joue sur son biceps, paupières closes.

– Je sais, dit-il encore. Moi aussi!

Les obsèques sont rapides. Mireille a eu le temps de les préparer. Cette seule idée me donne un frisson d'effroi dans le dos. Une malformation cardiaque sévère, une menace qui la suivait depuis toujours. Depuis la naissance de Tristan – qui a failli la tuer par ailleurs –, ses arrangements étaient faits. Elle n'avait que vingt-huit ans.

Je suis mal à l'aise face à la mort. Quand j'étais petite, je croyais que dès que quelqu'un mourait, les larmes des proches étaient automatiques. J'étais convaincue que la douleur dans le cœur s'élançait dès le dernier souffle du mourant. Que c'était la mort comme telle qui faisait pleurer, et non le concept d'absence éternelle. Pleure-t-on par empathie ou par sentiment de perte? N'ayant pas connu la mort de près, je suis sans indice.

J'ai observé Isabelle pendant toute la durée du trajet en avion. Ses joues sont restées sèches, ses yeux sont demeurés limpides, sa pupille, normale. Alors quoi? La disparition de Mireille ne l'ébranle-t-elle pas? Si mon frère mourait, je crois que j'aurais au moins une larme. Même s'il est devenu l'homme le plus aride et affecté que je connaisse, je l'aime bien, frérot. Il fait partie du décor de ma vie. Son départ laisserait un vide. Ça me ferait de la peine.

Je suis là pour soutenir Isabelle. Voilà la raison de mon voyage. Je ne peux pas faire tout ce chemin pour soutenir mon ex dans la perte de sa maîtresse tout de même! Ma bonté a de sacrées limites.

Mon cœur va surtout à Tristan. Il vient de perdre sa mère. Ce n'est pas rien, il n'a que quatre ans. Un, deux, trois, quatre. Pas une année de plus. Il est encore à l'âge de pleurer à chaudes larmes si on lui refuse du dessert. Il passera sa vie à se demander pourquoi. À penser à elle à chaque événement, à chercher à la remplacer sans vouloir que qui que ce soit prenne sa place. Comme un chien qui court après sa queue et qui ne l'attrape jamais.

J'ai tellement gambadé dans mes pensées que je suis encore plus embrouillée qu'en montant dans l'avion. Simon, en force tranquille qu'il est, demeure toujours à quelques mètres de moi. Il semble suivre mes mouvements d'une vue périphérique.

Encore une fois, c'est lui qui me tient debout. Il commence à y exceller, d'ailleurs. Je devrai évaluer la question «Simon» bientôt. Lorsqu'il aura quelqu'un dans sa vie, je devrai savoir comment réagir à ça. Pour l'instant, mon cerveau est dans une telle bouillie d'émotions disparates que je mordrais la nouvelle innocente si elle se mettait sur mon chemin. Mais que dis-je?

Je n'ai aucun droit d'évaluer, de questionner ou même de surveiller Simon Duval. Il fera ce qu'il voudra.

Simon baisse les yeux vers moi. Bon sang, il est si difficile à déchiffrer. Est-il attaché à moi? Suis-je un genre de projet humanitaire? Simon a tendance à défendre la veuve et l'orphelin, ce concept peut très bien inclure la «cocue naïve» que je suis. Je vais bientôt croire que Gabriel l'a envoyé en mission dans ma vie.

L'embrasser était une mauvaise idée, mais fort agréable, et pour cause! Le gars a les plus belles lèvres que j'aie vues depuis celles de Gabriel. Un peu comme un morceau de chocolat hors de prix. Quand on adore le chocolat, peu importe sa qualité, on reconnaît le goût amélioré, mais on ne saurait dire exactement pour quelle raison il est mieux que le chocolat ordinaire. Simon est mieux, juste mieux, et ce, même s'il a été pris par surprise. Mon cœur s'est remis à sa place l'espace d'un instant. Je n'étais plus perturbée, j'étais sur la terre ferme, mais sur un sol où la vie était d'une légèreté sensationnelle.

Pourtant, dès que le premier rayon de soleil du soir tombe sur le tapis rouge sang du salon funéraire et que Gabriel se tient devant moi, la main de Tristan dans la sienne, mon cœur chavire encore.

CHAPITRE 19
Je retombe

Il est grâce et beauté dans son habit anthracite. Toutes les émotions tombées dans un tiroir pourtant verrouillé de mon esprit remontent à la surface. Le peu de dignité qu'il me reste, je le dépense à me laisser attendrir par la scène du père éploré qui tente d'expliquer le concept de la mort à son fils.

Droite, raide et sûrement pâle à faire peur dans mon chemisier noir, je tambourine mes hanches de la main. Le sourire de Gabriel est humble et triste. Lorsqu'il me regarde finalement, je retrouve toute la bonté du monde dans ses yeux.

Il faudrait être cartésienne et sans cœur pour ne pas être touchée. Sa frange châtain clair frôle ses yeux, ses traits sont tirés. Pourtant, il est à nouveau le Gabriel que j'ai connu. Du coup, je me transforme en bonne sœur, je lui pardonne toute la peine qu'il m'a faite et je lui tends les bras.

La main de Tristan est immédiatement prise en charge par celle de Laure, dont le regard malheureux passe de Gabriel à moi sans discrétion.

Gabriel parcourt lentement les dizaines de mètres qui nous séparent. Il ne semble pas être certain de saisir le message muet que je lui envoie. Dès qu'il voit mes pas combler la distance entre nous, il accélère sa cadence. Pour la première fois depuis des mois, nos gestes se synchronisent, nos émotions se complètent. Quelques secondes suffisent pour que je me retrouve dans ses bras.

Je suis euphorique. Je l'aime, cette poitrine, c'est là qu'est ma place. Même si je perds pied chaque fois que je m'en approche.

– Je suis désolée, Gabriel !

Mon ton est aussi sincère que possible.

– T'as pas idée à quel point ta présence ici me fait du bien.

– Je suis là. Tout va bien, dis-je, caressant sa joue de la paume de ma main, en bonne sœur en mission que je suis.

J'aurais dû aller en Afrique, là où les gens méritent l'aide qu'ils reçoivent.

– Tout est arrivé si vite, déplore-t-il dans mon cou. Je n'ai pas eu le temps de comprendre ou de me préparer.

– Je sais.

À ce moment précis, une cloche aurait dû sonner dans mon esprit. Mais le bonheur primitif que chaque parcelle de mon corps ressent à se retrouver dans les bras de Gabriel vainc toute logique.

Même si une femme avertie devrait en valoir deux.

La main d'Isabelle sur le papier blanc semble avoir faibli. L'écriture des paragraphes suivants est moins disciplinée, laissant les lettres se détacher des mots. Quelques ratures permettent de deviner qu'elle se dépêchait. Elle était peut-être simplement fatiguée ! J'en ai marre de tout analyser.

Gabriel ne t'a pas donné toute l'information. Nos vies sont liées par un nuage noir, Évangéline. Voilà pourquoi apprendre à te connaître a été un tel soulagement pour Isabelle et moi-même. Vois-tu, depuis déjà presque une décennie, nous avons découvert chez Mireille une malformation cardiaque suffisamment sévère pour calculer son espérance de vie. Même si elle est désormais munie d'un défibrillateur et qu'elle est passée sous le bistouri à plusieurs reprises, les médecins commencent à nous faire comprendre qu'un jour elle sera sur la liste des dons d'organes. Ce n'est pas bon signe, tu en conviendras. J'aimerais pouvoir dire que Mireille conserve une attitude positive, qu'elle est une battante, mais ce n'est pas le cas. Son état dépressif est inquiétant.

Depuis les dernières années, Gabriel s'est dévoué du mieux qu'il a pu pour épauler Mireille ainsi que toute notre famille. Malgré tous ses efforts, je vis dans le doute. L'avenir de mon petit-fils me tracasse depuis longtemps.

Mais plus depuis le jour où tu as franchi le seuil de notre porte.

Il serait déplacé d'embrasser Gabriel en plein salon funéraire. C'est pourtant ce qui me tenaille le ventre depuis plusieurs minutes. Pour la première fois depuis notre départ de Montréal, Simon n'est pas à portée de vue. Il semble avoir disparu.

C'est certain. *Il sait.*

En homme intelligent qu'il est, Simon a compris que j'avais besoin d'espace pour retomber à pieds joints dans mes vieilles amours. Je n'ai pas besoin de son soutien pour ça. En outre, Simon semble préoccupé par autre chose. Je l'ai remarqué aller et venir.

Je sais qu'il a pris connaissance de la lettre de Laure en entier, du moins, en diagonale. Il n'a pas eu l'air heureux de ce qu'il a lu. Cette lettre est une boule de cristal dans laquelle mon destin est encapsulé. Si je me laisse embouteiller, évidemment. On compte sur moi pour prendre la place de Mireille. J'ai relu ce passage cinq fois. Chaque nouvelle lecture m'a insufflé une émotion différente. De la flatterie à la peur, de la peur à l'irritation, de l'irritation à la révolte, de la révolte à la compassion pour le petit Tristan. Je suis aux prises avec un chantage émotif déguisé en admiration et en invitation honorable.

Pour l'instant, dans les bras de Gabriel, j'en suis toujours au stade de la flatterie et de la complaisance. Je me vois dans un conte de fées où Gabriel est mon mari, Tristan, mon fils adoptif, Isabelle, ma nouvelle sœur, et Laure, la grand-mère de mon fils. Et Simon… mon ange gardien ?

– Sortons d'ici, me glisse Gabriel à l'oreille.

Je fais taire mes pensées tourbillonnantes et je marche sur un nuage. Je me convaincs que je suis exactement là où je devrais être.

Laure me suggère de façon quasi anodine de dormir avec Gabriel dès le premier soir, après les funérailles. Est-ce un signe annonciateur de la voie à suivre ?

– Voyons, Laure, je ne peux pas faire ça.

– C'est ta place depuis le début, Évangéline.

C'est moi qui suis trop à cheval sur les convenances ou ce que Laure me demande est vraiment tordu ?

– Non. C'est pas ma place. C'est…

– Inconvenant ? termine-t-elle pour moi.

– Oui. C'est exactement ça. Inconvenant.

– Tu 'sais, ma belle Évangéline, j'ai passé l'âge de me prêter à ce genre de sornettes. Bon, concède-t-elle enfin, tu fais comme tu veux. Je voulais que tu saches que tu as ma bénédiction.

Ce même soir, Simon est dans la salle à manger. Il discute avec la plantureuse et colorée Gisèle devant une bière aussi rousse que sa tignasse, alors qu'Isabelle termine d'essuyer les dernières assiettes du souper. Gabriel est dans la chambre du rez-de-chaussée à prendre une voix d'ogre pour agrémenter l'histoire qu'il raconte à Tristan. Tous, sauf Gisèle, dormiront chez Laure ce soir, puisqu'elle y tient.

– Je vous veux tous près de moi, a-t-elle déclaré avant le dîner. Gabriel, tu ne peux pas dormir dans cette maison vide avec Tristan. Vous êtes mes invités.

Le vrai Gabriel aurait refusé. Il aurait voulu sa bulle, son terrain pour respirer librement. Il aurait insisté pour examiner sous tous les angles sa nouvelle vie. Je le trouve étrangement docile.

Ce qui me place dans une position très anxiogène. Je dors où, moi? On dirait qu'un index pointé au milieu de ma colonne vertébrale me pousse vers la chambre occupée par Gabriel. Vers ma drogue de choix. Comme je n'ai pas encore franchi les douze étapes du rétablissement du toxicomane de l'amour, je suis encore fragile. Je sais exactement ce qui va se passer. Je vais tarder à aller me coucher et, à la dernière minute, je vais finir avec lui.

– Tu veux une bière, Évangéline? m'offre Isabelle.

– Viens te joindre à nous, propose Gisèle, coiffée avec beaucoup de chic pour l'occasion.

Gisèle est aussi très maquillée. Ne laissons-nous pas tomber les brillants pour des funérailles? Pas selon Gisèle, de toute évidence. Je la soupçonne d'avoir quelque chose à fêter. Je retire ma pensée impure à la seconde même. J'ai une peur bleue que Mireille m'entende d'où elle est et vienne me mordre le gros orteil durant la nuit.

Je prie le ciel pour qu'elle ait vu la «lumière» et qu'elle y soit entrée. Sérieusement, j'ai des doutes. Je serai à l'affût de signes bizarres dans la maison, le premier étant la docilité de Gabriel. On le croirait hypnotisé. Aurait-elle pu prendre possession de son corps?

– Évangéline, où es-tu? demande Simon d'une voix qui me semble loin, alors qu'il est pourtant assis à côté de moi, à la table.

– Hein? Ah! désolée, j'étais distraite!

D'un geste doux, il saisit une mèche de mes boucles presque noires et soupire.

– Tu es sûre que ça va?

– Bien sûr qu'elle va bien, dit Gisèle. Elle va enfin retrouver son Gabriel.

Ah! si seulement…

– Ce n'est pas aussi simple.

– Alors, pourquoi es-tu revenue? demande Gisèle de sa voix insolente. Sûrement pas pour pleurer la mort de Mireille.

Simon, Isabelle et moi la regardons d'un air éberlué.

– Ben quoi! continue-t-elle. On sait tous que Mireille voulait sa peau. Y a pas de quoi en faire tout un plat.

Puis, elle se tourne vers Isabelle.

– Isabelle, Mireille était tortionnaire. Je refuse de faire semblant de dire le contraire juste parce qu'elle est partie. Tout le monde sait qu'elle te…

– Gisèle, s'il te plaît, arrête. Elle était ma sœur. J'aimerais laisser la poussière retomber.

– Je suis revenue pour Isabelle, fais-je, sortant momentanément de mon silence, espérant calmer l'atmosphère.

Je deviens le point de mire de tout un chacun. De son côté, Simon demeure impénétrable.

– Vraiment? fait-il tout bas.

– Oui, dis-je en maintenant son regard.

Gisèle plisse ses yeux de lynx.

– Je reviens demain matin. Je mise mon argent sur toi, mon gars, annonce-t-elle en tapotant l'épaule solide de Simon. Bonne chance!

CHAPITRE 20
Dormir, dormir

Si nous n'avions pas été entourés, je me serais jetée dans les bras de Simon, assise sur ses genoux, blottie contre son épaule, le nez dans son cou. Il me semble que, de là, tout aurait été tellement plus simple. Quelle drôle de pensée! Suis-je en train de déraper?

Même si le départ de Gisèle pour la nuit a allégé l'air de la cuisine, mes soucis ne se sont pas envolés.

– Il y a un endroit où je peux dormir seule?

Je pose la question avec beaucoup d'espoir. Un vieux divan fleuri ferait l'affaire.

– Je peux te donner ma ch…, commence Isabelle.

– Sans façon, la coupe Laure. Ta place est avec Gabriel, mon ange.

La voilà qui rapplique encore. C'est une idée fixe!

– Je peux aller dormir chez Mireille. Simon pourrait venir aussi, suggère Isabelle.

Laure lance un cri silencieux par son air désappointé à sa fille désormais unique.

– Je vous veux tous ici. S'il vous plaît, tout le monde. Je viens de perdre ma fille, ne me contrariez pas.

Gabriel est dans l'embrasure de la porte et me jette un regard qui me fait tourner la tête. Je viens de perdre ma bataille contre ma propre volonté.

Nous avons droit à la chambre du flanc nord, là où le soleil ne se pointe pas tôt le matin. Je suis Gabriel le visage émerveillé, mais les entrailles en tire-bouchon, tourmentée entre la félicité de retrouver mon grand amour et cette impression de sottise qui me titille le fond de la gorge, mais que je tâche d'ignorer.

Je vois le visage haineux de Mireille dans tous les coins. Je me sens coupable d'avoir cédé. Non seulement n'ai-je pas eu le courage de tenir tête à Laure, mais je me vois aussi devenir l'esclave des ambitions dictées par mon cœur de fille amoureuse.

– Évangéline.

Il fait presque noir. Seule la lumière du couloir nous permet une certaine vision des objets environnants. Je me fie au bruit de sa chemise qui tombe au sol, de sa voix et de son parfum.

– Évangéline ! dit de nouveau Gabriel.

Combien de mois ai-je passés dans l'attente de ce simple appel ? « Évangéline », qu'il appelle encore. Il est habile, émouvant, terriblement beau. Malgré la pénombre, je sens qu'il me regarde comme si j'étais la princesse d'un royaume perdu. Lorsque ses lèvres se posent sur les miennes, je n'ai plus envie de songer à tout le temps perdu ni à Mireille qui gît dans un cercueil.

– Mireille gît dans un cercueil, dis-je au premier souffle que je peux m'approprier.

Je suis plate, mais la vie est plate, parfois. C'est comme ça. Mireille est morte et elle devrait être à ma place à l'heure qu'il est.

– Évangéline…

– T'as rien d'autre à me dire, Gabriel ? Je connais mon nom.

Ses bras tombent, il recule d'un pas. Nous passons de la chaleur à l'ère glaciaire en deux fractions de seconde. C'est dire à quel point notre relation est compliquée.

– Qu'attends-tu de moi, Boule de gomme ?

Je préfère ne pas répondre à ça. Boule de gomme, voilà des années qu'il ne m'a pas appelée ainsi. Il se servait de mon sobriquet pour m'amadouer, autrefois.

Je me tourne vers le mur, les bras croisés sur mes épaules, comme dans les films lorsque le personnage vit de lourdes émotions et doit renvoyer une réplique lourde de conséquences.

– Parce que je te donnerai ce que tu veux, continue-t-il.

– N'importe quoi? dis-je finalement.

– Oui.

Ah oui? Alors, jetons-lui un vase à la tête! Tombons dans le ridicule! Testons-le au maximum de ses capacités! Balançons-lui la pire des menaces!

– Épouse-moi et reste avec moi comme un homme reste avec sa famille. Sois présent, sois amoureux, sois responsable. Pour toujours.

– OK.

Quoi?

Vraiment?

Je fais quoi maintenant?

– Tu ne me crois pas, affirme-t-il en se rapprochant derrière moi.

Il s'arrête à la limite de la caresse, juste assez pour que je sente sa présence dans mon espace personnel.

– J'étais pas sérieuse.

Il me retourne délicatement, je me laisse faire comme une poupée de chiffon fatiguée.

– Moi, je le suis. J'ai payé mes erreurs assez cher. Tu me manques tellement, avoue-t-il d'une voix rauque et appliquée à mordre mes cordes sensibles.

– Non, Gabriel, c'est trop vite.

– T'as pas pu faire une telle demande dans le seul but de tester ma réaction. Évangéline, regarde-moi, s'il te plaît.

Oui, oui, oui! J'ai fait ça!

Oh! cesse de me tordre le cœur, Gabriel.

– Non, bien sûr que c'était pas un test. J'ai tout de même dit ça sur un coup de tête. J'ai simplement exprimé ce que j'ai toujours voulu te dire… bien sûr sans penser à Tristan, évidemment, puisque j'ignorais son existence. Pourquoi, déjà? Ah oui! Parce que tu avais une double vie, Gabriel!

– Je peux expliquer…

– Laisse, je connais déjà les détails.

La lettre de Laure est longue. Elle n'y est pas allée avec le dos de la cuillère pour m'exposer chaque angle, chaque repli de la situation, telle qu'elle la voyait elle-même.

> *L'avenir de mon petit-fils me tracasse depuis longtemps.*
> *Mais plus depuis le jour où tu as franchi le seuil de notre porte.*

J'ai marqué une pause après ce passage. C'est celui qui me lie à la famille Jomphe et à Tristan.

Bref, la lettre continue dans une direction difficile à ignorer.

> *Depuis le début, je sens que Gabriel est hésitant. Il est arrivé un beau jour de mars. Je peux t'affirmer que la venue d'un si bel homme dans notre patelin a fait des vagues. Il s'est présenté comme un vacancier, un plongeur «photographe», prétextant qu'il allait montrer Havre-Saint-Pierre sous un angle nouveau. Au fil des semaines, il a entrepris de multiples projets. Mon frère Daniel l'a engagé pour des travaux à l'auberge. Il travaillait fort, il était d'une discipline et d'une discrétion exemplaires, tout en conservant des relations amicales avec les bonnes gens de la paroisse. Il était surtout le seul à sortir Mireille de son cocon. Il était là la première fois où Mireille est cliniquement morte et lorsqu'elle est revenue à la vie. C'est Gabriel qui l'a trouvée, étendue au sol, et qui a permis sa réanimation. Il est la première personne qu'elle a vue en ouvrant les yeux.*

158

Elle s'est accrochée à lui comme à une bouée lorsque l'eau nous défonce les poumons.

Ma très chère et belle Évangéline, ce que je veux que tu saches, c'est que Gabriel, depuis le début, est devenu malgré lui un instrument de salut pour ma fille. Comment aurait-il pu faire autrement? Il aurait dû être sans cœur et la laisser tomber. Mais leur lien tissé dans le passage entre la vie et la mort en était un que personne ne peut prétendre comprendre, briser, ni même espérer concurrencer.

Aujourd'hui, après tout cela, avec la naissance de Tristan, mon merveilleux petit-fils qui lui ressemble tant, Gabriel garde encore la tête haute.

Il épousera ma fille et deviendra mon gendre parce qu'il est bon. Parce que sa tête est à la bonne place. Malgré tout, malgré le tempérament difficile de Mireille, Gabriel l'aime à sa façon.

Une seule chose épuise ma conscience de mère et m'empêche de dormir la nuit. Je ne pourrai pas respirer librement si je ne te dis pas ce que j'ai sur le cœur, ma belle Évangéline.

J'ai replié la lettre avant de lire la suite.

Depuis mon arrivée, j'évite de me retrouver seule avec Laure. Cette lettre a été écrite avant le décès de Mireille.

Mais elle savait ce qu'elle faisait.

Désormais, moi, je n'ai aucune idée de ce que je dois faire.

Au petit matin, je me réveille vêtue comme je l'étais la veille. Je suis dans les bras de Gabriel, qui me regarde sans sourire.

– T'as dormi mieux que moi, note-t-il.

– C'est la fatigue du voyage, dis-je en m'éloignant.

Il me retient contre lui.

– Arrête de me fuir, Évangéline.

– Tu veux vraiment m'épouser?

Les vieux rêves refont rapidement surface. Je suis trop émotive pour être sage et réfléchie.

– Oui, dit-il, c'est ce que j'ai toujours voulu.

– Alors, faisons-le, dis-je, le cœur battant.

Simon est debout devant le comptoir de la cuisine, café à la main, chemise bleue ouverte de trois boutons sur son torse large. Il est d'une beauté qui vous prend par surprise. Le genre qu'on met du temps à reconnaître. Son visage semble toujours calme et franc, les paupières, un peu closes. Puisqu'il est grand, il doit baisser les yeux. Il émane de lui une espèce de tranquillité qui m'attire, qui me calme et… que je dois éviter à tout prix désormais. J'ai pris une décision importante ce matin. Je ne dois pas laisser le doute gâcher mon rêve.

– Oh! excuse-moi, dis-je en reculant dès mon entrée dans la pièce.

– Évangéline, viens ici.

Ai-je déjà remarqué le ton profondément confiant de cet homme lorsqu'il me dicte ce qu'il attend de moi? Simon Duval dit rarement «s'il te plaît» et ne suggère jamais ses désirs de façon détournée. «Viens ici», qu'il me lance. Venant de n'importe qui d'autre, un ordre sec comme celui-ci me révolterait. Avec Simon, rien ne m'agresse.

Alors, je vais vers lui. Je m'approche même très près. Je ne sais pas s'il a croisé Gabriel, si la nouvelle de nos promptes fiançailles est déjà sur le tapis. Tout ce qui m'importe est de savoir ce qu'il a à me dire.

Il sent bon, ses cheveux sont humides et quelques gouttelettes brillent encore dans son cou. Ses doigts saisissent une de mes boucles brunes tandis que son autre main s'abat doucement sur mon épaule. Ses yeux sont sincères, mais submergés de tristesse.

– Je voulais être le premier à te féliciter.

Aucun reproche, aucune question, rien pour me laisser entrevoir que ma décision n'est pas la bonne. Seulement une grisaille profonde dans le regard et un soupir sur ma joue lorsqu'il m'enlace.

Simon relâche brusquement son étreinte et reprend son café.

– Tristan dort toujours, fait la voix de Gabriel derrière moi. C'est rare qu'il ne se réveille pas avant toute la maisonnée.

– Il a vécu beaucoup d'émotions depuis hier, dis-je. Il était exténué.

Ma voix est rauque tellement je suis troublée de les avoir ainsi, tous les deux, l'un à côté de l'autre. Gab n'est pas de petite taille, loin de là, et il possède un physique athlétique, mais Simon le supplante de plusieurs centimètres. Gabriel est doté de traits fins, ses lèvres autant que ses yeux bleus rappellent ceux d'un «joli garçon», qualificatif que nul n'appliquerait à Simon. Son apparence n'a aucune finesse, même s'il possède l'âme d'un sage. L'un est beau, l'autre, viril. L'un est excitant, imprévisible, charmant; l'autre, tranquille, solide, mystérieux.

Les lumières de Noël encerclent l'arche de l'entrée de la cuisine. Les multiples bouquets de fleurs gisent sur la table. Voilà un décor propice à l'escalade des effusions d'émotions. Tout ce dont je n'ai pas besoin en ce moment, tout compte fait!

– Moi aussi, dit Gabriel en me tendant la main.

Ai-je vraiment regardé Simon avant de prendre la main de mon fiancé?

Laure et Isabelle semblent s'être donné le mot pour arriver au même moment parmi nous.

– Bonjour, mes amis, nous salue Laure.

Ses yeux descendent immédiatement vers nos mains enlacées.

Laure voit tout, ça fait partie de son rôle.

Une semaine plus tôt,
à mille cent quinze kilomètres de Montréal (la suite)

Isabelle prend place au bureau massif que sa mère vient de quitter et saisit le stylo. Elle attend patiemment que Laure lui dicte la lettre.

– Prends une nouvelle page, je ne veux pas qu'elle voie la différence d'écriture.

Laure parle longtemps, Isabelle écrit tout telle une secrétaire dévouée, sans broncher. Lorsque sa mère prend finalement une pause, Isabelle sourcille.

– C'est tout?

– Non, le plus important doit être bien formulé, je réfléchis.

Une ombre bouge au fond de la pièce. Isabelle regarde d'où vient le bruit, surprise de ne pas être seule avec sa mère.

Gabriel se redresse dans le fauteuil d'où il écoutait depuis le début. Il prend la parole avec un signe de la main à Isabelle pour lui indiquer de continuer d'écrire.

– Une seule chose épuise ma conscience de mère et m'empêche de dormir la nuit. Je ne pourrai pas respirer librement si je ne te dis pas ce que j'ai sur le cœur, ma belle Évangéline, dicte-t-il.

– Mais qu'est-ce que ça veut dire? demande Isabelle à sa mère.

– C'est pour le bien de Tristan, répond Laure sans la regarder. Écris ce qu'il te demande, s'il te plaît, Isabelle.

CHAPITRE 21
Célébrité

Je dois te mettre en garde, Évangéline. Je vois très bien le lien qui se forme lentement mais sûrement entre Simon Duval et toi. Ne sois pas dupe, tendre fille. L'amour temporaire d'un homme aimant trop les femmes ne fera qu'affaiblir ta confiance. Il te détournera de ton réel amour, celui qui ne vit que pour toi. Cet homme souffre en silence de ton absence, il sacrifie une partie de sa vie au nom de la loyauté.

Je sais combien tout cela peut être difficile à comprendre. Je te supplie de prendre le temps de peser ma parole.

Il y a un temps pour chaque chose. Un temps pour aimer, un temps pour patienter, un temps pour souffrir et un temps pour recevoir de la vie tout ce qu'on a attiré à soi.

Sois cette personne qui ne gâche pas son destin, douce Évangéline, celle qui recevra un baiser long comme sa vie.

Avec tendresse,
Laure Jomphe

La maison de Gisèle Boudreau est décorée. Je précise : son terrain, le petit chemin de ciment menant à sa résidence, ses fenêtres, sa porte, son toit, sa cheminée et ses murs de briques sont parés de tout ce qui se vend en magasin ou se commande sur Internet. Si je n'avais pas su qu'il s'agissait d'une demeure privée, j'aurais cru que c'était là que je devais acheter mon bonhomme de neige de plastique. Six hommes blancs faits de trois boules, haut-de-forme et fausse carotte en guise de nez, s'alignent devant son domicile éclairé de tellement de couleurs qu'on croirait voir un jeu de Lite-Brite géant.

Gisèle est comme ça, faite d'extravagances et d'artifices. Elle a l'âme d'une enfant, cette femme. J'en suis réellement convaincue lorsqu'elle ouvre le couvercle d'une boîte qu'elle avait gardée près de la porte. Je suis figée sur place.

La poupée a de longs cheveux bruns dont les boucles, pareilles aux miennes, tombent sur une robe de mariée blanche faite de tulle et ornée de perles minuscules. Le voile est attaché à sa tête par un diadème perlé, lui aussi. C'est son visage qui me coupe les jambes en deux. De grands yeux bruns, des cils semblables aux miens, la forme du visage, la bouche en cœur, tout, sauf sa matière et les dimensions, est identique à moi.

– C'est toi, le jour de ton mariage, annonce-t-elle.

– Elle est très jolie.

Je marmonne. La nausée monte dans ma gorge. Est-elle cinglée?

– *Tu* es très jolie, sourit-elle.

Une envie pressante de fuir s'empare de moi. Je me sens comme une marionnette.

– Gisèle, je dois y aller. Gabriel m'attend.

– Je suis si heureuse que vous ayez décidé de vous marier ici, au Havre!

– C'est-à-dire que… on n'en a pas vraiment discuté…

Gisèle me prend le bras avant que je puisse m'enfuir.

– Évangéline, tu dois savoir quelque chose.

Je la regarde, bouche bée. Quoi encore? Son air est grave. Elle m'effraie!

– Votre mariage est important pour nous.

– Vous ?

– Notre communauté. Vous êtes un peu comme nos célébrités locales, tu sais. Gabriel nous a apporté un air de fraîcheur, ta présence a quelque chose de magique.

Je cligne des yeux plusieurs fois. Comme je prends conscience que j'ai la bouche ouverte, je la referme pour avaler. Pourtant, je n'ai plus de salive.

– Pardon ? Je ne vous suis pas.

– Gabriel et Évangéline.

Elle entame l'air de la chanson. Je suis troublée.

Lorsque j'entre chez Laure, une robe de mariée est étendue sur le sofa du grand salon. Elle est de tulle orné de perles.

Si c'est une conspiration, j'en fais activement partie ! Ne suis-je pas celle qui a parlé de mariage dès le départ ? Un coup de tête, certes. Le fait reste que c'est moi qui ai ouvert le bal. Bal auquel, de toute évidence, tout le monde s'est invité.

En quelques jours, la maison de Laure devient la gare Centrale du Havre. Les voisines entrent et sortent pour un café, une tasse de farine, ou carrément pour me voir et me poser des questions.

– C'est vrai qu'elle est belle, dit madame Huard à Laure, comme si je n'étais pas là !

– C'est si romantique, s'émerveille Johanne Vinet, la belle-sœur de Laure.

– Ce sera l'aboutissement d'une légende, déclare Cécile Laurendeau, laquelle, crois-je comprendre, a aussi épousé un Jomphe quelconque.

J'ai repoussé mon retour en classe au 6 janvier, alléguant des problèmes personnels. Avec ou sans solde, je n'ai même pas abordé la question. J'ai un peu d'argent de côté, j'ai donc fermé les yeux en espérant qu'aucun paiement préautorisé ne reviendra avec la mention «sans provisions». Pour l'instant, je vis dans un monde parallèle où tout se passe si vite que je n'ai pas le temps de songer aux détails de la «vraie vie».

Les moments que je passe avec Gabriel sont brefs. Il est, lui aussi, chaviré par le raz-de-marée de pies et de souris. Il s'enfuit sans demander son reste. Moi, je suis prise dans la danse. Sa force centrifuge m'ancre au plancher.

Mon mariage sera célébré le 24 décembre à 15 h précises.

Un jour, je pourrai sûrement m'expliquer de quelle façon j'ai pu laisser tant de gens prendre à ma place des décisions pourtant si personnelles. Par exemple, l'endroit et l'heure de mes propres noces. Pour l'instant, je regarde les événements défiler sous mes yeux comme on regarde un film. Avec fascination.

J'envoie un message texte à Géraldine pour lui annoncer la nouvelle. Dans sa réponse, je sens de la surprise, mais aussi de la joie forcée accompagnée d'un «Tu es sûre de ce que tu fais?» qui me déstabilise beaucoup. En ce moment important, j'ai besoin de soutien, et non de doutes. J'appelle donc Pierre, qui tend immédiatement le combiné à Stéphanie. Il ne sait pas quoi dire, manifestement. Stéphanie me lance un «Oooooh» très haut perché. Ma mère, quant à elle, est très heureuse de ce dénouement. Elle jubile.

Tristan et moi formons un duo amical. Il est encore bien petit, mais mon amour inconditionnel des enfants m'attire vers lui tel un aimant. Même s'il ne parle pas énormément pour un gamin de quatre ans, il se fait comprendre par sa transparence. Comme moi, il est troublé par le carrousel de bonnes femmes qui encerclent nos vies. Nous sommes les spectateurs du même théâtre.

– Évangéline, tu seras ma maman?

Deux semaines avant la noce, un beau samedi matin de décembre, la neige tombe du ciel à gros flocons. Simon est reparti à Montréal avec Isabelle depuis cinq jours. Son absence me jette dans un inconfort profond. Il me manque ma mise au sol, mon Prozac naturel, mon ami. Simon, que j'ai embrassé comme une maniaque. Le pauvre homme, il ne l'a pas vue venir, celle-là. Il est pourtant habitué à ce que les femmes se jettent à son cou. Exactement comme la folle que j'ai été ce jour-là, dans son bureau.

Il est parti avant l'aurore, le lundi précédent. Je n'ai pas eu le temps de le saluer, puisqu'il n'a pas cherché à me voir, me laissant ainsi encore plus convaincue de prendre la bonne décision. Ma place est ici. Où pourrais-je aller ? Désormais, je vais où Gabriel va. Il ne m'échappera plus ; ce calvaire est terminé.

Une main tire de nouveau sur mon pyjama.

– Évangéline ?

– Oui, mon cœur ?

– Tu seras ma nouvelle maman ?

– Pas tout à fait, mon ange.

L'air qu'il me fait est à trancher un pain en deux sans laisser de miettes. Lui aussi aimerait connaître sa place dans ce guêpier. Il est pareil à moi, je ne peux pas le blâmer.

– Qui sera ma maman, alors ?

– Nous allons passer du temps ensemble, apprendre à nous connaître. Au bout d'un certain temps, tu verras si tu veux que je sois ta maman.

Il est perplexe. Ses yeux sont les mêmes que ceux de Gabriel, c'est-à-dire bleu acier lorsque contrariés.

– C'est oui ou c'est non, alors ?

Ah ! c'est vrai, il a quatre ans. Tout est noir ou blanc, bon ou mauvais, beau ou pas beau. Comment faire des promesses à ce petit alors que je ne sais pas moi-même si cette mascarade est une illusion ? Comment dire à Tristan qu'autant j'aimerais y croire, autant, connaissant Gabriel, j'ai l'impression que nous nous lançons dans un trou noir ?

Je choisis la solution facile tout en restant franche. Je prie pour qu'il n'insiste pas.

– Ni l'un ni l'autre, trésor. Qui vivra verra. Tu veux qu'on dessine dans ton livre à colorier ? J'ai vu une princesse que j'aimerais bien vêtir de rose.

– D'accord. Moi, je prends la voiture.

Gabriel apparaît devant nous, l'épaule appuyée au cadrage de la porte, nous observant avec un léger sourire aux lèvres.

– Qu'est-ce que t'as, toi?

– Je me suis comporté comme un imbécile, Évangéline. Regarde-toi. Tu prends la situation en mains. T'es extraordinaire.

En disant ces mots, il s'approche pour asseoir Tristan sur ses genoux.

J'émets un petit rire singulier, du genre «he», du fond de la gorge.

– C'est vrai qu'elle est super, notre Évangéline?

Tristan hoche la tête, encore un peu timide en ma présence.

– Je l'aime mieux que maman, elle est gentille.

Je ne suis pas une grande psychologue ni une détentrice d'un doctorat en la matière, mais ça me surprend. Même si je n'étais pas institutrice spécialisée pour la petite enfance, ce commentaire me ferait froid dans le dos.

– Maman était malade, Tristan, dit Gabriel.

– Alors, malade et méchante, c'est la même chose?

Je suis à genoux devant la table à café. Je n'ai qu'à glisser mes jambes sur le tapis pour m'approcher.

– Non, c'est pas la même chose. Il arrive que les gens malades se sentent tellement mal qu'ils ne contrôlent pas leurs émotions. Ça donne parfois des comportements pas très gentils.

Gabriel m'envoie un regard plein de gratitude, mais le petit, lui, plisse les yeux.

– Non, elle était méchante.

– Tristan, est-ce que ta maman t'a fait du mal?

– Non, dit-il en baissant les yeux sur sa page. Pas à moi.

C'est Gabriel que je scrute des yeux lorsque le silence tombe. Il se contente de serrer le petit contre lui. Il se lève, puis sort du salon, emportant avec lui son enfant et mes questions.

Les jours suivants se passent dans une frénésie que je ne peux exprimer en mots. Peu importe où je regarde, c'est à la fois Noël et mes noces qui trônent en monarques sur le village. Partout, les maisons s'illuminent. Pour une fille de la ville telle que moi, c'est le pôle Nord où les enfants se transforment en lutins. La neige poussée des rues est étalée sur les terrains. Les montagnes blanches ressemblent à celles de mon enfance, à l'époque où la neige en milieu urbain était encore belle.

– J'ai toujours aimé les mariages d'hiver, rêvasse tout haut Gisèle, le matin du 17 décembre, alors qu'elle rassemble des lys de soie blanche et des feuilles de gui. Voilà, dit-elle en soutenant son œuvre d'un ruban rouge, un mélange de romantisme et de Noël. Ça te plaît, Évangéline?

– C'est très joli.

– Tant mieux, parce qu'on en a trente à monter.

– Qui paye pour tout ça?

Je combats le nœud désormais familier dans mon estomac. Je ne peux pas accepter tout ça!

– Gabriel, en grande partie, répond-elle, ébouriffant les pétales de lys.

– En partie?

– Pour le reste, nous avons passé le chapeau.

– Pour payer mon mariage?

– Oh! Évangéline, nous sommes tous si excités! Notre Évangéline épousera enfin son Gabriel! Ça ne pouvait pas mieux tomber. Après l'année basse que nous avons connue ici, c'est un événement qui nous rassemble. Même le curé s'est impliqué.

Même le curé? Année basse? Excités? Si je croyais avoir perdu le contrôle de l'événement, je me trompais. J'ai carrément ouvert les vannes et je suis engloutie par la vague.

– Je constate que Laure a convaincu son frère.

– Rien à voir avec Laure, trésor.

Elle me fait un clin d'œil qui me sidère. *Hé ho!* Ne venons-nous pas d'ensevelir une jeune mère native du coin?

– Que faites-vous de Mireille? Suis-je donc la seule à penser à elle?

Gisèle dépose son bouquet artisanal sur ses genoux. La cohue que fait le groupe de femmes qu'emmène Laure dans la salle à manger coupe notre conversation.

Elles sont cinq, Laure en tête de file. Je peux les identifier, désormais. Il y a Cécile Laurendeau, la femme de l'épicier, Johanne Vinet, belle-sœur de Laure et directrice de l'école primaire, Jocelyne Huard, l'esthéticienne qui se dit prête à faire du bénévolat sur ma personne, et Sylvie Gignac, coiffeuse qui reluque mes boucles depuis la seconde où elle a posé les yeux sur moi.

– Évangéline! Nous sommes venues t'annoncer une bonne nouvelle! glapit Johanne Vinet, avant de retirer ses bottes.

– Quoi donc?

– Ton mariage sera grandiose, je me suis permis d'en parler à l'école. Même les enfants veulent participer. Tu auras une chorale!

Une chor… chorale… Je pense que je dois m'asseoir.

– Elle est blanche comme un drap, pauvre petite, remarque Gisèle, son bras potelé autour de mes épaules. Viens, prends ma chaise, Évangéline. Sylvie, sers-lui donc un verre de vin!

– Non, ça va aller.

Une chaise ne suffira pas, j'ai besoin d'un bain chaud.

– Comme tu veux, accepte facilement Gisèle. Les filles, vous arrivez à temps. Il reste vingt-huit bouquets à faire. Voici le modèle.

Ma mère arrive le 20 décembre en soirée, accompagnée de Stéphanie, Pierre et Charlie. Géraldine est du lot; elle a finalement pris l'avion pour la première fois de sa vie. Ils sont tous logés à l'auberge. Ça ajoute tout de même beaucoup de monde à table. Ma mère et Laure partagent leur joie à l'idée de mes épousailles.

Qu'elle ne voie rien d'étrange à l'enthousiasme de Laure à marier le fiancé de sa défunte fille à une autre me fait comprendre à quel point ma mère a, et a toujours eu, l'esprit occupé par ses propres rêvasseries.

J'ai une armée d'enquiquineuses pour préparer mon mariage.

Géraldine, Stéphanie et moi saisissons la première chance qui nous est offerte pour fuir le chaos.

– Où est Gabriel? demande Stéphanie alors que nous déjeunons avec Géraldine, le 21 décembre.

– Tu lui fais peur, Steph.

Je lui réponds en fronçant les sourcils, ce qui n'a pour effet que de la faire sourire.

– Ouais, il fait bien de m'éviter, affirme-t-elle en resserrant sa veste de cuir sur sa poitrine.

– Je l'ai aperçu ce matin. Il a l'air énervé, soutient Géraldine.

– On dirait le prince Charles à la veille de ses noces, renchérit Stéphanie.

– Hé! Merci pour moi! Charles n'aimait pas Diana!

– Bingo! fait Stéphanie.

– Alors, pourquoi es-tu venue?

– Tu me manques, grande nouille, s'exclame-t-elle. Même si je n'approuve pas ton mariage, ça ne veut pas dire que je veux manquer le jour le plus important de ta vie!

Je me retourne vers Géraldine. Une question me brûle les lèvres.

– Comment va Simon?

Son regard s'assombrit devant la question. Elle savait que j'allais la poser.

– Aucune idée. Il n'est pas revenu à l'école.

– Comment ça, pas revenu?

– Comme dans *pas là*!

– Es-tu allée voir s'il est à son gymnase?

Mon amie me fait une tête étonnée, comme si ma question était saugrenue.

– Pourquoi aurais-je fait ça ? J'ai cessé de m'inquiéter de Simon Duval depuis des semaines. J'en suis très soulagée, d'ailleurs. Je ne vais pas recommencer à le surveiller pour toi !

– Non, t'as raison, ma question était ridicule. Il doit avoir pris congé pour autre chose.

Géraldine se mord la lèvre inférieure en jetant un regard à une Stéphanie visiblement intéressée par ce Simon Duval.

– Le mot court qu'il aurait remis sa démission.

Une jeune serveuse revient verser du café fumant dans nos tasses. Je saisis un petit gobelet de crème pour en noyer le contenu dans le liquide noir et chaud.

Il a démissionné.

C'est vrai qu'il n'avait pas besoin du petit chèque de paie de l'école, alors pourquoi irais-je interpréter ce geste comme ayant une importance outre mesure ?

– Bon. Alors, Évangéline, as-tu décidé qui sera ta demoiselle d'honneur ? me demande Stéphanie.

– Quoi ?

Je fais semblant de ne pas comprendre, même si, au fond, je sais exactement ce qu'elle souhaite.

– Comme t'as été la mienne, continue-t-elle en piochant dans ses patates rissolées, je me disais qu'il serait normal que je sois la tienne.

Géraldine roule les yeux au plafond. Elle semble trouver Stéphanie bien entreprenante.

– Je peux en avoir deux ?

– Bien sûr.

Ah ! quelle chanceuse je fais ! Voilà au moins une initiative que je peux prendre concernant mon propre mariage !

– Alors, je choisis Gisèle et Johanne.

Je rigole, évidemment. Les robes rouges de Stéphanie et de Géraldine sont sous les machines à coudre de deux couturières de l'endroit à cette minute précise. Un autre don des bénévoles pour mes noces.

CHAPITRE 22
L'annonce

«Habitants de Havre-Saint-Pierre, j'espère que vous êtes fin prêts pour l'événement du mois : les épousailles historiques à notre sainte église !»

Je regarde ma mère avec effroi. Stéphanie et Géraldine lancent simultanément un «chut !» autoritaire à Charlie et Tristan, qui courent en proférant des bruits d'animaux.

«La cérémonie aura lieu le 24 décembre à 15 h. À votre place, je laisserais les fourneaux quelques instants. Ce n'est pas tous les jours qu'une Évangéline épouse son Gabriel. Pour réserver vos bancs, veuillez contacter madame Laure Jomphe. Faites vite !»

Les enfants s'immobilisent à la mention de mon nom par l'animateur de la radio locale.

Nous sommes tous dans la cuisine de Laure, le 22 décembre, à deux jours de mes épousailles. La place est devenue une véritable manufacture. Je suis complètement inutile à la besogne, paralysée par mes propres préoccupations.

Mon mariage a été annoncé à la radio comme l'événement historique du mois ! Jamais je n'aurais cru que la farce irait aussi loin. Tous les soirs précédents, je me suis couchée engourdie par le vin et les digestifs que Gabriel et Laure ont versé généreusement dans mon verre. Je n'ai pas eu le temps de réfléchir. Ma vie est une spirale de soirées arrosées et de pauses pour des mémères affublées d'aiguilles à coudre, de fleurs de soie et de farine à gâteau.

C'est Gisèle qui s'occupe du gâteau de mariage. Il sera blanc, et j'ai dû insister pour ne pas avoir de feuilles de gui ni de petits sapins en guise de décoration. La lutte a été féroce, et c'est une chance que Géraldine ait été là, sans quoi il aurait ressemblé à un arbre de Noël italien.

Le plus ironique, c'est qu'à travers toute cette folie supposément au summum des règles de la romance, Gabriel et moi entretenons une relation platonique et chaste.

La raison est fort simple : nous ne sommes jamais seuls et ma mère a insisté pour dormir avec moi, attestant que même si nous avions «consommé» notre amour depuis longtemps, il était beaucoup plus romantique de «préserver» notre dit «amour» pour la vraie nuit de noces, le soir du 24, lorsque nous prendrons possession de la maison de Mireille.

La maison où Mireille habitait.

La panique m'envahit. Que suis-je en train de faire? Non seulement, je dis adieu à Montréal, mais en plus, je me suis laissé convaincre de vivre chez Mireille. Pour l'amour du ciel, comment se fait-il que personne n'allume? Même Géraldine ne réagit pas devant ce projet pourtant troublant. *Stéphanie! Où est ta méfiance légendaire? À l'aide! C'est le temps d'activer ton cynisme à toute épreuve!*

– Gabriel, je peux te parler?

J'ai trouvé Gabriel au restaurant en bordure de rive, attablé avec deux hommes que j'ai vus à quelques reprises en sa compagnie. Qui porte des verres fumés en plein restaurant?

– Ça peut attendre, ma chérie? me répond-il, contrarié que j'interrompe sa discussion.

Les deux hommes me détaillent des pieds à la tête. Ils semblent tenter de percer la fermeture éclair de mon manteau. Je suis reconnaissante à l'hiver de forcer les tenues non *sexy*.

– Oui. Ça peut attendre.

Ça n'en prend pas plus pour qu'il pince les lèvres. D'un bref coup de tête, il m'indique en silence que c'est le temps de faire demi-tour et de sortir. Quelques pas plus tard, la main sur la porte, je me retourne vers sa table. Il me souffle un baiser du bout des doigts.

☆ ☆ ☆

En célébrité locale du moment, je ne peux désormais plus marcher dans la rue sans qu'une jeune fille me pointe du doigt ou qu'une mère m'arrête avec son traîneau pour me féliciter.

– C'est si romantique! dit Géraldine, imitant la dernière quinquagénaire que nous avons croisée dans la rue.

– Oh! Géraldine, ris pas, s'il te plaît. Je suis en panique!

– Évangéline, sérieusement, tu peux tout arrêter, tu comprends ça?

Puisque je ne réponds pas, elle insiste.

– Pourquoi est-ce que tu laisses cette... cette... *mascarade* continuer?

– Je veux me marier avec Gabriel. C'est le rêve de toute ma vie, tu le sais!

Géraldine me prend le menton de sa main gantée, scrutant mon visage pour y déceler le moindre signe de doute. Je lui sers un sourire forcé et elle abdique, laissant tomber ses épaules dans un soupir vaincu.

– OK. Comme tu veux.

– Merci, Gégé, dis-je en la serrant dans mes bras.

– Donc, Isabelle n'assistera pas au mariage? Dommage, j'aurais bien voulu la revoir.

– On dirait bien que non. Elle est restée à Montréal. Hum! merci encore, Gé.

– Merci de quoi?

– De pas insister.

Géraldine s'accroche à mon bras. Nous reprenons notre marche.

– Tu m'en voudras peut-être plus tard d'être aussi molle avec toi. Je trouve tout ça bien rapide.

– Ça fait sept ans, pourtant.

– Et seulement trois semaines que Mireille est morte, signale Géraldine.

– Je voulais un mariage discret.

– Eh bien, ma belle, t'as *vraiment* manqué ton coup, affirme-t-elle en me tapotant la joue sans ménagement.

☆ ☆ ☆

Le 23 décembre, Laure insiste pour organiser une répétition générale de la cérémonie. À ma grande surprise, Gabriel est le premier à manifester son enthousiasme pour le projet improvisé.

– Nous avons l'église de 16 h à 18 h. En deux heures, on pourra facilement tout prévoir, dit Laure à ma mère.

– C'est Pierre qui te donnera à ton futur époux, décide Stéphanie.

– Maman! Maman!

– Charlie, on ne court pas comme ça; t'as failli faire tomber ton père!

– Maman, c'est vrai qu'Évangéline va rester ici après son mariage? Qu'elle ne pourra plus venir nous voir aussi souvent? Tristan me jure qu'elle ne reviendra jamais à Montréal!

– Je suis ici, Charlie, dis-je, tu peux me parler à moi.

– Alors, c'est vrai? Tu vas vraiment rester ici?

Mon cœur se serre. J'ai vaguement songé à mon avenir dans les derniers jours. J'ai remis mon CV à l'école du village tout en «achetant» du temps auprès de la direction de l'établissement où je travaille à Montréal. Je dois aussi songer à sous-louer mon appartement. Gabriel veut demeurer à Havre-Saint-Pierre. Il ne veut pas déraciner Tristan et il souhaite créer son propre site Web.

Il fabriquera des harpons, fera aussi des travaux de construction puisque la région déborde de projets grâce à la centrale électrique.

Je m'interroge, car Gabriel ne semble pas s'éreinter souvent sur un marteau depuis mon arrivée. Il va et vient au gré de ses fantaisies. Il fréquente des gens un peu bizarres. Gabriel a toujours été sélectif sur le plan de ses connaissances. Je n'ai rien contre le fait qu'il ait des amis, seulement, j'aurais aimé qu'il me les présente. Certaines personnes m'étaient connues, d'autres non. Curieusement, surtout les hommes de l'entourage de Gab me restaient étrangers.

La répétition est amusante. Je suis la mariée parfaite, puisque je ne dis pas un mot.

Par deux fois, je surprends Laure à m'appeler « Mireille ». Je sais que Stéphanie l'a très bien entendu aussi puisqu'elle me jette un regard inquiet, bouche entrouverte sur le point de protester. Elle ne dit rien, puisque je lui fais signe de se taire.

– C'est Évangéline! gronde la voix de Gisèle.

– Pardon? demande Laure en se retournant.

– C'est pas Mireille qui se marie, Laure, c'est Évangéline.

Gisèle est debout derrière le premier banc, les deux mains sur les hanches, le visage crispé.

– Je sais que c'est Évangéline! proteste Laure.

– Non, tu viens de l'appeler Mireille. Par deux fois!

– C'est pas grave, dis-je.

Gisèle se déplace de toute sa corpulence sur sa jambe droite. Elle lève une main m'indiquant de me taire.

– Mireille est morte, Laure. C'est Évangéline qui se marie, répète-t-elle.

Je rêve ou elle s'adresse à Laure comme si celle-ci était sénile? Là, à ce moment précis, je me sens tout, sauf à ma place.

– Gisèle, je vous assure que c'est pas grave!

Gabriel, qui se tient devant l'autel à la position dictée par Laure, s'avance. Il me tire par le bras.

– Chhhh, fait-il à mon oreille.

– Quoi, *chhhh*? Mais qu'est-ce qui se passe, Gabriel?

– Laure ne va pas très bien, m'annonce-t-il à l'oreille. Gisèle la ramène sur terre.

– Qu'est-ce que tu veux dire par là?

Je chuchote alors que j'ai le goût de crier ma surprise. Laure perd la boule? Impossible!

– Laure perd parfois contact avec la réalité, raconte-t-il.

– Oh!...

– Je ne perds pas la réalité! s'écrie Laure en pivotant vers nous. Arrêtez de parler dans mon dos!

– Mais...

J'essaie de protester, de calmer Laure qui est pourpre de confusion, mais Gabriel presse doucement sa main dans le bas de mon dos pour me faire sortir de l'église.

Lorsque nous descendons l'escalier, il me serre affectueusement les épaules. Le geste est à la fois familier et étranger. Il y a si longtemps que nous ne sommes pas sortis ensemble, côte à côte, d'un même endroit, que j'ai peine à ne pas me sentir bizarre devant sa démonstration de tendresse. Nous marchons rapidement, comme les nouveaux mariés le font lorsqu'ils se font lancer des confettis dans les films anciens, enlacés et heureux de rire tels des enfants qui s'échappent d'une salle de classe. Cependant, ce ne sont pas des confettis que nous bravons, mais bien le vent marin glacial. Gabriel relève mon capuchon pour protéger mes joues.

– J'ai quelque chose à te montrer.

Mon fiancé saisit ma main gantée. Nous marchons une bonne quinzaine de minutes le long de la rue Boréale, jusqu'à ce que le chemin rejoigne la plage. De là, il me pointe un terrain. Je vois une base de ciment entourée de conifères.

– Qu'est-ce que c'est?

– Tu veux dire «qu'est-ce que ce sera?» me corrige-t-il doucement.

– Qu'est-ce que ce sera, alors?

Je répète sa question sur le même ton, en riant.

– Notre nouvelle maison.

Mes paupières s'ouvrent et se referment une dizaine de fois le temps d'une seule seconde.

– Pardon?

– J'ai acheté ce terrain, j'ai fait couler le ciment de la base. Le reste devra attendre au printemps. C'est plus grand que ma maison actuelle.

Il lâche ma main pour marcher vers le mur de ciment.

– Ici, ce sera la cuisine.

– C'est bien, dis-je, pas convaincue du tout.

Il revient vers moi, visiblement emballé, et prend mon visage dans ses mains.

– Je suis si content que ce soit toi qui vives ici, avec moi, Évangéline.

– Gabriel…

– Ma chérie, qu'est-ce que tu as?

Il cherche des compliments dans mes yeux, mais tout ce qu'il y trouve, ce sont des remises en question.

Alors que mon rêve se réalise, je suis détruite par en dedans. Ce n'est pas le portrait que j'imaginais de notre vie commune. J'y ai tant rêvé, mais, dans mes songes, c'était en banlieue de Montréal, peut-être près de chez Pierre et Stéphanie, dans une maison que j'aurais choisie avec amour. Dans mes idéaux, jamais il n'y avait de maison bâtie pour une ex, défunte!

– Je ne sais pas, Gab. T'as planté une maison au milieu de nulle part et tu sembles croire que je suis la poupée parfaite pour l'habiter.

– Quel est ton vrai problème?

– T'as fait ces plans avec Mireille, non?

– C'est pas ce que tu crois.

Pas ce que je crois? Comment pourrait-il être possible qu'il ne l'ait pas achetée en fonction de Mireille?

– C'est elle que t'allais épouser, t'as déjà oublié ça?

– Oui ! Pour tout te dire Évangéline, oui ! C'est déjà oublié !

Je recule pour reprendre ce qui reste de ma raison, mais Gabriel s'approche pour m'immobiliser devant lui.

– Que la mort de Mireille m'ait causé un choc, oui, certainement. Mais aussi, à la fois… Oh ! je ne peux pas dire ça tout haut !

Gabriel me lâche pour se placer derrière moi, contre mon dos.

– C'est à moi que tu parles, Gab. Tu peux tout me dire.

Il souffle sa confession dans mon cou. Sa voix se perd dans le silence glacial. Le vent balaie mes cheveux contre ma joue, je frissonne sous son haleine chaude. Je n'ose pas retirer mes gants pour replacer les mèches rebelles qui me chatouillent la peau. Les doigts de Gab accentuent leur pression sur mes épaules.

– J'ai été soulagé quand elle est morte.

Il me repousse. Ses mots sont tranchants, je reste ébranlée de leur effet. Lentement, je tourne la tête pour l'observer. Il a les mains dans les poches, ses bras sont figés contre ses flancs. Il combat le froid, lui aussi. Cela ne l'empêche pas de continuer à s'ouvrir.

– J'ai vécu entre l'arbre et l'écorce pendant cinq ans, raconte-t-il. Depuis l'annonce de sa grossesse jusqu'à son décès, ma vie a été mise au rancart.

– C'est fini, maintenant, Gabriel, dis-je, toujours positive.

– Oui, ça l'est. C'est avec toi que je veux partager ma vie, Boule de gomme. Avec toi, Tristan et nos propres enfants, si tu en veux. On dirait que toutes les pièces de l'échiquier sont revenues à leurs cases de départ. Tout est à la bonne place, maintenant.

Me voilà une pièce dans un jeu d'échecs. Il est ironique de songer qu'à ce moment précis je devrais être la reine du jeu, mais je n'en suis pas convaincue.

CHAPITRE 23
Montréal, loin d'Évangéline

– Carignan, ton rapport est impressionnant.

Reynald Pinsonneault relève ses paupières un peu lâches sur Patrick Carignan. Son visage est abîmé par trop de cigarettes fumées jusqu'au mégot, trop de bon vin, trop de nuits sabotées par la *job*. Toutefois, Reynald sait exactement ce qu'il fait. Il sait sur qui il peut compter. Le néon reflète un effet de vert et de bleu sur ses cheveux grisonnants. Si Pinsonneault n'avait pas eu cette assurance naturelle et toute cette perspicacité qui lui peignent la prunelle, il aurait été carrément laid.

– Oui, il l'est.

– La jeune femme est-elle en sécurité?

– Oui.

Patrick cille. *Oui, Évangéline est en sécurité. Physiquement du moins.*

– T'as pas l'air certain.

– Je le suis.

Reynald laisse tomber son mégot dans son café froid.

– Tu l'es pas, insiste-t-il.

– Alors, ne me retenez pas ici.

– Va.

Patrick fait un bref signe de tête. Le pistolet collé à son flanc lui rappelle la lourdeur de sa mission. Ses pas rapides et décidés le mènent directement à l'Audi A4 noire qui l'attend à la sortie du poste. Cette fois-ci, Steve Miller et Jack Lancaster l'accompagnent. Leur présence dans l'avion sera appréciée. Pour la première fois de sa carrière, arriver au terme d'un travail lui donne mal au cœur et un goût amer en bouche.

Pour l'instant, il n'a qu'un seul but : se rendre sur place et mettre fin à l'engrenage.

Havre-Saint-Pierre

Si je croyais que la frénésie était à son comble le 23 décembre, c'était sans songer au lendemain, jour J. Elles sont trois pour me sortir du lit. C'est à un cruel 6 h 30 qu'accompagnée de Gisèle et de Laure, ma mère tire les rideaux. Elles piaillent telles des pies autour de ma tête.

– Sylvie Gignac t'attend.

– Qui ?

– Sylvie, pour ta coiffure. T'as oublié ? *Go* les jambes !!!

– Prends ta douche, ordonne ma mère.

– OK.

– Tu veux un café ? m'offre Gisèle.

Un cafééé, ouiiiii !

– Oui. S'il vous plaît.

– Nous t'attendons en bas, dit Laure, un peu en retrait.

Je regarde le trio sortir de la pièce. Je compte lentement jusqu'à cinq, je plaque mon visage sur mon oreiller et je referme les yeux.

Je suis assise sous une toile de nylon, tête renversée vers un fond de lavabo noir. Deux mains expertes me massent le crâne avec adresse. Tant mieux, ça adoucit la douleur lancinante à mes tempes depuis que j'ai ouvert l'œil. Il n'est que 7 h 15.

Géraldine et Stéphanie sont assises ensemble à quelques mètres de moi, discutant de ma coiffure.

– Oprah a fortement suggéré de laisser les cheveux détachés. Comme ça, les photos sont plus naturelles et passent mieux le test du temps! argumente Géraldine.

– Oprah ne s'est jamais mariée! rétorque Stéphanie. Moi, oui. Ce qui fait de moi une meilleure conseillère.

– Il ne faut pas monter ses cheveux, elle a des oreilles d'elfe, marmonne Géraldine.

Des oreilles de quoi? L'eau coule pour le rinçage, j'entends mal.

– Tu dis des conneries! Elle a un cou gracile. Lui remonter les cheveux la mettra en valeur.

– Je peux lui remonter seulement la moitié des cheveux, assure la voix de Sylvie pointant dans leur direction.

– Tu peux couvrir ce qu'il reste de ses mèches rouges? demande Stéphanie.

Ça, je l'ai très bien entendu. Je le savais, elle n'a jamais aimé mes mèches, même si elle m'a dit le contraire.

– Non, on refait le rouge, dis-je pour l'énerver.

Honnêtement, je m'en fiche.

– Tu ne peux pas te marier avec des mèches rouges, Ève! grogne Stéphanie.

Géraldine retient son sourire.

– Même Géraldine est d'accord, on rafraîchit le rouge, Sylvie! dis-je.

– Est-ce que ta robe est sobre? demande Sylvie.

– Non! font en même temps Géraldine et Stéphanie.

Sylvie me regarde dans le miroir.

– Si ta robe est surchargée, je suggère de laisser tomber les mèches rouges. Tu risques de le regretter lorsque tu auras l'air de sortir tout droit d'*Alice au pays des merveilles*.

– OK, teignons tout ça brun foncé. Lisses comme ceux de Demi Moore.

Trois heures plus tard, j'ai la tête tellement changée que je fais un bond en me rencontrant dans le miroir. Parties les mèches frisottées, parties les flammes rouges et délavées. Je suis parfaite, drapée de longs cheveux presque noirs d'une brillance infinie.

– Qui est le témoin de Gabriel? demande Géraldine alors que nous sommes dans la chambre d'amis que j'occupe avec ma mère, dans la maison de Laure.

– Il a demandé à Champion, nous apprend Laure, ajustant la robe de Géraldine que la couturière vient d'apporter, essoufflée.

Ça me revient. J'ai vu Champion rôder dans les alentours dernièrement. Il est large comme un camion de crème glacée et aussi chauve qu'une cerise confite. Je ne sais même pas son vrai nom.

☆ ☆ ☆

Il paraît que l'église est bondée. De la chambre de Laure, je peux préparer mes atours devant un miroir ancestral triple de plain-pied. À ma droite, Géraldine manipule avec soin ce qui s'apparentera à un corset muni d'une trentaine de minuscules agrafes.

– Lève les bras, m'ordonne-t-elle.

Il me semble ne faire que ça, obéir, ces derniers temps. Elle me tâte le dos et les épaules.

– Évangéline, combien de kilos as-tu perdus?

– Euh… environ dix livres. Ça fait combien en kilogrammes? Heureusement, Gégé est «métriquement» bilingue.

– Plus de quatre kilos? En un mois?

– C'est normal de perdre du poids avant son mariage, Gégé.

Je soupire en rabaissant les bras. Géraldine attache les crochets un à un et m'empoigne la taille pour me retourner vers elle sans délicatesse. Elle me fait rire lorsqu'elle glisse deux doigts sous mes aisselles pour remonter le corset sous mes seins.

– C'est tout un attirail que Laure t'a donné là.

Laure a été extrêmement généreuse. C'est en voyant les yeux de Géraldine s'éclaircir que je sais qu'elle vient de penser la même horreur que moi. Comment ai-je pu ne pas comprendre avant? Cette robe... était-elle pour...? Non, c'est impossible!

– Tu penses ce que je pense? me demande Géraldine.

– Oui.

– Tu veux faire quoi? La porter quand même?

– Ai-je le choix?

– Attends-moi ici, couine-t-elle avec un sourire narquois. Ne bouge pas.

Coincée dans le vêtement le plus inconfortable de l'Univers, je pose une main sur mon abdomen pour inspirer une bouffée d'air qui, je l'espère, m'oxygénera suffisamment le cerveau pour me calmer.

– Qu'est-ce que t'as rapporté?

Mon amie semble gênée par son initiative.

– Ben, quand tu m'as annoncé ton mariage et une date aussi rapprochée, j'ai tout de suite pensé que tu n'aurais peut-être pas le temps de te trouver quelque chose de potable à te mettre sur le dos.

Elle me sourit, l'air timide.

– Je t'ai apporté une robe. Elle est en satin, sobre, simple, pas chère. Rien à voir avec ton accoutrement de Lady Diana gréco-américaine, ajoute-t-elle.

Elle émet un rire embarrassé.

– Tu veux la voir? demande-t-elle alors que je suis muette devant autant de prévoyance.

– Je la veux tout court.

Même sans corset, la robe est parfaite et ne ressemble en rien à celle que Laure m'a offerte. Et que dire du confort? Je suis aux anges.

– Je ne voudrais pas vexer Laure.

– C'est TON mariage, pas le sien.

C'est vrai. Pourtant...

– Elle a été si généreuse.

– C'est ton mariage. Et c'est la robe d'une défunte !!!

J'hésite, les mains sur mes joues, les yeux agrandis par le dilemme.

– OK, t'as raison. C'est mon mariage. Pas le sien.

– Exactement.

– Alors, pourquoi est-ce que j'ai l'impression de la trahir ?

Géraldine n'hésite pas longtemps devant mon insécurité.

– Attends une minute, j'ai autre chose qui achèvera de calmer ta conscience de bonne sœur de la Charité.

Laure et Gisèle ont pensé à tout. Pour me rendre à l'église, c'est une cape de feutre gris clair qui me couvre, tandis qu'un manchon assorti enveloppe mes mains manucurées. Le collier orné de saphirs vient de Laure et le bracelet, de ma mère.

Je scintille.

Littéralement.

La foule aura sa princesse.

CHAPITRE 24
Patrick Carignan

À l'église, Patrick Carignan a pris place à l'arrière, choisissant le dernier banc. Une dame aux cheveux bleutés lui sourit lorsqu'il se glisse devant elle pour s'assurer d'être tout au bout, le plus près possible du mur, là où un étroit corridor lui ouvrira la voie facilement lorsqu'il aura à bondir. Steve Miller est assis aux premiers rangs, à gauche; Jack est dans l'autre allée, à droite.

Patrick scrute l'assistance. Au moins quatre cents personnes se sont tassées ici pour ce mariage, repoussant, par le fait même, leurs propres préparatifs du réveillon de Noël. Incroyable! Personne n'a donc les mains dans la pâte à tourtière?

– Ostie! gronde-t-il dans son récepteur sans fil. Où est Gabriel Laurin?

À quelque cinquante mètres de lui, parmi les adolescentes et leurs mères mises en frais pour l'occasion, Jack hausse les épaules.

– Je l'ai pas vu.

– Il est censé être ici!

– Crie pas dans mon oreille, Pat! chiale Steve.

15 h 03. Gabriel Laurin devrait être en place.

– Câlisse, Jack!

– Je vais aller voir dehors.

– Non, proteste Patrick Carignan, je dois y aller moi-même.

– 10-4.

Dès qu'il met le pied sur le ciment enneigé, Gabriel sent une joie confiante l'envahir. Enfin, tout se met en place. Les bonnes personnes aux bons endroits. Voilà qu'il a un nouveau départ. Évangéline, Tristan, l'argent, la paix. Par-dessus tout, la liberté de reconstruire sa vie.

– Monsieur Jomphe, salue-t-il en tendant la main au notaire. Je vous remercie encore une fois de ce que vous faites pour nous.

– Tout le plaisir est pour moi, s'égaie l'homme en ouvrant la portière.

Gabriel saisit les pans de son paletot, puis se glisse à l'intérieur du véhicule.

Son sourire se fige. Il n'est pas seul.

Dans le salon, Géraldine, Stéphanie et moi patientons. J'ai le cœur dans la gorge, je ne veux plus y aller. Maître Jomphe, qui s'est autodésigné chauffeur pour l'occasion, est en retard. J'ai même retiré ma cape et mon boléro depuis plusieurs minutes. Je me retiens de trop bouger, confinée que je suis sur cette chaise droite pour ne pas bousiller ma tenue.

– Quelqu'un a le numéro de portable du chauffeur ? demande Stéphanie.

– Maître Jomphe n'a pas de portable.

– Gabriel, lui ?

– J'appellerai pas Gabriel !

– Il est peut-être arrivé quelque chose !

– Crois-tu vraiment qu'il m'attend à l'autel, portable en poche ?

– Oui, tout à fait, affirme Stéphanie. Ce serait exactement son genre. D'un coup qu'autre chose se présente !

Géraldine, ignorant les railleries de ma belle-sœur, insiste pour garder son long manteau noir sur ses petites épaules.

– Au pire, nous marcherons, c'est à deux coins de rue.

Stéphanie et moi la regardons avec une grande perplexité dans l'œil.

– On ne peut pas marcher dans un pied de neige habillées comme des vedettes parées pour le tapis rouge des Golden Globes, lance Stéphanie, hargneuse.

– J'ai mes bottes, et mes escarpins dans mon sac, et je peux…

– Mettre une tuque? pouffe Stéphanie.

– J'ai un grand capuchon! dis-je.

– Ève, commence Géraldine, Stéphanie a raison, il fait -20°, on ne peut pas marcher deux coins de rue habillées comme si on était en juin.

– Il fait chaud, ici, en juin? demande Stéphanie en battant des cils vers moi.

– Je ne sais pas…

Oh mon Dieu! j'espère qu'il fait chaud, ici, en juin!

Je vois Laure passer devant la fenêtre. J'ai un mauvais pressentiment. Quelque chose a dû se produire. Nous nous précipitons toutes les trois dans le hall d'entrée. Je lève ma robe pour ne pas trébucher.

Elle entre rapidement, laissant la bouffée d'air froid qui l'accompagne envahir la pièce. Ses cheveux sont parfaitement gonflés par des mains de coiffeuse minutieuse.

– Je suis venue vous chercher, Guy a eu un contretemps.

Alors que nous la regardons, figées telles des statuettes de plastique, elle agite ses gants, les coinçant dans sa main gauche pour fouetter l'air.

– Restez pas là! Dépêchez-vous!

Puis, Laure me détaille de haut en bas.

– Ce n'est pas la robe que je t'ai donnée, ça?

Le malaise que cause sa question est palpable dans la pièce. Je regarde Géraldine de biais dans l'espoir qu'elle me tende une perche, mais rien ne sort de sa bouche.

– Euh!… Non, elle était trop grande.

– Tu es magnifique, Évangéline. Cette robe est beaucoup mieux que l'autre! Bon! On y va?

Gégé saisit mon bras en riant. Je lui tapote la main en signe de soulagement.

Le froid devrait stopper mon élan, car il monte sous ma robe de satin, frôlant mes bas de nylon des chevilles jusqu'au bas de mon dos. Toutefois, je suis dans une telle euphorie qu'il ne représente pour moi qu'une caresse inconfortable, un petit coup de glaçon sur mon état profondément perturbé d'appréhension.

J'aurais aimé que le chemin dure une journée entière. Pressée en sandwich entre mes deux demoiselles d'honneur sur la banquette arrière, chacune de mes mains est perdue, serrée et caressée par celles de Gégé et de Stéphanie.

– Calme-toi, Ève, ça va aller.

Au moment où Géraldine achève sa phrase, Laure gâche son effet tranquillisant.

– On a compté quatre cent trente et une têtes dans l'église. C'est plus de dix pour cent de notre population! annonce-t-elle.

Ça y est, je vais littéralement vomir. Qui sont tous ces gens? Que me veulent-ils? À l'échelle, c'est comme si cent soixante-cinq mille personnes s'étaient présentées à mon mariage s'il avait été célébré à Montréal! Je n'ai jamais dit que je voulais faire un grand mariage, je n'ai jamais voulu ouvrir les portes aux badauds. Qui a autorisé une chose pareille? Je ferme les yeux devant la vérité qui me saute en plein visage. C'est moi, évidemment. Tout est ma faute. Je n'ai jamais précisé mes désirs, je n'ai jamais protesté, je n'ai même pas soulevé une seule question lorsque l'armée de bonnes femmes a décrété que le 24 décembre serait parfait. De plus, le gars de la radio se révèle être le neveu de Laure, le fils de Guy le notaire, mon supposé chauffeur, finalement retardataire.

Luc Jomphe est conseiller municipal, musicien, professeur à l'école secondaire et animateur de la radio de Havre-Saint-Pierre. Lorsque Luc Jomphe parle, on écoute.

Apparemment, tout le monde a allumé sa radio ce matin-là.

À ce point-ci, ma question est la suivante : comment puis-je être en route vers la cérémonie qui me liera officiellement à l'amour de ma vie, le plus grand rêve de ma courte existence, et ne vouloir qu'une seule chose à cet instant précis, soit la poitrine de Simon Duval sous ma joue, et sa main dans mes cheveux ?

Je sais, j'aurais dû y penser avant.

CHAPITRE 25
Conversation amicale

Gabriel se glisse sur le cuir noir de la banquette arrière du véhicule.

– Qu'est-ce que tu fais là?

– Quoi, Gab, t'allais tout de même pas prendre Champion pour témoin?

Simon croise les bras sur sa poitrine.

– Vraiment, Gabriel, où sont tes amis? Ta famille? T'as invité personne?

– L'église est bondée, j'avais pas besoin d'en ajouter.

– Je trouve ça bien bizarre que tout le monde ait soudainement le temps d'assister à tes noces. Tu ne les connais même pas!

Simon siffle entre ses dents.

– Wow, continue-t-il, une vraie de vraie star! Je suis honoré de faire la route avec toi, Gabriel.

– Ta gueule, Simon.

– Tu veux savoir pourquoi je suis revenu?

– Oui, tiens! J'aimerais bien le savoir!

– Je suis venu te dire de reculer. Tu ne dois pas te marier avec elle. Non! Je corrige, elle ne devrait pas t'épouser.

– Je l'aime.

– Balivernes!

– Je ne savais pas que tu connaissais un aussi grand mot.

– Je vais t'en faire avaler d'encore plus grands si tu mets les pieds dans cette église.

– Il est un peu tard pour y penser, tu ne crois pas? Et pourquoi tu me fais chier, tout à coup? Je croyais qu'on était des amis!

Simon pince les lèvres. Gabriel en profite pour continuer sur sa lancée.

– Si tu la veux tant que ça, pourquoi n'as-tu rien fait? Ça pourrait être toi qui l'attends à l'autel.

– Va chier, Laurin.

La mâchoire de Gabriel se contracte alors qu'il regarde vers l'avant du véhicule. Au volant, Guy Jomphe est silencieux et attentif, discret et bienveillant.

– Je vais descendre ici, annonce brusquement Simon. Merci, maître Jomphe.

Avant de sortir, Simon se penche vers Gabriel, tapi tout au fond du véhicule.

– À tantôt, Gab.

Simon se lève et fait un geste pour fermer la portière, puis il incline à nouveau la tête vers Gabriel.

– Ah oui! Une dernière chose. Félicitations! Ta vie va changer aujourd'hui, c'est un grand pas dans l'existence d'un homme. La cravate que t'as au cou est un bon début pour la corde qui s'en vient. Il y a quatre cents personnes entassées dans cette église qui n'attendent qu'une seule chose, que tu recules. Ils sont là pour le spectacle. Ne les déçois pas.

Il referme la portière, non sans faire un clin d'œil au préalable. Quelques pas plus loin, Simon se prend la tête. «Aaaaaaargh!»

Pourquoi a-t-il pété les plombs ainsi? Tout allait si bien. Quel était le besoin de se brouiller avec Gabriel à ce stade-ci?

Guy Jomphe tourne son rétroviseur vers son seul passager. Gabriel semble se contenir, même s'il gigote sur la banquette.

– Ça va, mon garçon?

– Super bien, merci.

Un peu plus tôt, la maison de Johanne Vinet était un véritable champ de bataille. Attenante à l'auberge qu'elle dirige, on pouvait voir, par la fenêtre du salon, les portes de quelques-unes des chambres louées.

– Maman, t'as vu comme ils sont beaux? a demandé Maude, quinze ans, appareil dentaire et cheveux frisottés autour de son visage en cœur.

– Non, j'ai rien vu, ma puce. Qui est beau?

– Les deux hommes avec Simon, ils sont super beaux.

Avant que Johanne ne puisse courir vers sa chambre, son mari, Daniel Jomphe, l'a arrêtée, lui saisissant le bras au passage.

– Johanne, il y a Simon et deux gorilles dans une de nos chambres. Ils en voulaient trois, mais j'ai dû les placer tous ensemble. Je ne sais pas pourquoi Simon n'est simplement pas allé chez Laure.

– T'as des clients, tu devrais être content. Moi, j'ai un mariage à 15 h et rien ne va m'empêcher d'y assister.

– Il n'est même pas de la famille. Depuis quand cours-tu les mariages de parfaits étrangers?

– C'est Gabriel qui épouse Évangéline Labelle-Fontaine, dit Johanne, articulant chaque nom et prénom de façon exagérée.

– Et alors?

– Daniel, franchement, tu connais Gabriel!

– Oui, et alors? Je ne me souviens pas avoir reçu de faire-part.

– Tout s'est fait trop vite, et puis c'est l'homme le plus riche de la région.

– Johanne, ce n'est pas une région ici, c'est une ville isolée. C'est pas difficile d'être le plus riche. Depuis quand est-ce qu'on se laisse impressionner par l'argent?

– C'est tout de même le père de ton petit-neveu! Et puis, depuis qu'il est revenu, l'air est différent. Les femmes se font plus belles, les hommes se font plus forts et les esprits s'échauffent. Et maintenant qu'Évangéline est là…

Daniel a changé d'expression, mains sur les hanches, narines dilatées.

– Ma nièce est morte. Elle était encore chaude quand toi et ta bande de bonnes femmes avez pris en otage cette pauvre fille qui a le malheur de s'appeler Évangéline et qui a, en plus, le malheur d'aimer ce… ce…

– Nous n'avons rien à voir avec le fait que ces deux jeunes gens se marient, Daniel. Et puis, sors la tête de ton carré de sable ! Ta nièce était infecte. Il était malheureux comme les pierres.

– Elle était ta nièce aussi, Johanne. T'as transformé ce qui était l'ombre d'une union fragile entre Gabriel et Évangéline en spectacle décadent ! C'est pas parce qu'un couple parle de mariage qu'il faut lui sauter dessus comme un troupeau de hyènes affamées. Ils venaient tout juste de se retrouver. Cette fille est jeune et influençable. Elle a quoi, vingt-deux ans ?

– Vingt-sept.

– Même chose ! Tu les as poussés trop loin.

La voix de Daniel était blanche.

– Moi ? J'ai rien fait. C'est Laure…

– Tu sais très bien que Laure commence à perdre la boule. Elle peut partir sur un projet insensé et c'est à nous de l'arrêter ! Pas de la suivre.

Puis, Daniel Jomphe a respiré à fond.

– Voyons donc, Johanne, comment as-tu pu embarquer là-dedans comme une adolescente ?

Johanne a tourné dos à son mari en portant une main à son front. *Il a raison. Je me suis laissé emporter. Nous nous sommes toutes laissé emporter.* Elle s'est avancée vers la fenêtre d'où elle a une vue plongeante sur l'église, l'hôpital et, en arrière-plan, la mer.

– Oh mon Dieu ! a-t-elle murmuré alors que les curieux s'avançaient par dizaines vers le perron de l'église. Il est trop tard.

Devant les épaules courbées de sa femme, sûrement par la prise de conscience de l'ampleur de sa bêtise, Daniel s'est approché d'elle pour découvrir la plus grande foule de sa vie en cette saison supposément morte à Havre-Saint-Pierre.

CHAPITRE 26
Les Anglais

– Aïe! Tu me fais mal, Évangéline.

– Désolée, dis-je en lâchant la main de Géraldine, que je pétrissais de toutes mes forces. Mais pourquoi est-ce si long? L'église est à deux coins de rue!

– Parce que nous faisons le tour du village.

– Il n'y a pas grand-chose à voir, grommelle Stéphanie, blasée.

– Ah! je ne suis pas d'accord! proteste Géraldine. Moi, je trouve toutes ces maisons colorées très rustiques.

Il n'est pas encore 15 h. Le ciel commence à sombrer dans une noirceur précoce. Déjà, on discerne bien les lumières multicolores accrochées aux arbres et aux maisons.

– Pourquoi faire le tour de la ville? On sera en retard!

– Parce que Gabriel n'est pas encore arrivé, m'annonce Laure de sa voix calme et feutrée.

Quoi?

– Comment ça, pas encore arrivé?

Une sueur froide vient de perler le long de mon dos. Nous sommes dans une ville entourée par des millions de sapins décharnés, à peine trois kilomètres carrés de terre habitée. À moins qu'il n'ait décidé de faire une plongette de dernière minute, il n'a nulle part où aller!

– Comment est-ce qu'on va savoir s'il est arrivé? demande Stéphanie, soudainement un peu moins blasée. Vous n'avez pas de portable!

Laure trouve le moyen de rire.

– Excellent point, Stéphanie. Il faudra courir le risque et aller à l'église.

L'idée me scandalise.

– Et «espérer» qu'il y soit?

– Et espérer qu'il y soit, répète Laure, confirmant mes doutes.

Géraldine me serre la main.

– Il y sera. Gabriel ne te ferait pas ça.

– Et s'il le faisait, Gégé? S'il le faisait?

Stéphanie lève le menton pour regarder à la fenêtre, l'air de dire «pfff».

Quatre cent trente et une têtes se retournent simultanément et le brouhaha des conversations se transforme en un tumulte de murmures dès que Gabriel fait son apparition. Champion discute hockey avec le curé Jomphe lorsque le changement soudain d'atmosphère les interrompt. Tous deux se redressent. Le célébrant serre son missel rouge, marqué d'une croix, sur sa soutane.

– Je suis désolé du retard, s'excuse Gabriel lorsqu'il arrive finalement à leur hauteur.

– Sans façon, mon garçon, le rassure Jean Jomphe en s'éclaircissant la gorge.

– Salut, *man*! Tu nous as inquiétés un peu, là, je dois le dire! s'exclame Champion en lui serrant la main comme s'il était dans un bar. Je pensais que tu avais changé d'idée.

Le rire gras de Champion résonne devant l'assemblée aux aguets. Tout le monde attend l'apparition de la vraie vedette de l'événement: Évangéline Labelle-Fontaine.

– Attendez mon signal, jette Patrick Carignan dans son minuscule émetteur.

Patrick sent sa main s'alourdir sur son BlackBerry. Il ne reste que quelques secondes avant l'apparition d'Évangéline. Tout devait se faire avant qu'elle n'entre dans l'église. Il avait espéré agir la veille, dès son arrivée, mais rien ne va comme prévu. «Allez!» murmure-t-il en caressant du bout de l'index le plastique dur du petit écran de son appareil. *Go!* Pinsonneault, tu ne m'as jamais laissé tomber avant!»

Soudain, la grande porte s'ouvre. Le cœur de Patrick tombe dans le vide. Elle est là, en chair et en os, en fluidité et en rondeurs délicates, presque méconnaissable avec sa chevelure qui lui tombe au milieu du dos. C'est surtout son visage qui le renverse. Sa peau n'est plus pâle, elle est de porcelaine. Ses yeux, grands, noirs et maquillés subtilement, son nez, droit et légèrement retroussé; et il sait que le bout de ce nez bouge lorsqu'elle parle avec animation.

Il fait un bond et parle trop fort dans son récepteur lorsque son BlackBerry vibre finalement, annonçant le courriel qu'il attendait. Évangéline, même concentrée dans sa marche nuptiale au bras de son frère, ne manque pas de l'entendre et se tourne vers lui.

Patrick Carignan est redevenu Simon Duval dès que leurs regards se sont croisés. Malgré la douleur à sa poitrine, Patrick lève une main pour donner l'ordre à Steve dans son récepteur, dans le soupir le plus douloureux de sa carrière.

– On a le mandat, menottez Gabriel Laurin. Lisez-lui ses droits.

Simon.

Simon qui me manque tant. Simon dont le visage me revient constamment dès que je ferme les yeux. Quand je le vois, discrètement installé au bout du banc, douloureusement beau dans son habit gris, son regard est inquiet. Il me regarde directement dans les yeux lorsqu'il commet l'irréparable.

Tout se passe rapidement. Avant que Gabriel ne puisse être menotté, la foule se met à bouger avec lui, autour de moi. Il y a un vacarme d'enfer, comme si l'église était en feu. Un des inconnus s'énerve et pointe son arme sur Gabriel. Les femmes portent les mains à leur visage. Les hommes se chamaillent pour mieux voir les assaillants. Deux hommes dans la quarantaine jouent du coude un peu trop fort. «*God damn it!*» crache le plus grand des deux gaillards en tentant d'atteindre mon fiancé. Mais Gabriel est futé et rapide.

C'est là que la situation s'envenime. L'homme à la cravate rouge n'a pas terminé de dire «*God damn it*» qu'un coup de feu retentit. Un instant, je crois que c'est dans sa direction, mais je me trompe lourdement. C'est Simon qui est visé. On le rate de peu. Sans réfléchir, je me jette à sa tête; mes talons hauts volent dans tous les sens et je les perds en chemin. Un autre coup de feu retentit. Simon m'attrape de son bras gauche. Sa main est devenue un étau sur ma taille. «Non!» gronde-t-il à mon oreille tandis que nous roulons entre deux bancs. Tout ce que je peux voir est son nœud de cravate et le dessous de son menton alors qu'il tient son pistolet braqué sur l'homme aux cheveux longs. Celui à la grosse panse.

– Je dois me lever maintenant, souffle-t-il à mon oreille. Quoi qu'il arrive, ma chérie, quoi qu'il arrive, répète-t-il en pesant chacun de ses mots, ne te relève pas avant que tu m'entendes t'appeler. Compris?

Mais je m'accroche à lui, je n'ai plus ma raison. Je ne veux pas qu'il se lève. Un coup de feu vient de ricocher sur le banc.

– Compris ? insiste-t-il, sa respiration devenue très lourde.

Mes larmes ne sont pas suffisantes pour protester. Je lâche son veston. Demain matin, je me demanderai encore si j'ai rêvé le baiser sur ma bouche. Pour l'instant, Simon se relève et ma tête bourdonne.

Je ne vois pas tout le reste de la scène, mais je l'entends très bien malgré mes paumes qui tentent de bloquer mes tympans. N'y tenant plus, j'ouvre un œil. Simon semble tenir un des résistants en joue et j'entends la voix de Champion qui crie aux citoyens de se coucher au sol.

Champion est un bon ou un vilain ? Il veut les protéger ou les menacer ? Peu importe, car je viens de voir les souliers de Géraldine avancer dans ma direction. Je rêve ou elle est armée ? Géraldine est armée ! Elle tient un pistolet et l'a braqué sur le grand mince, celui qui a tiré le premier vers Simon.

Je suis soulagée que Gabriel ne soit pas menotté, mais en même temps, il est probable qu'il soit armé. Il fait partie des méchants !

Où est-il ? Est-ce que je l'aime encore ? Est-ce le temps de me poser cette question ? Qui se marie avec un pistolet en poche ? Du sang, il y a du sang sur ma robe, une tache de la grandeur d'une main se dessine rapidement. Le mien ? Je verrai plus tard. Pour l'instant, je n'ai aucune sensation me prouvant que c'est moi qui saigne. Cinq coups de feu ont été échangés depuis que je suis au plancher. Quelqu'un crie. La voix de Laure. Où est Tristan ? Où est mon mariage, où est mon rêve ?

Tout est fini.

Le voilà, présenté telle une pièce de théâtre, le fabuleux destin de la belle et douce Évangéline. Les Anglais ont débarqué et emportent Gabriel, sans un adieu, sans un sourire. Ça ou Gabriel s'est enfui. Tout mon amour pour Gabriel tourné en dérision. Mon amour pour Simon se transforme en profonde tristesse, car

Simon Duval n'existe même pas. Je ne sais même pas qui est cet homme pour lequel j'aurais donné ma vie.

Hé! Boule de gomme, qui sont ces gens autour de toi?

Malgré ma vision embrouillée par des larmes naissantes et retenues de force, je peux distinguer les lèvres de Simon articuler un faible «je suis désolé».

– J'ai rien fait, Évangéline!

La voix, non, le hurlement de Gabriel traverse encore mon crâne dans une vibration douloureuse. La sienne est la seule que j'entends dans le brouhaha. Ils l'ont attrapé. Tant mieux, il est vivant.

– Évangéline! crie-t-il encore.

J'attends le signal de Simon, mais il tarde. Je suis encore près de la porte centrale, je n'ai pas eu le temps d'aller très loin dans ma marche nuptiale. Je n'ai pas pu défiler de cette lente et solennelle marche empreinte de l'humilité candide de la jeune mariée. Non, au lieu de cela, je me retrouve dans une scène d'un film de Scorsese, échevelée, éprouvée et ensanglantée.

Je peux très bien voir cinq paires de bottes noires arriver au galop. Ce doit être les forces policières de la municipalité qui débarquent. Les coups de feu ont cessé. La foule me piétinerait si je n'étais pas cachée sous un banc. Quelques secondes passent, puis un dernier coup de feu éclate. Ensuite, le seul bruit que je perçois est la voix de Stéphanie m'assurant que tout est terminé.

– Qui es-tu?

Je me réveille mal en point. Mon bras gauche est douloureux et immobilisé par des bandages solides. Les murs sont laiteux et l'odeur qui passe dans mes narines est chargée d'éther. Je me dis que je dois être morte. Le paradis est blanc, la lumière est aveuglante. Ils m'ont administré des calmants, c'est certain. Je suis sur une espèce de nuage diffus.

– Ferme le rideau, fait la voix de Géraldine.

– Qui es-tu?

Une main me touche les cheveux. Ce doit être celle de mon amie. Le visage de Simon est si beau. Il a l'air si… inquiet.

– Sergent-détective Patrick Carignan.

Qui? Pourquoi Simon me raconte-t-il des trucs pareils? Il se prend pour un détective?

Je sombre à nouveau.

Ma dose de calmants devait être puissante, car je suis toujours dans un état de ravissement intense. À mon réveil, le visage de Géraldine se gondole si je serre les paupières. C'est presque plaisant. Si au moins je pouvais bouger mon bras, je pourrais être plus à l'aise pour me relever.

– Et toi, qui es-tu?

Je pose la question à celle qui a joué le rôle de ma meilleure amie.

– Je suis Géraldine. Voyons Ève, qu'est-ce qui te prend?

– Géraldine qui?

– Mais Picard!

– T'as tué Gabriel?

Géraldine dépose sa main sur mon front, l'air inquiet.

– Mais qu'est-ce qu'ils t'ont donné? Tu fabules!

– Où est ma mère?

– Traitée pour un choc nerveux.

– Stéphanie? Pierre? Gisèle? Johanne? Tristan?… Oh non! Tristan…

– Tout le monde va bien, Ève. Ils sont tous en observation. J'ai sorti Tristan de l'église avant que Patrick ne reçoive le message.

Sœur Sophie l'a conduit au presbytère. Ce doit être mon instinct maternel de dernière minute qui m'a donné l'idée, ajoute-t-elle.

Qui est cette femme qui connaît des «sœurs Sophie» et qui sait manier le pistolet?

– Simon, je veux voir Simon.

Géraldine me caresse encore les cheveux. On dirait qu'elle achète du temps.

– Tu veux dire Patrick.

– J'en sais rien, Gé. Je veux dire l'homme qui m'a plaquée au sol. Ton ex.

– À propos de ça, commence-t-elle.

– C'est même pas ton ex, hein? C'est quoi ton vrai nom?

– Je te l'ai dit…

– S'il te plaît, dis-moi la vérité.

– Annick Levac, soupire-t-elle.

– Quoi? Qui est Annick Levac?

La chambre tourne et le visage de Géraldine ondule de nouveau.

– On en parlera plus tard. Tiens, dit-elle en remontant mon oreiller, pose ta tête et ferme les yeux. T'as perdu beaucoup de sang.

– Gégé…

– Oui, ma belle…

– Mon sac à main gris, il est à toi, maintenant.

Avant de fermer les yeux, je l'ai vue sourire. Elle s'est souvenue que je le lui avais promis si elle m'aidait à entrer dans la roulotte de Simon.

Une promesse est une promesse.

Ma chambre d'hôpital aurait dû être verrouillée. Je me sens encore plus assaillie ici que dans l'église, en pleine fusillade. Aucun journaliste n'était censé avoir droit de passage, mais deux étudiantes rusées ont réussi à se faufiler. Je tends l'oreille. Pour mieux entendre, je me glisse hors de mon lit, un peu chancelante. La paume sur le mur pour garder un semblant d'équilibre malgré la nausée qui m'assaille, j'écoute. Je réussis à discerner les voix.

– Elle est là Non! Ne va pas là! C'est la chambre gardée du détenu. La mariée est là, dans l'autre chambre.

– Tu crois qu'elle nous parlera?

– Qui êtes-vous? les questionne la voix de Géraldine.

Son timbre me semble plus grave depuis que je l'ai vue tenir un pistolet. Ce doit être dans ma tête. Oui, c'est seulement une impression. Géraldine est toujours aussi délicate et féminine. La différence est qu'elle peut désormais brandir son insigne de police au moindre faux mouvement.

Les jeunes filles se sont rapidement enfuies, mais j'ai pu obtenir quelques informations lorsque Géraldine a refermé la porte derrière elle.

Gabriel était à la tête d'un réseau de trafiquants de drogue. Comme quoi le bon vieux cannabis est toujours un investissement gagnant. Mais ça ne lui suffisait pas, il était aussi impliqué dans une affaire de paris frauduleux. Ça non plus, ce n'était pas suffisant. Il était dans les faits lié à un groupe pas très *clean* que Géraldine a eu la délicatesse de ne pas identifier devant moi. Il était le pivot de la bande, entre Baie-Comeau et le Havre, car Montréal était devenu trop risqué. Mireille était son acolyte. Ça payait ses autres drogues, semble-t-il. Son décès, purement naturel selon le coroner, a donné une plus grande liberté à Gabriel.

Je n'ai pas voulu en savoir plus, il me donne la nausée. Géraldine m'a aussi raconté que Stéphanie a interrogé Patrick pendant plus de deux heures, surtout pour sa satisfaction person-nelle. Elle exaltait sa haine de Gabriel, jubilant de tout ce qui la faisait douter de lui. Elle m'a offert un rapport détaillé, mais j'ai replié mes jambes contre ma poitrine pour déposer mon front sur mes genoux. Elle a fini par baisser les bras. Géraldine est demeurée avec moi le reste du temps. Elle s'appelle Annick, je ne pense pas m'y faire un jour.

Ils décident de me garder deux jours à l'hôpital, ne me jugeant pas prête pour le cirque médiatique qui m'attend à la sortie. Je cherche encore Simon et je sursaute à chaque nouvelle tête qui apparaît.

Comment exprimer à quel point j'ai peur de Gabriel Laurin à présent? Je ne sais pas de quelle façon c'est arrivé, mais il est devenu un manipulateur, un fripon, un escroc. Et j'allais l'épouser. Tout le monde allait me regarder faire sans élever la voix. Même Simon! Tout ce qu'il a fait pour moi était son travail. J'étais son boulot, sa victime à surveiller, la reine perdante de son jeu d'échecs. Les policiers doivent bien suivre des cours pour calmer les victimes en situation de crise? Oui, il était formé pour me calmer. M'appeler «ma chérie» était un peu fort, mais ç'a fonctionné. Je me suis sentie invincible, et j'ai survécu.

Ce n'est pas la première fois que Simon Duval me fait le coup. «Je t'aime» qu'il m'a dit un jour. Il voulait me serrer pour attraper Gab et Mireille ensemble, faire d'une pierre deux coups, histoire de bien paraître devant son *boss*. Cherche-t-il une médaille d'honneur à accrocher à sa ceinture noire? Mais Mireille l'a devancé, elle est partie avant d'être prise.

Personne n'est mort dans la fusillade. Gabriel a été touché, comme moi, au bras. La différence entre lui et moi réside dans le fait que sa chambre est gardée par des agents. La liste de ses méfaits s'est alourdie lorsqu'il a sorti son arme. C'est dommage que la foule se soit énervée! Si Gabriel s'était laissé arrêter, il aurait pu écoper d'une sentence moindre.

Je ne peux m'empêcher de penser à l'immense chance qu'aucun citoyen n'ait été blessé. Une partie de moi se sent responsable du sort de tout le monde. C'était mon mariage et j'ai mis quatre cent trente et une personnes en danger. Sans le savoir, bien entendu. Mais c'est plus fort que moi. Je me sens comme la mauvaise hôtesse qui a empoisonné ses invités avec du poisson avarié.

Géraldine me raconte que Simon et Gabriel ont terminé la scène en duel, en face à face, comme dans un western. C'est elle qui a finalement touché le bras de Gabriel, terminant la confrontation sans que personne soit tué. Il y a même un élan de fierté dans sa voix lorsqu'elle se remémore l'événement. Surtout qu'elle a aussi immobilisé et menotté le grand escroc à elle seule.

On va me prendre pour une vraie conne d'avoir fréquenté Gabriel aussi longtemps sans savoir ce qu'il faisait de sa vie. Oui, je l'ai vu dans le passé allumer un joint… ou trois. Je ne suis pas si innocente. Seulement, je n'ai jamais songé un seul instant qu'il en faisait une carrière. Comment n'ai-je pas su ça? Parce qu'il était toujours absent. Sûrement pour me protéger d'un monde trop hostile. Oui, c'est pour ça qu'il ne m'a jamais mêlée à ses activités. Sauf qu'il n'a pas hésité une seule seconde à s'y complaire avec Mireille. Peut-être parce qu'elle partageait la même «passion» que lui pour les feux d'artifice de neurones.

Je soupire dans le noir lors de ma dernière nuit à l'hôpital.

J'essaie d'accuser Simon de tout. N'est-ce pas sa très grande faute si je suis à Havre-Saint-Pierre? C'est aussi celle de Géraldine. D'un seul coup, une énorme vague d'images éclate devant mes yeux et tout se met en place. Même si monter dans le camion de Simon était mon idée, ils ont tout manigancé pour me faciliter la vie. Les clés de la roulotte étaient à portée de main! Annick Levac et Patrick Carignan ont dû se taper sur les cuisses en se remémorant mon aventure de passagère clandestine. Je tombe encore plus bas. Je suis la risée de mes meilleurs amis. Pauvre Boule de gomme! Simon n'a jamais eu l'intention de me laisser sur le bord de la route à Québec.

Dire qu'ils sont arrivés en même temps dans le décor, ces deux-là. Étais-je à ce point importante pour qu'ils s'immiscent dans mon lieu de travail? Ai-je été considérée comme une complice dans toute cette histoire? Est-ce pour cette raison que, bien qu'il n'ait pas été du tout surpris de me trouver dans la cabine de douche ce matin-là, Simon m'a autant malmenée? Comme son attitude a vite changé, par la suite! J'ai presque cru à son semblant d'amitié!

Simon Duval est donc le personnage d'une aventure à réécrire complètement. Patrick Carignan est un parfait étranger dont je ne connais que la profondeur du regard et les imperfections charmantes du visage. Je connais le goût de son baiser pour l'avoir volé au moment opportun. Je le regrette à présent.

Moi j'étais là, mais pas Simon Duval.

Patrick Carignan s'est bien payé ma tête.

«*Ma chérie!*»

Il est bon acteur, je dois l'avouer.

CHAPITRE 27
Janvier à Montréal

Le 6 janvier, je suis de retour à l'école, à Montréal. Mon premier arrêt n'est pas la salle des profs. Je sais qu'ils m'y attendent avec impatience et frénésie. Ils sont tous au courant de ma mésaventure. Cet endroit est un comptoir à potins, on sait tout sur commande, surtout si Luce Sanschagrin est dans les parages. Tout le monde s'attend à me revoir, pâle et dépressive, cachée sous mon bureau.

C'est ça ou ils imaginent me voir arriver avec les caméras de TVA, avides de détails sur la fusillade en pleine église, faisant un documentaire sur mon retour à la vie normale.

Mon premier arrêt est donc le gymnase. Comme si tout ce qui m'était arrivé depuis ce fameux 24 décembre n'était qu'un rêve et que j'allais y trouver le vrai Simon Duval, souriant, assis à son bureau.

Le local est vide. Seul un homme grisonnant est là, tournevis en main, réparant les espaliers. Il se retourne vers moi, et je me fige tel un lapin.

– Je peux vous aider, mademoiselle ?

– Non, merci.

La cloche va sonner dans deux minutes. Il est temps de faire face à la réalité.

La journée est longue, tout comme celle qui suit, et l'autre d'après. Un matin, je croise Luce Sanschagrin dans le corridor.

Elle marche de son pas rapide du haut de ses petites jambes mus-clées. Bien que, visiblement, sa première intention ait consisté à faire comme si je n'existais pas, elle a dû changer de stratégie, car elle pose ses doigts fins sur mon avant-bras.

– J'ai su pour Gabriel, je suis désolée! dit-elle, ses yeux un tantinet exorbités me fixant intensément.

– Merci, Luce.

– Pour Simon, je veux dire Patrick… J'ai toujours su, tu sais. Seulement, je ne pouvais pas en parler.

– Bien sûr, dis-je. Je comprends.

Les sourcils arqués au maximum, ses doigts toujours sur mon avant-bras, elle poursuit.

– Je ne pouvais rien dire! C'était si difficile de ne pas pouvoir en parler, surtout à toi.

Je la rassure, impatiente de m'enfuir loin d'elle.

– Non, t'as bien fait, Luce. J'aurais fait pareil!

Elle ne sait pas que Géraldine n'est pas Géraldine. Mon amie blonde ne s'est jamais présentée à quiconque sous le nom d'Annick Levac. Elle me l'a d'ailleurs affirmé après les tristes événements. Personne n'était au courant à l'école.

Elle ne sait donc rien du tout, Luce, la menteuse.

– Après toutes ces années. Il menait une triple vie que tu ne connaissais même pas. C'est ahurissant.

– Oui, très ahurissant. Luce, je dois y aller…

Elle me serre maintenant les deux mains.

– Je voulais que tu saches que je suis avec toi.

Tristan est resté auprès de Laure, laquelle est activement secondée par Gisèle. «T'en fais pas, ma noire, je veille au grain!» m'a assuré l'excentrique rouquine juste avant mon départ. «Laure est fragile», me suis-je inquiétée. Gisèle m'a prise dans ses bras dodus pour me calmer.

Ma mère va mieux. Toutefois, elle me téléphone tous les jours depuis notre retour. De toute ma vie d'adulte, nous n'avons jamais été aussi proches. J'aurais préféré que notre relation s'intensifie dans de meilleures circonstances, honnêtement. Je ne peux cependant que la comprendre. Elle m'a vue tomber, elle m'a vue saigner, elle a dû avoir peur que la balle perdue se soit logée autre part que dans mon bras. Une mère reste une mère, et la mienne ne fait pas exception. Souvent, je suis tentée de laisser le téléphone sonner, je n'ai pas envie de forcer un sourire dans ma voix, mais ai-je le choix? J'aimerais me laisser aller à mes pulsions, mais battre en retraite la rendrait assurément folle. Ma mère ne mérite pas ça.

Stéphanie raconte à qui veut l'entendre qu'elle savait depuis le début que Gab était un *bum*. Au fond, je sais qu'elle ne fait qu'en jaser pour oublier la violence dont elle a été témoin. Mon frère m'a dit qu'elle pleure souvent, qu'elle s'emporte contre Charlie, qui n'est elle-même pas très commode depuis leur retour. J'espère sincèrement que les choses se replaceront. Qu'un jour, on aura oublié.

J'ai reçu trois messages d'Isabelle depuis mon retour. Tous courts et allant droit au but. «Chère Évangéline, j'espère que tu vas bien. Je passe te voir dès que je le peux.» Je n'ai pas encore vu sa tignasse blonde passer sous ma fenêtre.

Le soir, j'évite de rester seule. Il fait noir très tôt puisque janvier le prescrit et il fait un froid glacial, dénudé de neige. L'air sec vous mord la chair. Je me console, car Montréal en hiver est pénible surtout pour les automobilistes. Ma Corolla étant partie au paradis des bagnoles, je n'ai que mes bottes blanches pour me rappeler que l'été est encore loin.

J'évite donc la solitude à n'importe quel prix. Mon cerveau doit demeurer diverti, entouré, actif. Géraldine s'habitue à ma présence quasi quotidienne. Moi, je m'habitue au fait qu'elle s'appelle Annick. Souvent, nous marchons ensemble de l'école jusqu'à chez elle. Elle va terminer l'année dans la peau de la maîtresse d'école. «Ce sera mes vacances», dit-elle en riant. Je ne lui en veux pas de m'avoir dupée. Bien que je sois convaincue qu'elle me dupe encore en prolongeant son rôle de petite enseignante tranquille, j'ai trop besoin d'elle pour me plaindre ou la questionner. J'ai besoin de croire qu'elle est devenue une réelle amie pendant sa mission. J'ai besoin de me convaincre que sa tâche est vraiment terminée.

Les premiers soirs, elle a été surprise que je ne bifurque pas vers mon allée habituelle, mais plutôt que je suive sa trajectoire, comme si ça allait de soi. J'attends patiemment qu'elle sorte ses clés, qu'elle déverrouille sa porte, puis j'entre derrière elle, dans son appartement. Elle me demande si j'ai faim. Je n'ai plus jamais faim, mais j'accepte quand même. Le plus souvent, elle me verse un bol de soupe maison et me rompt un bout de pain. Nous mangeons en discutant des derniers potins, de la météo et de n'importe quoi, sauf de Gabriel ou de Patrick Carignan.

Les soirs où je ne suis pas avec Gégé, je passe devant Duva-Gym, mine de rien, comme une curieuse. Je ne sais pas ce que je cherche à y trouver. Peut-être que j'espère y voir Isabelle à travers la vitrine? Je me suis demandé si le vrai Simon Duval existait. J'ai cherché sur le Web, j'ai trouvé leur site. Un certain Réal Duvalier possède l'endroit. Mes illusions sont mortes avec la trouvaille.

J'ai perdu toute trace de Patrick Carignan. Il s'est évaporé dans la nature depuis mon départ de Havre-Saint-Pierre. Je le retrouverai un jour, car il est le principal témoin à charge contre Gabriel. Encore là, ça, c'est un territoire que je refuse d'explorer. Même si je sais que Géraldine communique avec lui chaque jour, il ne se montre pas.

Je n'ai pas encore été voir Gabriel en captivité. J'en suis incapable. La simple idée de le savoir derrière des barreaux me soulève l'estomac. Gabriel est un oiseau qui doit s'envoler, il a besoin de liberté. Il doit avoir sombré dans un profond abattement à l'heure qu'il est.

Je dois cesser de le prendre en pitié. Même si je le traite de mécréant tout haut, il reste que, tout bas, mon cœur est blessé.

J'ai besoin de ma liberté, moi aussi.

Je dois aussi cesser de penser à Mireille, de revoir en boucle ses yeux haineux piquant mon visage et son air victorieux à l'annonce de leurs fiançailles. J'essaie de me convaincre qu'elle aimait son fils, qu'elle faisait de son mieux.

Isabelle me manque. J'aimerais la retrouver pour l'entendre me parler d'amour magique et pour qu'elle me redise d'avoir confiance. J'ai besoin qu'elle me répète de garder l'esprit ouvert. Mais tout ce que j'entends, c'est la partie où elle me disait d'être prudente.

Je marche encore une fois jusqu'à Duva-Gym, espérant voir la tête blonde par la fenêtre et entrer me réchauffer auprès d'elle, devant un café gris. Cependant, sitôt arrivée au coin de l'immeuble, je fais demi-tour avant de passer devant la porte vitrée. Je sais, je manque de courage. Surtout, je suis certaine qu'elle tenait un rôle, elle aussi, dans cette histoire. Prof de yoga, mon œil! S'appelle-t-elle même Isabelle Jomphe? A-t-elle, elle aussi, été un mirage monté de toutes pièces? Je continue mon chemin, les bras croisés sur la taille pour contrer le vent glacial qui commence à se lever.

Je ne devrais pas être surprise que mes chats aient disparu. Seule la boîte de carton, désormais enfoncée et alourdie par la neige, témoigne de leur existence passée. Bah! Je n'ai que ce que je mérite. Ils m'ont désertée pour les avoir laissés dans le froid. Je suis soulagée de ne trouver aucun cadavre gelé sous la couverture. J'espère qu'ils ont repéré une autre bonne âme pour les nourrir.

Autre matin, autre bol de céréales sans saveur. J'enfile mon manteau, ma tuque, et je sors.

En un sens, je suis surprise de presque apprécier mon retour au bercail, le confort de ma position d'enseignante dans ma classe, de mon foyer et de ma vie. Seule avec moi-même, sans mes chats anonymes, je me colle à Annick comme son ombre.

☆ ☆ ☆

– Je sais que tu ne veux pas en entendre parler, mais je connais l'heure et le jour de son plaidoyer, m'annonce Stéphanie, le dimanche matin suivant ma première semaine de classe.

– Je ne veux pas en entendre parler.

Stéphanie me regarde entre ses cils fournis enduits de mascara noir.

– T'as meilleure mine, me dit-elle.

– Je mange.

Elle sourit.

– Bravo ! C'est bien !

Nous sommes blotties dans son divan, pieds sur le pouf. Stéphanie se lime les ongles, moi, je joue avec ma bague de fiançailles, si je peux encore l'appeler ainsi.

– Tu devrais vendre ça, me dit-elle en montrant mon bijou. Tu pourrais t'offrir un voyage dans le Sud.

Mon anneau est en fait un semi-éternité serti de diamants. Lorsque Gabriel me l'a mis au doigt, j'ai pensé que les pierres étaient des zircons. Je comprends maintenant qu'elles sont vraies, et je sais comment il a pu se le permettre.

– Je suis tentée, dis-je.

CHAPITRE 28
L'idiote du village

Ma photo apparaît dans quelques quotidiens, en vignette de deux articles. Ce n'est rien en comparaison de la une, le jour de Noël. Le sang répandu sur ma robe de mariée a grossi l'ampleur du drame. Gabriel est encore sur la sellette. On attend impatiemment le déroulement de l'enquête sur ses activités. Surtout sur la fusillade dans la sainte église. Je ne sais pas si je lui manque. Il n'a pas réclamé ma présence.

Mes jours d'une paix fragile s'achèvent deux semaines plus tard, un mercredi matin, alors qu'après avoir ingurgité mes céréales sans saveur, je descends dans la rue. Une jeune femme vient se poster devant moi.

– Excusez-moi, dis-je.

– Évangéline, c'est moi.

Une voix familière résonne dans mes tympans. Je stoppe mes pas et je recule. La jeune femme porte des cheveux bruns courts. Elle frissonne, mains dans les poches. Je dois avoir cligné les paupières comme une cinglée parce qu'elle se sent obligée de répéter.

– Ève… C'est vraiment moi.

– Isabelle !

– On peut discuter ?

Le temps d'un appel au secrétariat, je suis disponible.

– Pourquoi le déguisement ?

Elle est si différente. Je suis angoissée à l'idée que, pour une raison quelconque, Isabelle ait à se cacher. Vais-je devoir intégrer le «programme de protection des témoins» moi aussi? Je me vois déjà en blonde avec dix kilos de plus, répondant au nom d'Annabelle Laframboise.

Elle touche ses cheveux.

– Oh ça? Non, ne t'en fais pas, ce n'est pas ce que tu crois. J'ai un rôle dans un film. Je serai Pilule, l'idiote du village…

Non, l'idiote du village, c'est Évangéline.

Mais je retiens mon cynisme.

– Tu m'as fait peur, dis-je dans un long soupir. Je ne savais même pas que tu étais comédienne.

Elle me saisit les poignets pour me retirer les mains des joues et les garde dans les siennes. Isabelle ne parle jamais d'elle-même.

– Et toi, tu tiens le coup? demande-t-elle.

J'essaie de me contenir. Pourtant, mon menton se crispe. Je me cache derrière mes cheveux.

– Oh non! je ne voulais pas te faire pleurer…

Mes mots sont cassés dans ma gorge. Comment parler quand on ne peut même pas respirer?

– Je suis en ville pour quelque temps. Tu veux que je reste avec toi? Je pourrais prendre le divan…

– C'est Annick qui t'a demandé ça?

Elle sourit, mais ne me répond pas. C'est Géraldine, j'en suis plus que certaine.

Le lendemain soir, je suis dans la cuisine en train de faire la vaisselle, un verre de vin souverain sur le comptoir, lorsque Isabelle apparaît. Au lieu de tirer la chaise la plus rapprochée et de s'asseoir, elle reste debout derrière moi.

– Ça va, Isa?

– Je dois te parler.

Ma poitrine se soulève, c'est l'anxiété qui m'étouffe. Jamais la phrase «Je dois te parler» n'a porté de bonnes nouvelles. Je retire mes gants de vaisselle avant de me retourner. Je m'assois.

– Vas-y!

Je ne sais pas si je suis prête à tout entendre, mais ai-je le choix?

– C'est moi qui ai dénoncé Gabriel.

Je m'adosse confortablement pour celle-là. Isabelle dépose ses mains sur sa tête brune en prenant une longue inspiration.

– Alors, tu savais…

Elle me regarde droit dans les yeux.

– Quelle sorte de sœur serais-je si je n'avais pas remarqué que Mireille avait soudain accès à toutes les drogues inimaginables?

– Bien sûr, t'as raison. Alors, pourquoi m'avoir laissée me ridiculiser?

Elle soupire. C'est là que le couteau a fait mal.

– J'espérais que ton attirance pour Simon Duval réglerait la question.

Le plan était de me laisser m'amouracher de Simon? On attendait que je quitte Gabriel et que celui-ci réagisse mal? Il m'avait déjà abandonnée! Je ne comprends plus rien.

– Je pense que j'ai droit à toute l'histoire.

CHAPITRE 29
Toute l'histoire ou presque

Isabelle se déplace pour prendre appui sur l'évier, là où l'eau savonneuse humectant le sol mouille ses bas. Elle porte des jeans sombres et un tricot blanc qui met en valeur son teint de pêche, mais son visage est triste.

– Nous avons remarqué le comportement anormal de Mireille au cours de l'année suivant la naissance de Tristan. Elle a toujours été soupe au lait, ce n'était rien de nouveau, mais lorsque Tristan a eu huit ou neuf mois, elle est devenue carrément cinglante. J'ai d'abord pensé qu'elle faisait une dépression post-partum. Pour lui permettre de se reposer, nous prenions souvent le petit chez nous. Un soir, alors que j'allais chercher des couches chez elle, je me suis aperçue qu'elle n'était pas au lit, comme elle le disait. Elle est entrée chez elle au même moment, droguée. Gabriel était arrivé cet après-midi-là.

Isabelle ne tient pas en place. Elle s'assoit devant moi à la table, jouant avec la salière, vraisemblablement pour s'occuper les mains.

– Ç'aurait été hyper facile de le faire arrêter à ce moment-là, dis-je, comme si je savais de quoi je parlais. Il devait avoir un plein coffre de *stock*.

– T'es pourtant bien placée pour savoir à quel point Gabriel est charmant.

– Évidemment.

Je vois venir la suite.

– C'était plus fort que moi, j'étais soulagée de le voir. Mireille était moins à pic en sa présence. La vie était plus facile lorsque Gabriel était là.

– Ça aussi, je le comprends, dis-je.

– C'est le manège auquel j'ai assisté longtemps. Il venait passer quelques semaines, elle se cachait avec lui. Ma mère était convaincue qu'elle nageait dans le bonheur.

– Mais tu savais que j'existais…

– Pas encore. Il a commencé à parler de toi quelques jours avant ton apparition.

– Il aurait pu ne jamais mentionner mon nom.

– À cause de Simon.

– Il vous a avertis ?

– Tu me fais sauter des étapes, proteste-t-elle.

– Excuse-moi. Continue.

– Donc, au bout de deux ans, j'ai cumulé suffisamment de doutes. J'ai contacté la police.

– Patrick Carignan ?

– Patrick, appelons-le Simon, n'est pas arrivé tout de suite. Ils ont fait quelques recherches. C'est là qu'on a vu que Gabriel était un plus gros poisson que je ne l'avais anticipé. Il leur fallait un meilleur arsenal. Laurin pouvait devenir un excellent délateur. Il y a de plus imposants requins que lui qui nagent encore dans la mare, comme un certain Basile Legris, celui qu'on appelle affectueusement Le Chien.

Je suis atterrée. Tout le monde sait que Le Chien est à la tête d'un groupe si bien organisé qu'il est impossible de l'arrêter. Aucune preuve contre lui n'a jamais dépassé le stade du doute raisonnable. Parce qu'il graisse toutes les mains importantes, on ne saura jamais exactement par quels trous il s'infiltre pour montrer patte blanche. Bon, je ne fais que répéter mes humbles lectures de journaux, entre deux horoscopes. Oh mon Dieu ! j'espère qu'Isabelle se trompe !

– Alors…

– Alors, ils ont placé Patrick et Annick sur le coup. Mais ç'aura pris encore deux ans avant qu'ils n'établissent leurs fausses identités et que je ne les rencontre.

– Pourquoi avoir placé Patrick et Annick dans mon école, dans ma vie? C'était Gabriel qu'il fallait suivre, pas moi…

Ma voix se casse alors qu'Isabelle pointe sur moi un regard si intense que je m'écrase sur ma chaise. Je continue pourtant.

– On surveillait mes liens avec Gabriel. Ils attendaient que je me tire dans le pied. Ils ont pensé que je serais plus naïve.

– Bingo! Je dois dire qu'ils ont beaucoup hésité avant de tout arranger pour que tu montes dans la roulotte. T'impliquer était une gageure. L'enquête n'avançait pas, alors ils ont décidé de se servir de toi. Simon était contre. C'est Annick qui l'a convaincu.

Je revois l'accueil auquel j'ai eu droit dans la roulotte. Il voulait vraiment me laisser sur le bord de la route.

– Pourquoi Annick est-elle encore constamment avec moi? Si tout était prévu, pourquoi Simon était-il si surpris de me retrouver dans son camion? Il m'a vraiment engueulée!

– Tu étais un suspect.

– C'est un excellent acteur.

– Pas tant que ça, mais il t'a testée au maximum.

– Comment?

– La roulotte était remplie de choses que tu aurais pu trouver, utiliser ou voler.

– Comme quoi?

– Un pistolet avec des balles à blanc, de l'argent, de la drogue, un ordinateur sans mot de passe…

Je porte la main à mon front. Je revois tout. La poche de vinyle, l'ordinateur. Dire que tout ce que j'ai regretté, c'est de ne pas pouvoir jouer au Solitaire.

– Je ne me souviens pas qu'il ait vérifié si j'avais fouillé.

Isabelle émet un rire léger.

– Tu crois qu'il aurait fait ça devant toi ? Ça lui a pris du temps avant de voir que tu étais une oie blanche. Moi, je l'ai su tout de suite. Je connaissais ton existence depuis longtemps, j'anticipais te voir en personne. Dès que je t'ai aperçue, j'ai été soulagée.

Elle sourit en regardant dans le vide.

– Simon a commencé à se douter de ton innocence lorsque tu es sortie de la salle de bains en pyjama de flanelle.

– Il t'a raconté ça ?

J'ai les mains sur mes joues maintenant chaudes de timidité.

– Je crois que ça l'a ébranlé. Sur le coup, il a presque cru que tu avais caché une arme dans ton pantalon. Quand il a vu que ce n'était pas le cas, ce pyjama a détruit la plupart de ses théories te concernant, comme un château de cartes devant un chat.

– Alors, tu te trompes, Isabelle, Patrick est un excellent acteur.

Je repense à notre nuit collée, à sa main qui prend la mienne, à ses confidences.

– Ah oui ? s'étonne-t-elle.

– Il t'a raconté que nous…

Isabelle se redresse, sautant visiblement aux conclusions les plus hâtives.

– Vous avez baisé ?

– Non ! Mais je pense que c'est pire.

– Bah, je ne vois pas ce qui pourrait être si mal dans le fait de coucher avec Patrick Carignan, susurre-t-elle, un sourire en coin.

– Pourquoi ? Tu l'as fait ?

Enfin ! J'ai pu placer la question qui me brûlait les lèvres. Mais au lieu de répondre, Isabelle se lève pour fouiller dans mon frigo.

– T'as du vin ou quelque chose de plus fort que de l'eau, là-dedans ?

– J'ai de la vodka. Tu vas répondre à ma question ?

– Je n'ai pas couché avec Simon.

– Et si on l'appelle Patrick ?

– Non plus. Il est très professionnel. Que voulais-tu dire par «pire» ?

– Il m'a tenu la main pendant des heures.

– Oh !

– Il ne te l'a pas racontée, celle-là ?

– Non. Ni à Annick, d'ailleurs.

– Vous aviez des réunions à mon sujet ?

– Il était censé tout nous dire.

– Il voulait me laisser à Québec. Il vous l'a dit, ça ?

– Il te testait, fait une voix derrière moi.

Annick est appuyée au mur du couloir derrière moi.

– Géraldine ! Comment es-tu entrée ? J'ai rien entendu !

Annick me regarde comme si j'avais trois ans.

– Des années d'entraînement.

– Elle a un double de ta clé depuis que tu l'as rencontrée, dit Isabelle. Salut, Annick. Tu veux une vodka-jus d'orange ?

– Je ne bois jamais quand je travaille.

Mon regard passe de l'une à l'autre lentement.

– Est-ce un interrogatoire ? Dois-je appeler un avocat ?

Annick vient s'asseoir devant moi.

– Pourquoi aurais-tu besoin d'un avocat, Évangéline ? Je croyais que tu étais la victime ?

Je grimace, mon amour-propre est heurté. Je n'ai rien vu. Ni les activités de Gabriel, ni les mises en scène de Simon et de Géraldine.

– Il me semble que j'aurais l'air moins débile si je n'étais pas la victime.

– C'est quoi cette histoire de t'avoir tenu la main pendant des heures ? m'interroge Annick.

– Il a dû penser que ça faisait partie de son rôle.

Annick et Isabelle se regardent. D'une certaine façon, chacune en sait davantage à son sujet que moi. Du moins, elles connaissent Patrick, à propos de qui je n'ai que des questions.

– Non, réfute Isabelle.

– Non, affirme Annick. C'est pas son style. Il était censé t'en mettre plein la vue, ne pas se laisser attendrir.

Je masse mes tempes du bout des doigts.

– Dans cet ordre d'idées, le gars aurait fait pas mal plus que de me tenir la main.

Mes doigts passent à ma nuque, soulevant mes boucles brunes dans toute leur épaisseur.

– Victime, idiote, mignonne, c'est tout à fait moi. Vous avez eu la tâche facile.

– Pas tant que ça. On n'avait pas prévu que tu demanderai Gabriel en mariage. Tu nous as complètement désorganisés, avoue Annick.

– Vous auriez pourtant dû prévoir que je me rendrais au summum de la sottise. Je le testais. Il m'a prise au mot. J'ai même pas eu le temps de cligner des paupières que je descendais l'allée nuptiale.

– On croyait plutôt que Simon allait renverser la situation, enchaîne Isabelle. Il était censé te séduire pour déstabiliser Gabriel.

– Et on aurait improvisé à partir de là, continue Annick. C'était mon idée de te laisser aller au bout de ton histoire avec Gabriel. Patrick, lui, voulait le tuer.

– Tu te trompes, Annick, dis-je. Il m'a félicitée.

Ça me fait drôle de l'appeler ainsi, mais Gégé n'existe plus ! Je dois m'y faire, même si mon cœur résiste. De toute façon, elle n'est plus la même. Annick est plus sérieuse qu'elle ne l'était dans le rôle de Géraldine.

– J'ai dû le retenir pour qu'il ne lui casse pas la gueule ce matin-là.

– T'étais même pas là !

– Il m'a téléphoné, il voulait un mandat tout de suite.

– Quel mandat ?

Annick prend une pause et chiffonne un essuie-tout en parlant.

– Pendant que je te regardais te faire coiffer le matin de ton mariage, Isabelle était à Montréal, en train de déposer son témoignage final.

– Ils t'ont crue sur parole ?

Isabelle sourit.

– Ma parole, mes photos, mes vidéos montrant Gabriel en
train d'échanger des paquets avec Carlos Rivera, mes enregistre-
ments de conversations… Patrick avait aussi pris des photos de
la transaction piégée. Il a façonné des preuves pour les ajouter
au dossier.

Je suis silencieuse durant plusieurs secondes. Les deux jeunes
femmes respectent mon besoin de rassembler mes pensées.
Alors, c'est donc vrai. Ce que j'essaie d'ignorer, de ne pas « savoir »
à son sujet est donc une réalité. La fée des neiges a du cran. Aller
braver une organisation criminelle n'est pas une mince affaire,
surtout lorsqu'un desdits criminels fait désormais partie de notre
propre famille.

Je regarde Isabelle.

– Cette fois où tu es venue me rapporter ma tuque en m'infor-
mant que Tristan était le fils de Gabriel, tu voulais que je parte
ou non?

– Je voulais que tu lui casses la gueule, sourit Isabelle.

– Mais la lettre dit que Gabriel était si prisonnier de la situation
qu'il avait été le sauveur de Mireille. Et c'est toi qui l'as écrite, Isa!

– Gabriel l'a dictée, murmure Isabelle. Mais c'était vrai, en
partie. Gabriel a vraiment sauvé Mireille. Il a vraiment été pris
dans ses filets. Ma sœur était manipulatrice.

– Je n'en doute pas un seul instant, pour ta sœur. Désolée.
Donc, ce n'est pas Laure qui a dicté la lettre?

– Au début, c'était maman, ensuite, Gabriel s'est pointé. Ève,
ma mère est…

Isabelle semble très mal à l'aise.

– Je sais, dis-je. Laure en perd des bouts.

– Qui a posté la lettre?

– Ma mère, affirme Isabelle.

– Sait-elle que t'as témoigné contre Gabriel?

Les images dans ma tête défilent trop vite. Je revois Laure, son sourire. Je visualise Gabriel qui tenait ce beau tableau à bout de bras malgré la noirceur atroce de Mireille.

Fallait-il qu'il soit fort pour maintenir ses activités tout en conservant cette façade de héros? Assez habile en tout cas pour que je n'y voie que du feu.

– Ma mère ne savait rien. Il s'occupait de sa fille, tout était génial.

J'ai une pensée pour Laure. Est-elle traumatisée? Oh mon Dieu!… On m'a tellement prise en tutelle après l'événement que je n'ai pas eu le temps de vivre mon propre choc, encore moins de le partager avec les autres.

– Comment s'en sort-elle?

Isabelle dépose son verre.

– Ça dépend de ce que tu veux dire par «s'en sortir». Elle s'est remise à la broderie, il paraît qu'elle a toujours un métier sur les genoux.

– Tu ne lui as pas parlé?

– J'ai parlé à Gisèle, dit Isabelle.

– Comment… comment va Gisèle?

– C'est elle qui mène la thérapie de groupe. Tout le monde a une histoire différente à raconter, évidemment. Depuis qu'un réalisateur de TVA s'est mis en tête de faire un documentaire, tout le monde est excité.

– Quoi? Quel réalisateur?

– T'en fais pas avec ça, il ne peut pas te parler avant la fin des procédures. T'es un témoin trop important.

– Je ne veux pas être impliquée dans les procédures.

– Tu dois témoigner, Évangéline.

– Pour dire quoi? Que j'ai rien vu? Qu'il a toujours été bon avec moi?

– Oui. Si c'est tout ce que t'as à dire.

– Mais…

– Mais quoi? s'impatiente Annick. Au pire, tu vas l'aider à amortir sa sentence. C'est pas ce que tu veux? Pense aussi à Tristan. Si tu peux changer la donne pour son papa, ça donne à réfléchir.

– Je ne sais pas.

Isabelle prend ma main.

– T'as le droit de l'aimer, tu sais. C'est bizarre à dire, surtout devant Annick, mais je crois que, malgré tout, il t'a toujours aimée. Il a réellement voulu t'épouser.

Annick me transperce d'un regard effrayant. Cette nouvelle personne m'intimide. Sa voix est ferme lorsqu'elle avance la question qui me donne la chair de poule.

– Voilà la nouvelle question qui n'a rien à voir avec l'enquête : Évangéline Labelle-Fontaine, soutiendras-tu Gabriel Laurin jusqu'à la fin?

CHAPITRE 30
Ma vie est un bordel

Le mardi 11 janvier, 8 h 35. Je devrais être en classe ou du moins avertir la direction de mon absence, mais je suis toujours sous mes couvertures, complètement irresponsable. J'appellerai plus tard, je trouverai une excuse plausible. J'inventerai une gastro-entérite agressive.

Je regarde le plafond. Une toile d'araignée a eu le temps de prendre forme depuis la dernière fois où j'ai passé le balai le long des moulures.

J'ai peur des arachnides avec la même ardeur que j'ai peur des fantômes, des rats et de mes propres sentiments. Je remonte la couette sur mon menton, puis sur mon nez. Je finis par me couvrir la tête en entier. Si je demeure sous les draps assez longtemps, ils se fatigueront peut-être de m'attendre. Je pourrais probablement éviter de me retrouver au banc des témoins. Peut-être pourrais-je prétendre que je n'ai jamais connu Gabriel. Mieux ! Si je subissais une lobotomie, je pourrais aussi effacer les images de Gabriel, ce jour où il m'a prise dans ses bras pour la première fois.

Si je pouvais supprimer de ma tête chacun des instants où il m'a fait sentir comme la plus importante des femmes de ce bas monde, je pourrais simplement l'oublier et le laisser pourrir en prison.

Si je le laisse moisir sans lui tendre la main, comment pourrai-je vivre avec moi-même?

«Tu n'as prononcé aucun vœu de mariage.»

J'entends d'ici la voix de Stéphanie. «C'est un vaurien qui n'a rien fait de bon, tu ne lui dois rien.» Puis, celle d'Isabelle: «Garde l'esprit ouvert. Regarde au-delà des apparences.»

J'entends encore «Sois prudente.»

J'ai besoin d'un gourou. Non, j'ai besoin d'une diversion. Je retape la couverture sur ma poitrine et j'inspire une bouffée de l'air d'hiver qui pénètre dans ma chambre par les fissures de ma fenêtre mal calfeutrée.

Serai-je cette Évangéline qui cherchera son Gabriel dans les plaines et les vallons?

J'ai besoin de voir Simon.

Où est Patrick Carignan?

Gabriel n'a pas été le premier à ouvrir le feu. C'est Carlos Rivera qui a «accidentellement» tiré en direction de Simon, atteignant mon bras. C'est ce que Carlos a dit aux policiers avant que son avocat n'arrive. En réalité, que ce fut volontaire ou non, il a déformé l'histoire. Cette balle ne m'a pas atteinte. Je n'ai pas été touchée au premier coup de feu.

Le premier coup serait donc parti tout seul, il n'avait jamais tiré de sa sainte vie. Bref, quatre cents personnes ont cru aller rejoindre leur Créateur ce jour-là. Gabriel n'a pas été le premier à tirer, ce fait est très important.

Ce que je dois chercher à savoir, c'est si Gabriel a tiré vers moi.

Je crois qu'il a tiré dans ma direction.

Tout est flou, je cherche à oublier, à ne pas voir.

Un des hommes de Simon a pointé Gabriel. Soudain, la foule s'est énervée. Un premier coup de feu a retenti vers Simon, celui-là devait venir du pistolet de Carlos. La fameuse erreur. Ensuite un autre coup de feu vers Simon, celui qui a atteint mon bras. Qui donc a tiré?

– Annick, où est Patrick Carignan?

J'ai le combiné sur l'oreille aussitôt après m'être levée, douchée et après avoir averti mon directeur de mon absence.

Elle a répondu au premier coup de sonnerie.

Un silence incommodant m'impatiente.

– Ici.

– Pourquoi chuchotes-tu?

– Il dort.

– Il dort chez toi? L'aventure passionnée est repartie de plus belle?

Un autre foutu silence. Je commence à croire qu'elle réfléchit avant chaque affirmation. J'ai le cœur en boule, même si je n'ai aucun droit de me sentir affectée, ni jalouse!

– Cette histoire n'a jamais été vraie.

J'expire une longue bouffée d'air avec frustration. Je suis fatiguée d'être perdue dans leurs mensonges. C'est un labyrinthe sans fin.

Elle soupire sans retenue.

– Il est arrivé à ma porte hier soir. Il avait la barbe longue, les cheveux en broussaille. Il n'avait pas dormi depuis trois jours. Je l'ai fait entrer, il est comateux sur mon divan depuis ce temps.

– Il dort toujours, là, maintenant?

– Oui.

– J'arrive! dis-je en raccrochant rapidement.

Je vole littéralement le long de la rampe recouverte de glace.

– Entre, souffle Annick, toujours en murmurant.

Simon est là, son corps solide prend plus que sa part du sofa, ses pieds dépassent de plusieurs centimètres. Il est assoupi tel un ange. Sa respiration est à peine perceptible. Malgré cela, on décèle une raideur au niveau de ses bras, on dirait que ses doigts sont prêts à saisir l'arme qui lui colle au flanc gauche. Son front est tendu sous quelques mèches rebelles. Sous ses paupières, une course folle semble animer ses yeux. Il n'est pas en paix, de ça, je peux être certaine. Sa mâchoire à la ligne dure est ombragée par plusieurs jours de négligence.

Ne suivant que mon instinct, je dépose mes lèvres sur son front, le croyant fiévreux, mais je me trompe. J'ai à peine le temps de constater que sa température est normale qu'une main menaçante s'enroule autour de mon cou. La poigne est solide, je suffoque!

– Ève!

– Tu peux retirer ta main, s'il te plaît? J'aimerais respirer, dis-je d'une voix étranglée.

Il relâche son étreinte. Ses doigts glissent derrière ma nuque, un peu comme cette nuit-là, dans la roulotte. Cette fois-ci, je n'ai aucune retenue. Malheureusement, je n'ai pas le temps d'atteindre son cou. Annick est rapide.

– Évangéline, relève-toi immédiatement.

Simon me repousse doucement. Je devrais sérieusement commencer à songer à lui en tant que «Patrick», l'homme qui m'est étranger. Ce serait plus sage.

– Fais ce qu'elle te dit, murmure-t-il à mon oreille.

– Pourquoi?

– Fais pas de chichi, Évangéline. Et toi, gronde-t-elle vers Patrick, tu devrais savoir que tu ne dois pas t'attacher à elle. T'es pas Simon Duval, ton rôle est terminé.

– Que se passe-t-il? Géraldine! Explique-moi. Pourquoi m'as-tu dit qu'il était ici si je ne peux pas l'approcher?

– Parce que tu es en état d'arrestation.

L'illusion qu'il me restait de mon amie Géraldine est morte avec le geste d'Annick Levac. Elle a porté la main à sa ceinture pour saisir les menottes qu'elle y avait camouflées.

– C'est pas nécessaire de la menotter, elle ne va pas s'enfuir.

L'homme que je percevais encore comme étant Simon Duval quelques instants auparavant est réellement devenu Patrick Carignan. Il se lève lentement, comme si son faux sommeil avait été réel. Il cherche mon regard, mais je fixe le sol. Tout ce que je sais, c'est que je n'ai pas d'avocat et qu'à partir de maintenant je dois me taire.

Je n'ai rien fait de mal !

Je me répète cette phrase tel un mantra.

Même si j'aimerais savoir de quoi je suis accusée, je prends la ferme décision de ne pas parler. À ce moment précis, je ne saurais trouver grand mérite dans cette sagesse tellement je suis bouche bée. Mon pauvre cœur cogne en fou dans ma poitrine, qui se soulève au rythme des convulsions nerveuses que j'essaie de faire taire. Si je suis assez sotte pour me faire accuser de quelque chose dont je ne suis même pas au courant, alors je suis assez conne pour creuser ma propre tombe en parlant. Il ne me reste donc qu'une chose, cette larme qui se pointe sur ma joue telle une traîtresse exprimant mon désarroi.

CHAPITRE 31
Un montage

L'endroit où j'atterris dans l'heure qui suit n'a rien d'un poste de police.

Patrick me guide vers un ascenseur métallique qui fait un bruit d'enfer en se refermant. Les cloisons sont ouvertes sur un mur de ciment que nous parcourons vers le haut. Lorsque l'habitacle s'arrête violemment et que Patrick tire sur la porte d'acier, un couloir sombre s'étend devant moi.

– N'aie pas peur, me rassure-t-il.

– C'est pas le poste de police !

– Avance et tourne à gauche.

Comme je ne bouge pas, Patrick place ses grandes mains sur mes épaules pour me pousser, mais je proteste.

– Si je suis en état d'arrestation, je devrais être menée au poste de police pour la prise de photos et d'empreintes, pas dans un couloir sombre seule avec toi, sans témoin.

– Avance, Évangéline.

– Je veux aller au poste !

Il y a des semaines que je n'ai pas pleuré. Je me croyais désormais à l'épreuve de n'importe quoi depuis la fusillade. Mais ici, dans un édifice inconnu, avec un homme à la double identité, j'ai peur pour ma vie.

– Chhhh…

Patrick dépose le bout de ses doigts sur mon visage avant de s'approcher doucement.

– Qu'est-ce que tu fais?

– C'est mon loft qui est sur la gauche. Je t'ai amenée chez moi.

– Mais alors, mon arrestation?

– Un leurre. J'ai découvert qu'on était sur écoute, il fallait que je te sorte de là.

☆ ☆ ☆

Son loft est un immense studio entouré de fenêtres et de grillages. Ce n'est visiblement pas un édifice à logements conventionnel, on dirait plutôt l'étage d'une ancienne manufacture transformée en habitation pour célibataire imaginatif et très en moyens.

– C'est magnifique.

– Tant mieux si t'aimes ça parce que c'est ici que tu vas vivre pendant les prochaines semaines.

– Quoi? Non! Je ne…

Patrick met deux doigts sur ma bouche.

– Gabriel disparaîtra aussi, sous peu. Il est fin négociateur, je dois lui donner ça. Il est à un cheveu de réussir à ne pas se faire accuser. Pour un temps, on va devoir le mettre sous la Loi sur le programme de la protection des témoins, au moins jusqu'à sa parution.

– Oh!… alors il a…

– Dénoncé pas mal de monde, oui. Du gros monde. Votre union a été trop médiatisée pour que tu sois en sécurité. Ils veulent sa peau, et si c'est pas sa peau, ce sera la tienne… Je ne veux pas courir le risque que tu sois visée!

– Tu t'es porté volontaire pour sauver la pauvre proie des méchants?

Je tâche de sourire malgré le fait que mes larmes montent.

– Oui. Tu veux quelque chose à boire ? Tu peux enlever ton manteau.

Il marche vers sa cuisine ouverte sur tout le reste, puis tire la porte de son réfrigérateur pour examiner son contenu. Je suis en transe devant ce personnage au physique familier, mais qui n'a plus la même identité, le même rôle. Simon était un ami, en quelque sorte, du moins. Patrick est un protecteur payé pour faire un travail précis. Patrick n'est pas un prof d'éducation physique, ni un propriétaire de gym. Et toute cette histoire de cours de karaté aux enfants défavorisés, c'était de la frime aussi ? Mon Dieu, j'espère que non !

– Patrick, est-ce que tu donnes vraiment de ton temps aux enfants défavorisés ? Je veux dire... hum ! tu sais, les cours de karaté...

– J'ai du jus d'orange, de la bière...

– De l'eau, s'il te plaît. Tu ne réponds pas à ma question.

Il referme le frigo, se redresse, dépose avec un «ploc» une cruche d'eau sur le comptoir. Il me verse un verre qu'il me tend.

– Pour les enfants, c'est oui. Tous les mercredis soir. Et j'ai bel et bien une maîtrise en crimino. Tu sais, quand on travaille sous couverture, il faut se tenir le plus près possible de la vérité, ça évite de se mélanger dans nos mensonges.

Et ton affection pour moi ? C'était près de la réalité aussi ?

Troublée par des questions que je n'ose pas poser, je décide de changer de sujet, non sans demeurer pensive un long moment. Patrick ne bouge pas, il me toise de son air sombre. J'aimerais tellement lire dans ses pensées ! Suis-je vraiment en danger ? A-t-il un autre dessein que celui de simplement faire son travail ? Est-il apte à assurer ma protection ? Je ravale ma salive. Cet homme qui se tient droit comme un soldat, les pieds légèrement écartés pour un maintien solide, le regard observateur qui ne semble rien manquer, est toujours en train de réfléchir à cent kilomètres à l'heure, de prévoir trois ou quatre coups d'avance, comme aux échecs. Patrick est au cœur de toute l'investigation, son rôle semble majeur. S'il en est un qui peut assurer ma sécurité, c'est bien lui.

– Est-ce que Gabriel a un lien avec Le Chien?

– Je dois te répondre non.

Je vois dans ses yeux le contraire de cette réponse. Un frisson me parcourt l'échine.

– Je suis chargé de t'annoncer que t'as le choix d'aller avec Gabriel pour partager sa nouvelle vie – protégée par l'État – ou d'attendre patiemment ici que les méchants soient capturés. Je dois spécifier, Évangéline, que, dans les organisations crimi-nelles, les escrocs sont comme des lapins de magicien, il en reste toujours un pour nous surprendre.

– N'ai-je pas aussi le choix de retourner chez moi?

– Disons que ce ne serait pas une bonne idée.

– Je peux m'asseoir?

– Évidemment.

– Qui sait que je suis ici?

– Annick et Reynald Pinsonneault.

Aucune idée de qui est Reynald Pinsonneault.

– C'est pas déjà trop?

– S'il m'arrive quelque chose, il faut qu'on puisse te retrouver.

Cette fois, mes larmes atteignent mes paupières, Patrick ne peut pas les ignorer. Pourtant, il reste debout à plusieurs mètres de moi.

Le soleil d'hiver commence à laisser tomber ses rayons sur les vitres. Je cherche un mouchoir dans mon sac.

– Reste ici pour toujours, Évangéline.

Sa voix est étranglée. Il semble aussi surpris que moi de ce qu'il vient de dire.

– Qui parlera à Stéphanie, à ma mère, à Pierre?

Patrick incline la tête. Ses yeux me mitraillent.

– As-tu entendu ce que j'ai dit?

– Tu veux que je me cache pour toujours. Je ne pourrai jamais vivre comme ça. C'est trop fou!

Je suis assise sur le divan. L'eau dans mon verre forme des vaguelettes dans ma main tremblante. Patrick a les traits tirés, il est devenu soucieux depuis ce fameux jour, à l'église.

– Patrick, est-ce que ça va?

Je dis ça en déposant mon verre sur la table d'ébène. Il recule tandis que j'avance vers lui.

– Je n'ai pas dormi pendant trois jours. J'ai failli aller te chercher chez toi.

– Pourquoi est-ce que tu ne l'as pas fait?

– Je serais venu tôt ou tard, j'étais constamment à proximité, à surveiller ta porte. J'avais des choses à vérifier avant.

– Des preuves de mon innocence, peut-être?

Il a un faible sourire. C'est suffisant pour changer son visage en entier.

– J'ai tellement cherché à te trouver des torts. N'importe quelle preuve qui dirait «elle n'est pas pour toi».

J'ai fait un autre pas vers Patrick, il n'a pas reculé. Il a pris ma main pour la plaquer sur sa poitrine.

– J'ai rien trouvé, souffle-t-il.

Je m'approche encore. Je veux l'embrasser, calmer son esprit. Je veux qu'il sache que je suis avec lui.

– Je me suis mal exprimé. Je ne veux pas que tu restes ici.

Ah! il ne veut pas que je reste ici.

Je ferme les yeux, le cœur serré. Même si je sens sa main dans mes cheveux, je suis perdue dans un chagrin nouveau. Pourquoi joue-t-il avec mes sentiments? Ce n'est pas son genre.

– On ne pourra pas rester ici, murmure-t-il. Mais je te demande de me suivre, on s'inventera une nouvelle vie.

– D'accord! me surprends-je à répondre.

Je sens ses lèvres sur mon front, son bras droit autour de ma taille, il m'étreint solidement.

– Es-tu certaine que c'est ce que tu veux, Évangéline? On va quitter le Québec, tu seras déracinée, tu n'auras que moi jusqu'à ce que la vie reprenne normalement son cours.

J'écoute ce qu'il murmure sans vraiment concevoir la réalité qu'il tente de dépeindre. Je n'ai qu'une seule image en tête, Patrick, étendu sur le sol, baignant dans son sang.

– Pourquoi as-tu dit qu'il pourrait t'arriver quelque chose?

Ses bras encerclent mes épaules. Son torse est dur comme de l'acier. Il porte un gilet pare-balles. La situation est donc si sérieuse? Va-t-il enfin m'embrasser pour effacer les images sanglantes qui s'infiltrent dans mon imagination? Son visage est maintenant accessible, j'aurai ses lèvres sur les miennes dans une fraction de seconde. Sauf que ma vie si simple que je chérissais tant n'existe plus.

Un déclic brise le silence et, en moins de deux, Patrick tourne sur lui-même, me gardant dans son dos, pour faire face à la menace.

L'homme est si énorme qu'il est inconcevable qu'il ait pu se rendre jusqu'à nous sans se faire remarquer. La porte! Nous avons stupidement oublié la porte d'entrée. Champion est là, son arme pointée sur nous. Seule la force des mains de Patrick m'empêche de m'écrouler.

– Vous pensiez aller où? ricane-t-il. Moi, j'aurais opté pour Vancouver ou Edmonton, mais il y fait un peu froid en hiver.

– Champion! ne puis-je m'empêcher de m'écrier.

– Dis donc, Évangéline, il est vite remplacé, le beau Gabriel!

Puis, d'un regard de vainqueur, il vise Patrick directement au cœur.

CHAPITRE 32

Champion

Patrick a levé les mains. Champion aime s'assurer que tout le monde porte son attention sur une seule chose : sa grosse personne. Alors qu'il se moque de nous ouvertement, sans manquer de m'accuser d'être une putain, je ne peux m'empêcher d'être surprise.

Me faire traiter de putain a quelque chose de fantaisiste. Moi qui ne suis qu'une souris grise, voilà un peu de couleur à mon pelage. Une putain, wow ! Il continue sur sa lancée. À l'écouter, je suis une vamp qui fait rêver les hommes.

— Tu penses vraiment qu'elle va partir avec toi, *man* ? Tu te mets le doigt dans l'œil. Tout ce qu'elle veut, c'est retrouver Gabriel et reprendre leurs activités.

Alors que Champion babille ses opinions sur ma qualité de traître, Patrick me donne un léger coup de talon sur la cheville. Je sors finalement de ma torpeur et je le vois, droit devant mes yeux… le pistolet glissé à sa ceinture. Il est fou. Je vais nous faire tuer tous les deux.

— Tu sais combien de temps tu vas faire en prison si t'assassines un policier ? fulmine Patrick.

Sa voix grave est calme, mais menaçante à la fois. A-t-il au moins un peu peur ?

— C'est pas toi que je veux, c'est elle.

Moi ? Bien sûr ! Prenons la putain !

– Un meurtre avec préméditation, c'est encore pire.

– Qui a dit que je voulais la tuer ? Cette petite est encore utile. *Assez !* Cette histoire doit prendre fin.

Maintenant !

De mes doigts tremblants, je saisis le pistolet, qui glisse facilement de l'étui. Je mise le tout pour le tout lorsque je décide finalement de mon plan d'attaque.

Je tiens l'arme de mes deux mains aussi solidement que possible. En sortant de ma cachette, je m'imagine en Jaclyn Smith du temps de ses belles années dans *Charlie's Angels*. Je me joins à Champion, pointant mon arme vers Patrick, exactement de la même façon que lui.

– Merci, Champion ! T'en as mis du temps, dis donc ! Je me demandais justement quand toi et les autres alliez venir me libérer de cet imbécile. T'es pas seul, j'espère !

Champion est déstabilisé par mon geste. Il s'attendait à ce que je parte en courant. C'était sans compter sur ma ruse. Il ne faut jamais sous-estimer une brunette. La poussée intense d'adrénaline me permet de ne pas trop sentir la blessure au bras gauche que j'ai subie à l'église. Je ne peux qu'espérer ne pas rouvrir la plaie en pleine action. J'ai eu une chance incroyable que la balle ne cause que des dommages superficiels lors de son passage effroyablement rapide. J'ai été frôlée davantage que touchée. Il s'en est fallu de quelques millimètres pour atteindre le muscle, ou pire, l'os. Je dois être bénie !

Je sers un regard complice à Patrick, qui a le temps de voir mon clin d'œil. Son pied monte vers l'affreuse gueule de Champion. Il est rapide comme l'éclair, je suis ébahie. Avant que Champion n'amorce son mouvement pour rattraper l'arme qui a glissé de sa main, j'ai déjà crié.

– Bouge pas ! T'es en état d'arrestation, gros con !

Patrick me regarde comme si je sortais d'une bande dessinée.

– J'ai toujours rêvé dire ça, dis-je en haussant les épaules.

– Tu m'as fait peur, souffle Patrick alors qu'il plaque Champion au sol sans ménagement, un genou dans son dos, ses deux mains tenant fermement les énormes bras du pauvre criminel sans talent.

– Es-tu seul ? demande Patrick.

– Crois-tu que je vais te le dire ?

Patrick doit serrer les poignets de Champion assez solidement pour le faire souffrir, car le ton de sa voix monte d'une octave.

– Chien sale ! crie-t-il, au bout de son souffle.

– Le chien sale a appelé du renfort depuis longtemps, l'immeuble est probablement déjà cerné. Si t'as autre chose à me dire, c'est le moment, chuchote Patrick à son oreille alors que la joue de Champion est écrasée sur le parquet.

– Je suis seul.

– Je l'espère pour toi.

Patrick le relève, le tirant de ses deux mains en position horizontale. Champion est trapu, mais il n'est pas de taille; Patrick le dépasse presque d'une tête. Contrairement à Champion, sa masse est constituée de muscles et non d'un épais mélange de gras et d'imbécillité.

– Patrick ?

Il se retourne vers moi. Son regard est chargé d'émotions que je ne saurais décrire.

– Oui, Évangéline ?

– Je peux lâcher le pistolet, maintenant ?

Je suis figée dans le temps, l'arme toujours braquée sur Champion. Mes mains sont moites, mes jointures sont blanches sur le métal, et mes bras, raides comme des barres de fer.

– Oui, ma chérie, tu peux déposer le pistolet.

– Ça va, Évangéline, fait une autre voix. Tout va bien. Annick !

– OK, dis-je en déposant l'objet de métal froid sur la table à café.

C'est bizarre… Ma blessure me fait souffrir tout à coup.

CHAPITRE 33
Un monde d'options

Mon appartement est un bordel où assiettes brisées et sous-vêtements épars se côtoient sur le plancher. Mes plantes ont été déracinées et la terre, lancée sans respect sur les morceaux de bibelots.

Un désordre atroce s'est dessiné en mon absence.

– Prends les choses importantes et allons-nous-en, me presse Patrick.

– Oui. OK, dis-je sans bouger.

Annick soupire, franchissant le désordre en levant très haut les pieds.

– Ève, grouille-toi! As-tu des objets de valeur?

– Comme quoi?

– Je ne sais pas moi, des bijoux, des souvenirs…

Je baisse les yeux. Mon seul bijou est ma bague de fiançailles, et elle est toujours à mon doigt.

En quelques enjambées stratégiques parmi le chaos, Annick disparaît pour revenir victorieuse, un bref instant plus tard.

– Voici ta brosse à dents, des sous-vêtements, trois jeans et quatre chandails. Je n'ai pas trouvé tes bas, je t'en prêterai.

– Si t'as tout, nous pouvons partir, fait la voix de Patrick.

– J'ai tout.

On m'a exposé mes options. Patrick, Annick et Reynald Pinsonneault, tous installés autour de moi dans le salon d'une maison que je ne connais pas, me regardent du même air, comme s'ils étaient issus d'un seul cerveau. Une dame de courte taille nous sert du vin, puis s'assoit près de Reynald. Je comprends qu'il s'agit de son épouse.

– Qui a fouillé mon appartement?

– Nous avons notre idée là-dessus, dit Reynald Pinsonneault en prenant une gorgée de vin. T'es devenue trop connue, tu n'es plus en sécurité.

Cet homme m'inspire confiance, peut-être par son charme d'homme sûr de lui.

– Je peux décider de suivre Gabriel?

– Oui, me confirme Annick, non sans lancer un regard à Patrick.

Celui-ci ne lève pas les yeux de son verre. C'est Reynald Pinsonneault qui reprend la parole.

– Gabriel partira bientôt, lorsque nous aurons toutes les informations que nous attendons de lui. Nous lui donnons encore trois jours. Ensuite, une autre semaine pour vérifier la qualité de ses délations.

– Et si ses divulgations se révèlent insatisfaisantes?

– Alors, les procédures judiciaires suivront leur cours normal. Tu devras témoigner. Il se fera battre en prison, il a déjà trop parlé. Tu seras harcelée.

– Bref, il doit tout dire et décamper, fait Patrick, laissant sa jambe sautiller nerveusement. On doit te placer dans un endroit sécurisé, peu importe le scénario.

Je regarde à gauche, à droite, devant moi. Ils sont tellement rendus loin dans toute cette histoire. Ils sont si obnubilés par leur travail qu'ils ont omis un détail important : mon absence d'implication dans tout ce foutu cirque.

– Je ne comprends pas pourquoi je suis en danger. Je n'ai rien à voir dans les histoires de Gabriel !

Je m'énerve parce que tout ceci ne rime à rien à mes oreilles. Ils sont tous là à concocter la stratégie parfaite pour me sortir d'un pétrin que je ne décèle pas encore. Reynald hoche lentement la tête. De sa voix grave un peu rocailleuse, il me répond clairement.

– Tu es le point faible du délateur. Au moment où son arrestation a eu lieu, vous étiez au pied de l'autel, tous les deux, souviens-toi. Nous avons une série de noms, des gens pas très gentils et pas mal puissants. Tu sais ce qu'est un tueur à gages ? As-tu déjà vu une prise d'otages ?

Oui ! Et ça se passe à Hollywood, devant des caméras ! Pas dans ma vie !

La tête me tourne, un goût amer se forme dans ma bouche, mes mains deviennent moites. Les mots que Reynald prononce sont trop gros, trop lourds de conséquences. Je ne peux pas les assimiler. C'est un cauchemar, je vais me réveiller. Je crois que je vais vomir…

Sans crier gare, voilà que Patrick s'affole. Glissant ses longs doigts dans ses cheveux, tête baissée, il fait grincer sa voix entre ses dents. J'aimerais voir ses yeux, reconnaître un peu de cette assurance si sécurisante dans sa prunelle, mais il garde obstinément le plancher comme point de mire.

– Bon sang, Reynald, tu veux la rendre folle ! Ne l'écoute pas, Évangéline.

Annick dépose une main ferme sur le genou de son partenaire.

– Du calme, Roméo, le réprimande-t-elle. Puis, se tournant vers son patron : Reynald, essaie de ne pas rendre notre nouvelle amie complètement barjo. Ce qu'on fait, c'est de la *pré-ven-tion*. Elle n'a pas de pistolet sur la tempe, que je sache.

Ce dernier esquisse un sourire entendu. Il me fait un clin d'œil taquin que je ne gobe pas du tout. Puis, après une inspiration saccadée d'une toux de fumeur, il change habilement de sujet.

– J'imagine que tu aimerais voir Gabriel avant de prendre ta décision, insinue-t-il.

Voilà ma voix de souris grise qui prend la relève, faiblarde et rauque.

– Évidemment, dis-je en me laissant hypnotiser par le feu dans le foyer.

Même si personne ne l'a mentionné, je sais que nous sommes dans la demeure de Reynald. Où d'autre pourrions-nous nous trouver? Mon cas semble avoir pris une pente personnelle, car mon petit doigt me dit que les victimes ne sont pas toutes invitées dans la maison privée des inspecteurs. Je commence à comprendre aussi à quel point Patrick tient à me placer en sécurité. Coûte que coûte.

Je dois voir Gabriel. Malgré tout ce qui est arrivé, mes sentiments pour Patrick, la menace qui pèse sur Gabriel, je sais que je ne peux pas entamer ma nouvelle vie sans l'avoir vu. Je dois envisager chaque conséquence de mes décisions. J'ai un brin de nostalgie pour ma vie de Montréalaise tranquille. OK, pas qu'un brin, toute une montagne de chagrin à l'idée de ne plus retrouver mon existence sereine.

Mes options sont claires en théorie, mais abstraites dans mon esprit. La première, je peux partir seule, changer de nom, prier pour avoir la paix. La seconde, Patrick part avec moi dans une autre province. Voilà le scénario imaginé par Reynald et Annick.

Je regarde Patrick, immobile dans le fauteuil, le haut du corps penché vers l'avant, ses doigts entrecroisés retenant son front. Cet homme qui m'offre son existence ressemble à un ange descendu du ciel. Ironiquement, c'est lui qui a provoqué l'escalade de problèmes en arrêtant Gabriel. Bon, ne tirons pas sur le messager.

Je me ressaisis, je dois penser à long terme. J'évalue donc les conséquences liées à chaque option. Ma seule présence met la vie de Patrick en danger, je suis devenue une cible vivante.

Je songe à Tristan et à Laure. Aux dernières nouvelles, cette dernière n'allait pas bien. Je dois aller lui rendre visite. Ma mère ne peut pas me voir disparaître, ça la rendrait folle. Stéphanie ne me pardonnerait jamais de me volatiliser, et même si elle m'énerve, je l'adore. Mon frère ne le dirait pas tout haut, mais il aurait du mal à me voir partir. Malgré toutes ces raisons, je dois tout de même m'éclipser du paysage.

Je ne peux pas laisser Patrick Carignan risquer à nouveau sa vie pour moi.

Je ne peux donc pas choisir de suivre Patrick.

Notre histoire vient de mourir dans l'œuf.

CHAPITRE 34
L'aveu

Le bras d'Annick doit être meurtri tellement je l'étreins de toutes mes forces. La visite qui suit, je la repousse depuis que j'ai cette blessure sur le bras qui m'élance encore à chaque mouvement. C'est fou, on dirait que la douleur est pire depuis que j'ai tenu le pistolet.

Nos pas font écho sur les murs illuminés par des néons trop forts. Gabriel m'attend dans une pièce sans fenêtre où seul un miroir louche orne l'un des murs. Il a le visage livide et amaigri. Il lève sur moi un regard triste. Je lui rends un sourire faible.

– T'as maigri, dis-je en m'asseyant devant lui, sur la chaise de plastique bleue.

– Toi aussi, dit-il.

Il ne bouge pas, il attend que je parle la première. Il ne fait que me fixer, les paupières lourdes et le regard éteint.

– Tu es magnifique, murmure-t-il, sachant très bien que chacune de nos paroles est écoutée, même si Annick a quitté la pièce.

– T'as rien d'autre à me dire ?

– Oui. Je suis désolé pour tout.

– C'est tout ?

– Quoi que je puisse te dire serait une insulte à ton intelligence.

Il a raison. J'ai encore une fois le paradoxal Gabriel devant les yeux. La double personnalité. Celle qui est faite d'amour et l'autre, de fuite. À l'instar des autres moments difficiles que je relève dans mes souvenirs, alors qu'il est dans le plus bas fond de sa vie, il ne donne aucun signe de détresse. Il ne tente pas de me retenir. Gabriel est de marbre devant son destin.

Pourtant, je ne peux résister à un dernier test.

Je dois savoir.

– Est-ce que tu m'aimes ?

Pour la toute première fois de ma vie, je vois le visage de Gabriel tomber et ses yeux rougir.

– Non, je ne t'aime pas.

J'assimile les mots qu'il vient de proférer. Il a prononcé chaque syllabe avec insistance. *Je ne t'aime pas.* Je prends quelques secondes pour encaisser le coup, l'explosion de néant qui vient d'envahir mon thorax. Au bout d'une minute, je me relève péniblement.

Prenant mon sac, je marche vers la porte de métal, mais mes pieds s'arrêtent.

Je me retourne une dernière fois.

Gabriel est debout, il a dû suivre mes pas. Il est près… si près…

CHAPITRE 35
Autant m'en aller...

– Il m'a donné un baiser long comme la vie.

Je marmonne pour moi-même, abasourdie.

Nous sommes dans une autre salle. Je suis escortée partout où je vais jusqu'à ce que je quitte le Québec. L'escalade de pression médiatique sur mon cas a l'effet d'une spirale. Annick m'a laissée entendre que ce ne sont pas que les nouveaux ennemis de Gabriel qui surveillent mon appartement désormais, mais aussi les journalistes. La fiancée du délateur, Évangéline Labelle-Fontaine, est en cavale. Voilà ma photo en première page du *Journal de Montréal*.

J'ai envie de leur crier : «Il ne m'aime pas!»

Le délateur se fiche de mon sort. Évangéline et Gabriel, c'est de la merde!

★ ★ ☆

– Alors, tu pars seule? Vraiment?

Je froisse le mouchoir sans regarder Isabelle. Elle m'en tend un autre, que je prends aussitôt.

– Oui.

Isabelle place son index sous mon menton pour me forcer à la regarder.

– J'aurais préféré te voir partir avec Patrick. Il aurait pu veiller sur toi.

Avec vivacité, je lance mes mouchoirs dans la petite corbeille.

– C'est un parfait étranger.

Isabelle, dans sa grande patience, me tient contre elle plusieurs secondes. Elle est si sentimentale que je sais qu'elle pleure aussi. Elle n'est pas dupe de mes piètres excuses pour éviter Patrick Carignan.

– Isabelle, tu peux nous excuser, s'il te plaît?

De toute évidence, Patrick a entendu les dernières paroles de notre conversation.

– Bien sûr, je vous laisse.

Je suis assise sur une chaise de vinyle noir, les mains sur les genoux, immobile.

– Ne me regarde pas comme ça, Évangéline.

– Comme quoi?

– Comme si j'étais un policier qui allait te questionner.

– Mais tu *es* un policier qui va me questionner.

– Un policier étranger, à ce qu'il paraît.

Je baisse les yeux vers mes genoux alors qu'il saisit une chaise. Il ne laisse que quelques millimètres entre mes jambes et les siennes. Sa main frôle mes cheveux, près de l'oreille droite. Si je ne me retenais pas, je frotterais ma tête dans sa main, tel un chat en mal d'affection.

– Alors, Gabriel t'a embrassée, murmure-t-il.

J'évite son regard.

– Sur le front. Il pleurait.

La caresse de ses doigts sur ma peau me ramollit les entrailles.

– C'étaient des adieux!

– Est-ce que tu l'aimes encore? me demande-t-il.

– Est-ce que cette information fait partie de ton enquête?

– Il n'y a plus d'enquête. Pas en ce qui me concerne, en tout cas.

– Je ne comprends pas…

– Pinsonneault m'a retiré de l'affaire, annonce-t-il. Il juge que je ne suis pas suffisamment détaché, que je suis devenu un danger pour moi-même et pour toi.

– Il a bien fait.

CHAPITRE 36
Le cabot

Le soir venu, le choix des endroits où je peux me réfugier est devenu aussi étroit que le goulot d'un entonnoir. Mon appartement est hors d'usage, celui d'Annick est épié, le loft de Patrick, découvert.

C'est donc Reynald qui m'a prise en charge.

– Merci de m'accueillir, dis-je à Monique, sa femme.

Avant qu'elle puisse me répondre, la voix de Reynald résonne, forte et grave, pour répondre à sa place.

– Ici, tu ne risques rien! Cette maison est un ancien bunker.

– La voiture de police qui est garée en bas avec deux policiers dedans, c'est pas un peu voyant?

– T'as vu ça, hein?

Je suis debout dans le salon, les bras croisés sur la poitrine. Je porte un chandail de laine blanc prêté par Annick.

– Oui. Et si moi, je l'ai vue, alors je n'ose pas imaginer qui d'autre l'aura remarquée.

La nuit est calme. Les deux somnifères que Monique a glissés dans ma main me jettent dans un sommeil sans rêves.

Sommeil duquel je me réveille sur une banquette de cuir.

– Sortez-la, fait une voix qui m'est étrangère.

«Sortez-la?» me dis-je, encore dans les vapes. Puis, je jure, non, je sacre. Moi qui pensais que, pour la première fois depuis le 24 décembre, j'allais dormir du sommeil du juste. Non de non, ce n'est pas possible!

Ce doit être un cauchemar. Si ce n'est pas un cauchemar, je suis dans la merde. N'était-ce pas un bunker, la maison de Reynald?

– Levez-la, répète la voix inconnue, de plus en plus impatiente.

Je devrais avoir peur, mais je suis convaincue que ce n'est pas la réalité.

– Ça va, je me lèverai moi-même!

Un truc de psychologie: faire face aux démons de nos cauchemars, et ce sont eux qui s'enfuiront. Seulement, la technique ne fonctionne que dans les rêves.

Le temps de me redresser, je suis projetée hors de la voiture. Dès que mon pied se pose sur le ciment humide et que l'odeur de gaz pénètre dans mes narines, mes jambes défaillent.

Ce n'est pas un rêve. Je ne me réveillerai peut-être jamais de ce délire.

Le Chien est bel homme. Plus beau en vrai que sur les photos un peu floues que j'ai vues sur Internet. Des yeux aussi gris que du béton, un nez aquilin, une bouche dessinée par un expert de Photoshop. Il est grand et doit avoir tout au plus la cinquantaine. Ses cheveux presque noirs sont très courts. Quelque chose dans son regard me fait frémir. Peut-être est-ce la situation entière qui me rend complètement dingue. J'ai l'impression de le connaître autrement que par des photos génériques présentées sur le Web, je n'arrive pas à saisir ce qu'il a de familier.

– Basile? dis-je, comme si je le connaissais.

Faire face au monstre, ceci n'est qu'un rêve. Il s'enfuira.

– Évangéline Labelle-Fontaine, c'est tout un honneur.

Il s'exprime bien, le cabot!

– Tu ressembles plus à un chanteur qu'à un bandit, dis-je.

– Et toi, à une poupée de porcelaine. On m'avait averti, je ne l'ai pas cru.

– Cette conversation ridicule va durer longtemps?

Nous sommes seuls dans une pièce qui doit être son bureau personnel. Une odeur de gingembre flotte dans l'air et humanise mon adversaire. La bonne chose est que sa beauté, quoique trompeuse, a un effet calmant. Bien qu'il ait presque le double de mon âge, il pose un regard d'homme sur ma personne. Heureusement, je sais reconnaître ce genre d'attrait et m'en servir. Même si je suis plutôt asociale, j'ai toujours su que plaire aux hommes avait ses avantages. Pourtant, Basile, dit Le Chien, me laisse perplexe.

– Cette conversation durera le temps que je te trouve intéressante.

Je ne sais pas si mon rire sonne faux. Peu importe, en mode survie, on n'écoute que son instinct. Mon cœur bat la chamade, mes mains sont moites, mes genoux ne veulent que fléchir, mais je tâche de me contenir.

– On se croirait dans un bar. Tu vas m'offrir un verre au moins?

– Que veux-tu boire?

Vodka!

– De l'eau.

J'ai besoin de toute ma tête.

Sans quitter mon regard, il tend la main vers son téléphone de bureau.

– Nina, un verre d'eau.

– Merci, dis-je.

Lorsque Nina entre, elle me regarde avec curiosité.

– Ça va, Nina, merci.

Tout va bien jusqu'à maintenant. J'ai l'air d'une invitée qui peut partir quand elle le désire. Du moins, c'est l'impression que je dois me donner. La survie, c'est une science.

– Ton fiancé m'a placé dans un grand embarras, m'informe Basile.

– Il n'est plus mon fiancé. Il ne m'aime pas.

Avec ma confession, je dépose mon verre sur mes genoux, incertaine si je viens de signer mon arrêt de mort ou si je viens d'aider ma cause.

On dirait davantage une entrevue qu'un entretien entre un geôlier et son prisonnier. Ses longs doigts basanés s'entrecroisent sur son abdomen plat.

– Ce serait bien dommage que ce soit la vérité. Tu n'aurais plus aucune influence pour l'inciter à te sortir de ce pétrin. Au fait, tu ne veux pas savoir comment tu t'es rendue ici ?

– En voiture, dis-je, prête à retenir mes questions pour ne pas lui donner le plaisir de lire la panique qu'il cherche dans mes yeux.

– Tes amis ont aussi été capturés, m'annonce-t-il en fixant ma prunelle.

– Lesquels ?

Il mise sur ma loyauté. C'est bien connu, Le Chien est un joueur professionnel, entre autres occupations tout aussi vénérables et pécuniaires.

– Pinsonneault et sa femme.

Ma mâchoire se serre, mon cœur fait un saut dans le vide, mais je ne perds pas la face. C'est Monique qui m'a refilé des somnifères et la dernière fois où j'ai vérifié, 1 + 1, ça faisait toujours 2. Mais dans un scénario incertain, ça peut faire 0. Monique n'a peut-être rien à voir dans mon kidnapping. Comment savoir ?

– Vous mentez.

– Annick Levac aussi.

– Arrêtez.

– Vois par toi-même.

Tandis qu'il parle et énumère les captifs, il tourne l'écran de son portable vers moi. Ils sont tous là, enfermés dans une pièce difficile à identifier. Ils peuvent être à l'autre bout du pays ou à quelques pas, je n'en ai aucune idée. Pour l'instant, ils sont vivants, en santé et très agités.

– Qu'est-ce que je peux faire?

Personne n'est mort, tout est encore possible.

Le Chien sourit, et je saisis l'origine de son surnom. Basile a des crocs. Dans toute sa beauté, deux grandes dents, ses canines, sont anormalement prononcées et ça lui donne un air de vampire lorsqu'il les dévoile.

– Tu veux m'aider, ma biche?

– Qu'est-ce que vous me voulez?

– Retrouver Gabriel Laurin là où il se cache.

Puis-je faire une chose pareille?

Mes mains tremblent, ma respiration est saccadée, les larmes menacent de franchir la faible barrière de mes paupières et de ma retenue. Ai-je le choix? Je pourrais simplement m'effondrer en pleurs sur le tapis, me rouler en boule et faire la morte. Ce n'est pas l'envie qui me manque. Pourtant, un courage venu de je ne sais où s'empare de mes cordes vocales. Je m'étonne moi-même. Ma voix se fait ferme et sans équivoque. Je dois être devenue un clone de moi-même.

– C'est d'accord!

CHAPITRE 37
Nina

– J'ai changé d'idée, je désire aller rejoindre Gabriel, dis-je haut et fort, sur un ton louche à souhait pour faire naître le doute.

Nous sommes au bureau de Patrick, le poste de quartier 44, dans Rosemont–La Petite-Patrie. Je parle au micro qu'on a installé dans la couture de mon soutien-gorge. Je suis *taguée*. Nina me suit telle une ombre jusqu'au poste. Un micro, ça ne filme pas les gestes, mais une ombre, ça surveille.

«Si tu nous trahis, tes amis meurent.»

J'ai hoché la tête une quatrième fois. Basile a pris goût à répéter sa réplique. *Tes amis meurent.* Comme si j'allais fortuitement oublier ce détail.

Le pire dans tout ça, c'est que c'est Patrick qui répond à ma requête. Même s'il a été retiré du dossier, je ne peux parler qu'à lui.

– Tu veux aller rejoindre Gabriel? répète-t-il, incrédule, son regard passant du visage de Nina au mien.

Je vais pleurer, je le sens. Je sursaute lorsqu'il fracasse sa tasse sur le mur. L'objet tombe en mille miettes.

– Je te présente Nina, ma cousine, dis-je du peu de voix que je sors de ma gorge serrée, mensonge prescrit par Basile.

– Cette histoire ne finira donc jamais? murmure-t-il, ignorant Nina.

Je suis tellement désolée. Je dois te sauver la vie, à toi aussi, même si c'est à ton corps défendant.

– C'est ça. Gabriel et Évangéline, à la vie, à la mort. C'est à peu près ce que dit la légende, non?

Patrick n'a pas le teint pâle. Pourtant, son visage devient aussi blême que celui d'une statue de plâtre. Comment ne voit-il pas que je mens? Où est sa perspicacité habituelle? Est-il devenu si éteint qu'il ne remarque pas mon nez qui s'allonge un peu plus à chaque mot qui sort de ma bouche?

– Si c'est ce que tu veux, tu le rejoindras.

Nina se racle la gorge, impatiente. Moi aussi, ma mèche est rendue courte. Je pointe un regard intense sur Patrick. Ma question est directe.

– Où est-il?

Patrick reste de marbre, sans me répondre. Il se tourne plutôt tel un robot vers Nina.

– Nina, quel est ton nom de famille? la questionne-t-il.

J'essaie d'intervenir. Je dois manipuler la situation, mentir s'il le faut. Je n'aime pas éconduire les gens, mais la fin justifie les moyens.

– C'est pas nécessaire, Patrick, Nina est ma cousine.

– Ton nom de famille, *la cousine*. Tout de suite!

– C'est Labelle, du côté de ma mère, la fille de mon oncle Yvan! réponds-je, car Nina n'est pas assez réactive.

– Date de naissance.

– Patrick, arrête!

– Date de naissance!

– Le 7 mai 1979, dit Nina en levant le menton.

Son accent italo-saint-léonardien donne à toutes mes menteries quelque chose de grotesque.

Un détail me déconcerte. Pourquoi ne lui a-t-il pas simplement demandé ses papiers d'identité?

– Nous devons partir, dis-je de ma voix la plus neutre.

Chaque seconde est comptée. J'espère qu'on m'entendra annoncer mon intention de quitter les lieux, sans toutefois pouvoir le faire parce que je sais que Patrick ne me laissera pas me défiler aussi facilement. Le trop large Hummer noir qui brûle son essence inutilement dehors, c'est pour Nina et moi. À l'intérieur du monstre, il y a des gens pas très sympathiques qui me surveillent.

– Évangéline! s'écrie Patrick alors que je tourne les talons pour franchir le long couloir vers la sortie.

Il porte une chemise bleu clair, ses manches sont relevées, sa cravate desserrée tombe sans discipline sur sa poitrine. Deux lanières de cuir s'abattent de ses épaules à ses hanches. Son arme est collée à son flanc.

Je suis soulagée! Patrick ne me laissera pas retourner vers le Hummer. Il saisit mon bras, me tire vers son bureau, mes pieds volent au-dessus du plancher, Nina nous suit.

– Steve, occupe-toi de la demoiselle, c'est la *cousine* d'Évangéline.

Steve Miller, c'est lui qui a menotté Gabriel. C'est un autre de ces gaillards vigoureux qui n'ont peur de rien. Cheveux châtains pleins de lumière, le teint plus clair que celui de Patrick, les yeux bleus. Il tient le rôle de l'ailier parfait au grand brun qui donne les ordres.

Nina lève ses yeux noirs vers lui, misant visiblement sur son soutien-gorge triple D pour se sortir du pétrin. Du coup, je ne peux m'empêcher de me demander laquelle de nous est dans la pire merde. Elle, qui est déjà démasquée, car elle n'a rien d'une Labelle, fille d'un certain Yvan, ou moi, qui vient de confirmer à Basile que personne n'est dupe de ma mascarade, surtout pas Patrick.

267

Il va enfin m'embrasser.

Est-ce le temps de penser à ça?

Nous sommes seuls dans son bureau. Il me tient le bras, il n'aurait qu'à me faire pivoter de quatre-vingt-dix degrés et ça y serait.

Pourtant, il est loin d'être doux.

– Tu me fais mal, Patrick.

– Désolé. Tu vas finir par me dire qui est Nina?

Puis, je commets l'impensable.

«Si tu nous trahis, tes amis meurent.»

Sans émettre un seul son, mes lèvres articulent lentement tandis que mon index pointe ma poitrine.

«J'ai un micro.»

– C'est la fille de ma tante par alliance, dis-je à haute voix en pointant le stylo qui traîne sur son bureau.

Je dois gagner du temps, je suis sur écoute. Si je garde le silence trop longtemps, ce sera louche. Patrick a bien lu sur mes lèvres, mais fronce les sourcils. Puis, soudain, je vois de la lumière naître dans sa prunelle noire. À la façon dont sa bouche s'entrouvre et ses paupières s'animent alors qu'il glisse une main nerveuse dans ses cheveux d'ébène, je sais qu'il réfléchit en vitesse accélérée.

– Je vais préparer ton aller simple vers Gabriel. Tu sais que tu ne peux pas révéler sa cachette, n'est-ce pas? Même à ta cousine.

– Oui, c'est bien évident, je comprends. Sauf que c'est ma seule famille, je dois l'emmener. Elle est la seule personne en qui j'aie entièrement confiance. À part toi, bien sûr.

Il hoche lentement la tête. Nous sommes sur la même longueur d'onde. Ce simple fait me calme de façon spectaculaire, ma respiration reprend un rythme presque normal. Il me fait signe d'écrire.

– C'est hors de question, c'est pas dans le protocole.

Je soupire pour l'auditoire hostile qui capte chacune de mes interventions grâce au micro. Patrick me lance un regard de biais et soupire à son tour.

– Je n'ai pas de nouvelles de Pinsonneault ni d'Annick depuis hier matin. C'est pas normal.

– Tu crois qu'il leur est arrivé quelque chose ? m'enquiers-je en prenant le bloc-notes pour griffonner.

– Je ne sais pas. Comment va Stéphanie ? demande-t-il, visiblement pour m'aider à alimenter la conversation. Il se fout de Stéphanie, il n'a rien à voir avec elle.

– Elle va très bien, dis-je en touchant le papier sans quitter son regard. Elle m'a dit qu'elle prenait congé. Elle est allée au mont Tremblant, elle qui n'a jamais fait de ski.

Puis je pointe la note que je viens d'écrire.

Otages par Le Chien, en échange de Gab

Patrick se prend la tête à deux mains.

Peu importe ce que je fais, il ne faut pas qu'ils m'entendent pleurer.

CHAPITRE 38
De mal en pis

Patrick froisse le papier avant de me tirer à lui. J'entends son cœur battre fort, il est nerveux. C'est du moins l'impression que j'ai jusqu'à ce que je risque un regard vers son visage, mon menton toujours en appui sur son torse. Lorsque ses yeux marron fixent les miens, ce n'est pas de la nervosité que j'y trouve, c'est de la colère. Pourtant, il se contient, car son pouce vient repousser une larme qui roule sur ma joue.

J'arrive à articuler un souffle de piètres excuses de mes lèvres humides.

– Je suis désolée.

– Moi aussi, fait-il de la même façon.

– Viens, dit-il tout haut en me regardant droit dans les yeux, les paumes maintenant sur mes joues. Il faut te conduire à ton fiancé.

– Nina doit venir avec moi ! dis-je, presque convaincante.

Patrick est d'accord, il me l'indique par un hochement de tête. Nina doit venir, c'est l'hameçon, la preuve que je n'ai pas trahi les plans de Basile Legris. Un vrai plan de chien, s'il en est un.

– Bien sûr, je vais voir ce que je peux faire. Reste ici, on va s'occuper de toi.

Je me détache de ses bras à regret. À partir de maintenant, je ne suis plus seule, mais je viens de placer Patrick devant un danger encore plus grand. C'est devenu une vendetta person-nelle. J'espère naïvement qu'il gardera la tête froide.

Nina est un GPS ambulant. À la seconde où nous serons vrai-ment séparées et qu'elle sentira que je la mène en bateau, elle alertera son équipe, tout comme elle a failli le faire lorsque Steve Miller l'a enfermée dans une pièce isolée. Toutefois, la chance était de notre côté; Steve garde toujours son calme, donc Nina a joué le jeu. Elle a donné sa vraie date de naissance en expliquant que son nom de naissance était Rodriguez, que c'était moi qui étais perdue. Par chance, Nina n'a pas d'antécédents judiciaires. Steve lui a servi un café avant de retourner à son bureau.

Mes doigts tapotent la table nerveusement.

C'est long. Dépêche-toi, Patrick!

Après plus de deux heures d'attente intenable durant lesquelles j'ai rongé mes ongles jusqu'aux cuticules, la porte s'ouvre. Je me lève d'un bond, certaine de voir Patrick. Au lieu de cela, c'est un homme dans la cinquantaine, un grand sec au nez trop long, qui fait son apparition. Il porte un costume-cravate comme une seconde peau et il a l'air sorti tout droit de *Bon Cop, Bad Cop* tant il me rappelle le grand maigre Ontarien au français cassé.

– Évangéline Labelle-Fontaine?

– Oui! C'est moi. Où est le sergent Carignan?

Il ignore ma question et lève une feuille bleue à la hauteur de ses yeux. Il l'éloigne de son visage le plus loin que son bras le lui permet, trahissant une presbytie évidente.

– Je suis le sergent-détective Jean Turbide. Je vais vous expli-quer la suite.

J'écarquille les yeux, horrifiée, puis je lève une main défensive et de l'autre je pointe mon soutien-gorge. Il fait un sourire qui ne rejoint pas son regard. «Je sais», articule-t-il.

– M'expliquer quoi?

– Comment nous allons vous emmener jusqu'à Gabriel.

Jean Turbide me remet la feuille sur laquelle est inscrit le vrai plan, puis, de vive voix, il me raconte ce qu'il veut que les méchants entendent.

– Gabriel restera au Québec. Nous lui avons donné une nouvelle identité et il passera les mois à venir dans une ferme en Mauricie, en tant qu'homme à tout faire.

– Il réparera des clôtures?

– Et il nourrira des vaches, oui.

– Où ça?

– À Saint-Paulin.

Alors que l'image de Gabriel, les deux pieds dans le fumier de vache, me fait presque sourire, je lève le papier bleu. L'écriture est difforme. Il a écrit rapidement, choisissant ses mots pour éviter de perdre du temps.

Dans le cas de prise d'otages, on ne donne pas la rançon. Dans votre cas, le suspect n'a pas demandé de rançon, il vous garde comme un pion et compte sur votre silence. La situation est délicate.

Les sergents Miller et Carignan sont déjà sur le terrain. Gabriel est avec eux. Une équipe est déployée.

Je crois que je vais défaillir. Déjà? Je suis incrédule. «Il était ici?» dis-je avec mes yeux.

– Il ne quittera jamais la ferme, explique Jean avec un clin d'œil. Si vous désirez vraiment vivre dans une ferme pendant des mois, voire des années, à travailler à la sueur de votre front, libre à vous. Je vous laisse penser à ça.

– Merci, mais j'ai déjà réfléchi.

– Je vous laisse y penser sérieusement, insiste-t-il avec un clin d'œil.

Puis, devant mon silence complice, il ajoute :

– Êtes-vous certaine de vouloir y aller ? me demande-t-il.

– Oui, dis-je, très certaine. Je dois le faire.

– OK, accepte Jean en me tendant un autre papier et un stylo. Je vais préparer le document et nous partirons dès demain matin.

Je lui retiens le bras, le temps d'écrire en quelques secondes.

Le Hummer, c'est eux.

Sergent Turbide me redonne le papier.

– Faites la liste de tout qu'il vous faudra, me recommande-t-il avant de quitter la pièce.

Ma main tremble tellement que ma calligraphie ressemble à celle d'un enfant de six ans. Tout le sang de mes cent trente-quatre livres est logé dans ma tête. Le reste de mon corps est une guenille molle. Il faut faire vite. Pourtant, plus j'essaie d'être efficace, plus je m'emmêle et plus les ratures encombrent la feuille. Je m'appuie au dossier de vinyle noir. C'est trop long. Les hommes de Basile vont voir Gabriel, ils agiront rapidement. J'ai un très mauvais pressentiment, cette histoire finira mal.

Finalement, j'arrête tout, je prends une grande inspiration, que j'expire avec lenteur.

J'ai vu Monique, Reynald et Annick dans une vidéo que Basile Legris m'a présentée sur son ordinateur. En bref, ce qu'il m'a dit c'est que, si je le mène à Gabriel, il les libérera. Ce qui me semble improbable, mais c'est ma seule chance de les sauver.

Puis, sur ma lancée, je saute du coq à l'âne.

Je suis descendue d'une Audi noire dans un stationnement inté-
rieur sombre. Ça sentait l'humidité et le gaz. Les poteaux de ciment
étaient orangés. Nous avons gravi plusieurs étages pour nous rendre
à Basile. Ils ne m'ont pas attachée, j'étais presque traitée comme
une invitée. Le Chien veut Gabriel. Il veut sa peau. S'il le trouve, il
le tuera.

Je lâche mon crayon. *S'il le trouve, il le tuera.* Mais où ai-je la
tête ? Je n'ai regardé qu'un seul côté de mes solutions. Trouver
Gab pour sauver les otages. En fait, je donne Gabriel en pâture.
C'est vraiment ça que je suis en train de faire ! En échange de
quoi ? Trois cadavres ? Une fois qu'ils auront Gab, ils n'auront
aucune raison de libérer les deux policiers et Monique.

Absolument aucune.

Voilà que Gabriel est déjà en route. Avait-il le choix ? Sait-il
dans quoi il est entraîné ?

Puis, je tente de me rassurer. Ses délations lui donnent l'assurance de la sécurité, n'est-ce pas ?

N'est-ce pas ?

CHAPITRE 39
Le comte de Monte-Cristo

Je ne sais plus ce que je dois croire. Envers et contre tout ce qui s'est produit depuis le début de ma mésaventure, je ne peux pas abandonner Gabriel. Ce serait aller contre ma nature, contre mon cœur et contre tous ces souvenirs dans lesquels il m'a aimée. Même s'il prétend le contraire, ce serait comme tirer un coup de feu sur une partie de moi-même. L'angoisse m'étrangle. En même temps, le savoir avec Patrick et Steve m'apaise un peu, même si je sais qu'ils se servent de lui comme appât.

Gabriel s'est porté volontaire.

C'est le dernier papier que le sergent Turbide m'a glissé, tout en me dictant d'une voix grave où j'irais passer la nuit.

Où est Nina? ai-je écrit.

Mais le sergent s'est contenté de pincer les lèvres et, de sa main droite, il m'a fait le signe du bec de canard qui parle.
Nina aurait donc tout révélé?
Si facilement?

Annick se lève de son coin de mur, le fessier endolori d'être restée assise trop longtemps sur le ciment. Son ventre qui criait famine une heure plus tôt ne ressent plus rien. Elle ne mourra pas ici, pas dans ces conditions. Elle baisse les yeux vers un bruit de sanglots discrets. Monique, frêle petite ombre de femme qui ne devrait pas être là, arrose sa blouse verte de ses larmes. Reynald est à ses côtés, la main sur la cuisse, le regard dans le vide. Annick se dit avec confiance qu'un plan d'enfer sortira de son imagination.

Ici, le temps n'existe pas. Ils sont là depuis douze, seize, peut-être même plus de vingt-quatre heures. Les gardiens se succèdent à la porte, et des barreaux d'acier trempé ornent la seule fenêtre. Ça sent le renfermé et les beignes. Il doit y avoir un restaurant non loin. S'il y a un restaurant, il y a des gens, c'est encourageant. Malgré tout, la panique l'emporte.

– Merde! crie-t-elle en battant à coups de talon le mur de ciment. Merde! Merde! Merde!

– Ça ne sert à rien, Annick.

– Ça sert à me soulager. Ça fait combien de temps qu'on est ici?

– Je ne sais pas.

Des conditions inhospitalières. Un baril de plastique blanc pour l'urine, des bouteilles d'eau et un pain tranché. Du pain blanc qui plus est, sans valeur nutritive.

«Je veux des beignes», se dit Annick.

– As-tu lu *Le comte de Monte-Cristo*? demande Reynald, entre-croisant ses doigts à ceux de sa femme.

Annick pointe son regard sur lui. Il fait quoi, là? Il bavarde?

– Bien sûr, qui n'a pas lu ça?

– Il n'avait pas de pain frais.

– Où voulez-vous en venir? Nous allons rester quatorze ans ici et préparer notre revanche?

– Ce que j'essaie de dire est que nous, nous en avons. Mange une autre tranche, tu dois avoir faim.

La lèvre inférieure d'Annick tremble encore de colère, mais elle comprend. Il lui demande de se calmer. OK.

– Monique, vous voulez manger ?

– Oui, s'il vous plaît.

Ils s'assoient ensemble, formant un cercle autour du pain, partageant une des trois bouteilles d'eau. Ils mastiquent lentement, même si aucun d'eux n'a d'appétit.

Retirez votre soutien-gorge.

Dans toute autre circonstance, je l'aurais giflé. Mais je sais que le sergent Turbide m'annonce qu'il est temps de retirer le micro.

Quelques instants plus tard, Nina apparaît.

– Nina ! dis-je, surprise et presque contente de la voir.

– Laisse-moi tranquille ! hurle-t-elle, le visage défait.

– Nina, c'est pour le mieux…

Ses grands yeux noirs brillent d'une colère qui me surprend. La petite Barbie a un sale caractère, qui l'eût cru ?

– Ta gueule ! rugit-elle en prenant une chaise.

– OK…

– T'as aucune idée de ce que t'as fait, grince-t-elle. T'as aucune idée de quoi il est capable.

– Pourquoi restais-tu avec eux, Nina ?

Je sais que ma question est d'un ridicule notoire, pourtant, la réponse m'intéresse réellement.

– T'es vraiment conne.

– Peut-être bien, dis-je. Mais t'as parlé aussi.

– J'ai parlé pour que les cochons me lâchent ! Tes amis ne sont pas mieux que morts. T'aurais pas dû faire ça. T'es tellement conne, répète-t-elle.

– Je ne pouvais pas faire tuer Gabriel.

Elle rit comme si j'avais fait la meilleure blague du monde.

– Tuer? Mais non, ma pauvre. Ils l'auraient pas tué.

Nina dévoile un nouveau côté de sa personnalité, un air de «je sais quelque chose que tu ne sais pas et je ne sais pas si je te le dirai» qui fend sa face en un sourire satisfait.

– Alors quoi?

– Tu ne sais vraiment rien, j'en reviens pas! s'esclaffe-t-elle encore. Gab était vraiment ton fiancé? T'en as manqué de sacrés longs bouts, ma chère.

Ce disant, Nina examine ses grands ongles rouges. Elle souffle sur le bout de ses doigts et étire le bras pour contempler le résultat.

– Mais quoi? De quoi parles-tu, Nina?

Je suis franchement agacée par son manège.

– Il a ses raisons. Peut-être qu'il ne veut pas que tu les connaisses.

– Je t'en prie, Nina. La situation est grave, une quinzaine de policiers est probablement déjà sur place.

Elle me regarde en silence. Je suis pendue à ses lèvres. Lorsque, finalement, elle parle, ses propos me jettent en bas de ma chaise.

– Le Chien est cruel, commence-t-elle, mais il ne tuerait jamais son propre fils.

CHAPITRE 40
Le mafieux et le cochon

Si Basile est Darth Vader,
que Gabriel est Luke Skywalker
et que Patrick est Han Solo,
cela fait-il de moi la princesse Leïa?

Les sergents-détectives Carignan et Miller, trois hommes qu'il n'a jamais vus et une jeune femme aux épaules presque aussi larges que les siennes accompagnent Gabriel devant le 1000 de la Gauchetière. Patrick sait depuis le début que Gabriel Laurin n'est autre que le fils de Basile Legris. Depuis deux ans qu'il est sur le dossier, c'est l'une des premières choses qu'il a établies. Un peu de recherche, une enquête exhaustive, quelques témoins et les faits étaient documentés.

Bon sang, le vieux aurait pu se faire plus discret.

Gabriel respire fort. Son sourire de star ne lui servira pas, cette fois-ci. Depuis des semaines qu'il tente de remettre sa vie sur la bonne voie, qu'il se retire lui-même du décor. C'est cent fois mieux que la prison. Vivre en fugitif assisté, c'est mieux que mort dans le fond d'une rivière, mais ça n'a aucun panache.

Maintenant, le voilà dans une descente, en tête de ligne, pour arrêter nul autre que son propre père.

– On fait quoi maintenant? demande-t-il.

Patrick prend quelques secondes pour observer son collaborateur improvisé. Le *pretty boy* n'a plus rien de mignon. Des gouttelettes de sueur couvrent son front et sa mâchoire est serrée. Quel niveau de confiance peut-il avoir en ce bandit défroqué?

La réponse est évidente.

Ne jamais présumer.

– On libère les otages, dit-il simplement.

– Comment? demande Gabriel.

– À toi de nous le dire. C'est toi, le mafieux. Quels sont leurs trucs?

– Y a pas de truc, grince Gabriel. C'est toi, le cochon, c'est à toi de me dire quoi faire.

– Va te faire foutre, grogne Patrick.

– Tu l'aimes tant que ça, hein?

– Sergent Carignan, le coupe Jennifer, la fille robuste. On fait quoi?

– On attend que monsieur Laurin nous indique où sont les otages.

– Comment je suis censé savoir ça?

Sept voitures de police sont alignées stratégiquement devant l'immeuble. Il est 17 h 32.

Il est rare que Patrick s'irrite. Pourtant, Gabriel n'a qu'à respirer de travers pour l'énerver.

Ils sont toujours à l'intérieur de la voiture, portières closes. Jennifer Thibert est à ses côtés. Il a préféré voir Miller suivre la situation sous un angle différent, dans une autre des voitures.

– Comment t'es censé le savoir? T'es sérieux, là? Je ferais aussi bien de te descendre tout de suite, dit-il en sortant son arme.

De son siège à l'avant du véhicule, Patrick se retourne vers Gabriel, canon pointé directement sur son front.

– Pat, qu'est-ce que tu fais là? crie Jennifer.

– Cet imbécile va nous causer des problèmes. Je ferais aussi bien de nous en débarrasser tout de suite, tu ne crois pas, Jen?

Il ne nous sert à rien. Juste un bandit de plus qui veut aller se faire griller la couenne au soleil avec sa réserve de cacahouètes cachée dans un compte en Suisse.

Gabriel ferme les yeux et expire ce qui lui reste d'air, les mains levées.

– OK. J'ai peut-être une idée.

Quelques minutes plus tard, Jennifer balance une claque derrière la tête de Patrick.

– Qu'est-ce qui te prend, Pat? T'agis pas comme ça, d'habitude!

– Il m'énerve, marmonne le sergent-détective en replaçant son pistolet contre son flanc.

Un petit soleil passe dans les yeux de Jennifer.

– Moi, il ne m'énerve pas du tout, dit-elle. Tu le laisses aller seul là-dedans? T'es sûr que c'est une bonne idée?

– Non.

– Pat! hurle Jennifer, portant les doigts à ses tempes.

– Relaxe, c'est pas lui qui va y aller, c'est nous. C'est lui avec nous. Seulement moi, en fait. Gabriel est avec Miller et le concierge de l'immeuble. Ils regardent le plan.

– Quel plan?

– Le plan de la bâtisse.

Une camionnette blanche est garée quelques mètres derrière les voitures de police. Gabriel et Steve s'y trouvent, penchés sur une grande feuille aux lignes droites et aux points rouges, orange et verts.

– Je ne promets rien, prévient Gabriel. Mais c'est là que je l'ai déjà vu opérer.

Gabriel est concentré. Son père est au 23e étage. C'est de là qu'il brasse ses grosses affaires : la drogue d'une main, le blanchiment d'argent de l'autre, les transactions immobilières par le gros orteil. Dans ses temps libres, il s'occupe des pots-de-vin aux partis politiques. Tout ça arrosé de quelques heures de paris illégaux chaque semaine, histoire de se changer les idées.

Basile est un homme occupé, trop important pour ce genre de connerie. Une prise d'otages. Des policiers par-dessus le marché. Gabriel se sent presque heureux. Son père vient de commettre l'irréparable, il ne pourra pas s'en sortir. Après ça, il aura tout le temps du monde dans sa cellule.

Il est aussi émotif, rancunier et violent. Il peut devenir fou pour un oui ou pour un non. D'où le caprice de forcer Évangéline à le livrer en échange de ses amis. Basile qui joue avec les gens comme avec des jetons de poker, c'est fort, mais pas si surprenant.

Il a dû croire qu'Évangéline ne dirait rien. Il a perdu son pari, évidemment. Maintenant, Gabriel verra de quel bois se chauffe Le Chien, bluff ou menace réelle. Il prie pour que tout ce cirque soit une énorme pièce de théâtre. Il ne tuerait pas trois personnes pour l'avoir lui? Vraiment?

Pourtant, Gabriel sait à quel point son père est instable et incapable d'empathie.

Il croyait avoir trouvé comment entretenir leurs relations en vendant sa drogue. Il voulait la chèvre et le chou. Il voulait la folie et le feu de Mireille, sans pourtant abandonner la douceur d'Évangéline. Il n'apprendra que trop tard que l'argent facile n'est jamais gratuit et que le feu, ça brûle.

Avec le temps, son père l'a emprisonné dans un piège de dépendances. Dépendance à l'argent, à la drogue et au mensonge. Mais plus les années passaient, plus Tristan grandissait, plus Mireille pâlissait, et plus les moments vécus rue Saint-Denis, le visage enfoui dans les cheveux noirs d'Évangéline, étaient devenus précieux.

Boule de gomme.

Son seul refuge. Il n'avait qu'à regarder ses grands yeux presque noirs et cette peau claire, son nez un peu retroussé qui bougeait lorsqu'elle parlait. Il savait qu'il avait pris le mauvais chemin.

Dire qu'elle était encore prête à l'épouser. Il était passé si près.

Simon Duval aurait dû être facile à cerner; il n'avait pas été rapide sur ce coup-là. L'agent s'était simplement déguisé en nouvel ami. Du genre, je suis ton ami et j'aime bien ta copine, j'en prendrai soin en ton absence, t'en fais pas. Celle de Montréal, pas la folle du Havre. Non, surtout pas la folle du Havre.

Mireille avait ses bons côtés. Seulement, une fois le feu éteint et la musique arrêtée, il avait du mal à se souvenir lesquels. Ah oui! Elle était la mère de son enfant. Tristan qui serait désormais orphelin, élevé par sa grand-mère et le reste du village. Mireille l'avait tenu longtemps à coups de manipulations émotives, si bien qu'un jour il a eu peur de perdre son fils. Il a craqué sous la pression et il a brisé le cœur d'Évangéline.

L'apparition de la jeune femme avec Simon Duval quelques mois plus tard l'avait abasourdi. Transporté par une joie intense qu'il avait dû cacher malgré le choc, il avait failli tordre le cou de Simon, lequel avait été plus que franc sur son attirance pour sa belle.

C'est une belle grimace du destin de le placer ici avec le grand responsable de tous ses malheurs, Patrick Carignan. Combien d'heures a-t-il passé à décider avec quelle arme ou objet contondant il le défigurerait? Cependant, depuis qu'il a choisi d'être délateur, il a finalement compris. Patrick Carignan n'a rien à voir avec ses malheurs. Il est lui-même le seul responsable de son propre bordel.

Il n'y a pas trente-six façons de corriger ses erreurs. La seule vraie et bonne façon est de régler les problèmes qu'on a soi-même engendrés.

– Près de la patinoire, il y a une petite salle, dans le couloir, là. C'est tout en ciment. Elle servait d'entrepôt, mais mon p… pote l'a fait vider.

– Où est Nina?

– Toujours au poste, patron.

– Que dit-elle?

– Pas grand-chose, j'entends des voix d'hommes. Ils parlent de la partie de hockey d'hier. Les Canadiens ont encore perdu.

– Évangéline, elle parle de quoi?

– Même chose, patron. La partie de hockey.

Basile fait les cent pas depuis des heures. Il aurait dû aller lui-même sur le terrain. Ces imbéciles sont loyaux, mais idiots.

Il est ironique pour un homme souffrant de vertige d'être allé se jucher au 23e étage d'un gratte-ciel. C'est exactement comme acheter une maison au bord de l'océan et avoir peur de l'eau.

Basile a reçu le message de regarder par la fenêtre, tout en bas, mais il en est incapable. S'il avance vers la vitre, il n'aura qu'une envie, celle de la fracasser et de se jeter dans le vide, tout en étant effrayé par cette attraction incompréhensible et irraisonnée. Ça ou vomir. Non, il n'y a rien qui puisse se passer en bas qui vaille la peine de vomir.

Pourtant, quelque chose ne tourne pas rond. Gabriel devrait déjà l'avoir contacté. Il le lui avait promis. «Peu importe ce qui arrive, tu sauras où je suis», avait-il assuré. D'un bandit à un autre, les promesses du sang sont sacrées. Depuis sa naissance, c'est la seule chose qu'il a enseignée à son fils. Ça, et le prix au kilo.

Basile essuie d'un geste sec la sueur qui perle sous son nez. Il n'a même plus de salive pour jurer.

– Patron, il y a quelque chose que je dois vous dire.

– Johnny, où est Nina?

– Je ne sais pas, patron. Je sais qu'elle a ôté son micro, et l'autre aussi.

Basile ferme les yeux. Il ne peut pas reculer maintenant. La petite idiote n'a pas tenu sa promesse.

– Si tu nous trahis, tes amis meurent. Si le sang coule aujourd'hui, ce sera par ta très grande faute, Évangéline Labelle-Fontaine.

CHAPITRE 41
Fais tes prières

De notre chambre d'hôtel, nous regardons en direct les nouvelles de TVA. Des trois sardines que nous sommes sur le lit *king size*, Judith, la policière qui s'occupe de nous, garde une main constante sur son arme, l'œil braqué discrètement sur Nina.

– Prise d'otages au 1000 de la Gauchetière. Deux policiers et une civile, dit la voix de la jeune commentatrice. Mais nous n'avons pas pu en apprendre plus sans nuire à l'enquête policière. Nos sources viennent directement des enquêteurs impliqués.

Presque une dizaine de voitures blanc et bleu sont alignées, silencieuses sous leurs gyrophares. On vient d'apercevoir un autre camion. Des hommes masqués et armés touchent le pavé à l'instant. D'autres véhicules font leur apparition. CTV, Radio-Canada... CBS? Les réseaux américains sont là aussi! L'information partagée sur Internet a dû alerter les journalistes. Et tout ce monde qui les entoure! C'est fou!

Je zappe les images qui défilent en flash. Partout où l'on regarde, quelle que soit la chaîne, c'est la même chose. Les mêmes voitures de police, le même camion, il n'y a que la voix du commentateur qui change.

– Arrête là! s'écrie Judith. Non, pas là, recule.

Ce sont eux. Patrick et Gabriel soudain aveuglés par un flash de caméra.

– Nous venons d'apercevoir Gabriel Laurin! lance le commentateur d'une voix emportée par la frénésie découlant de sa trouvaille. Le fameux délateur est là, en chair et en os. Je n'aurais jamais cru le revoir.

Une autre voix, celle de l'homme en costume et cravate, en studio, semble forcer un ton plus calme.

– Y a-t-il d'autres forces policières, Yves? demande-t-il à son correspondant.

– Oui, Gilles. Si vous remarquez derrière moi, il y a aussi les services d'urgence. Mais aucun coup de feu n'a encore été tiré. Nous assistons à une évacuation ciblée de l'immeuble, étage par étage. C'est un travail de haute importance qui demande beaucoup d'organisation.

– Connaissons-nous l'identité des otages?

– On nous communique les noms à l'instant, Gilles.

Des photos apparaissent au coin supérieur droit de l'écran.

– Il s'agit du commissaire Reynald Pinsonneault, de son épouse Monique Juneau et du sergent-détective Annick Levac.

– Selon nos plus récentes informations, ils seraient retenus captifs depuis hier soir, dans un placard à balais! Mais nous sommes toujours à l'étape des spéculations, Gilles.

Et le présentateur en studio se met à répéter l'histoire. Mon histoire.

– On se souvient de Gabriel Laurin lors d'un échange de coups de feu à l'église de Havre-Saint-Pierre, le jour de son arrestation, Yves. Il semble qu'il soit désormais du côté de la loi. Mais je croyais qu'on l'avait caché sous une nouvelle identité pour sa protection?

– Il me le semblait aussi, mais tout paraît indiquer que Gabriel Laurin a accepté de participer activement à cette mission. Je gagerais ma chemise que, dès demain, Laurin sera introuvable.

– Nous revenons après la pause. C'est tout un spectacle que nous avons là.

– Merci, Gilles.

Mes yeux se ferment sur une annonce publicitaire de McDonald. Oh mon Dieu! qu'ai-je fait? Pourquoi ai-je tout dévoilé à la police?

Nina est assise sur le bout du lit, le dos droit, son regard noir fixé sur l'écran du téléviseur.

– Fais ta prière, Évangéline.

– Ferme-la, Nina! gronde Judith en déposant une main rassurante sur mon épaule. T'es chanceuse de ne pas passer la nuit en cellule.

– Nina a raison, Judith, dis-je, le visage caché de mes mains. Ça va mal tourner.

– Évangéline, regarde-moi, exige Judith. Hé, regarde-moi!

Je m'avance au bord du lit et, essuyant mes paupières humides, je lève les yeux sur la jeune femme aux cheveux bruns tirés en un chignon sévère.

– Patrick est compétent, m'assure-t-elle. Il fera tout ce qu'il faut pour sauver nos collègues et ne pas se faire tuer. Aussi...

Elle ne termine pas sa phrase.

– Aussi... quoi?

Je saisis le mouchoir qu'elle me tend. Je suis impatiente de connaître la suite.

– Aussi, continue-t-elle, j'ai passé plusieurs jours avec Gabriel depuis son arrestation.

– Ah oui?

– Oui. On l'a isolé pour le prendre en charge. On doit évaluer sa crédibilité, son état de santé mentale, enfin, tu vois... J'ai passé pas mal de temps à parler avec Gabriel.

– Tu en as appris beaucoup?

– Il t'a menti, Évangéline.

J'ai presque le goût de rire. Me mentir? Gabriel? Ben, voyons! Un rire cynique s'échappe de ma gorge.

– C'est rien de nouveau, Gabriel me ment depuis des années. Tu le connais depuis moins d'un mois...

– Je sais. Mais je connais l'histoire, j'ai lu le rapport officiel trois fois, dit-elle. Mais je suis certaine qu'il en manque de grands bouts. Ce que j'essaie de dire, reprend-elle, c'est qu'il t'a menti le jour où tu es venue le voir.

– Il ne m'a pas dit grand-chose…

– Il t'aime. C'est du solide, Évangéline. Il t'a dit le contraire pour te protéger, me coupe-t-elle avec empressement.

Mon visage doit sembler blasé et distant, car Judith me prend les mains.

– Gabriel peut dire n'importe quoi, c'est un beau parleur.

– Nous avons utilisé un polygraphe. Gabriel Laurin a cherché à te protéger par tous les moyens possibles. Il a misé sur la délation pour que tu sois en sécurité. C'était peut-être pas la meilleure façon, mais…

Énervée, je lui coupe la parole avec force.

– Arrête, Judith! Gabriel peut déjouer n'importe quel polygraphe! Il a seulement pensé à lui-même depuis le début. C'est un égoïste, il l'a toujours été. Il peut charmer un serpent. Un polygraphe, c'est juste un jouet pour lui.

– Évangéline…, m'avertit Nina, la voix changée. Patrick est en train d'étrangler Gabriel.

POW!

On entend un coup de feu derrière la voix du commentateur. La voix de Nina résonne à mes tympans.

CHAPITRE 42
À la vie, à la mort

– Tu ne peux pas venir, s'oppose Patrick.

– T'as besoin de moi, insiste Gabriel.

– Si tu crois qu'on va t'armer et t'envoyer sur ton propre territoire, tu te mets un doigt dans l'œil.

– Je connais leur façon de faire, souligne Gabriel.

Alors que Patrick se prépare à entrer dans l'immeuble, Gabriel le suit au pouce près, au point de se mettre sur son chemin. L'air froid et la colère ont rougi sa peau, alors que Patrick ne semble pas affecté par le vent glacial. Les deux hommes sont nez à nez.

– Alors, qu'est-ce que t'attends pour partager ton savoir, hein ?

– Je dois venir, insiste Gabriel en appuyant sur chaque syllabe.

Le visage crispé, les veines de son cou saillant sous sa peau, Patrick attrape les épaules de Gabriel d'un mouvement rapide et sec et termine son mouvement par une prise d'égorgement. Gabriel tente de se libérer, mais même si Patrick lui permet de respirer, il n'a aucune emprise sur l'étau qui se referme sous sa mâchoire.

– Là, l'imbécile, tu vas m'écouter, souffle Patrick dans l'oreille de Gabriel. T'es ni entraîné ni autorisé à entrer dans cet immeuble. Si tu crois un seul instant que je vais te laisser risquer ma vie et celle de mes collègues seulement parce que tu le demandes gentiment, tu te trompes royalement. Je ne mettrai pas un pistolet chargé entre tes mains. Tu m'as déjà tiré dessus une fois, j'ai donné. Alors maintenant, tu vas gentiment faire ce qu'on te demande et nous dire tout ce qu'on a besoin de savoir. Compris?

Le visage rouge, Gabriel hoche la tête. Puis, sans comprendre pourquoi, Patrick le sent pivoter avec vigueur pour se déplacer complètement devant lui.

POW!

Le son qui sort de la gorge de Gabriel est horrible. Patrick sent une chaleur humide sur son bras, du sang qui coule en abondance.

– Homme blessé! crie-t-il au-dessus du brouhaha que ce premier coup de feu a causé. *Man down!*

Personne ne l'entend. Seul le vent sur la neige figée tient lieu de témoin à ses appels.

Les coups de feu sont comme la vermine, ils ne viennent jamais seuls. Quelqu'un a visé directement Gabriel, mais d'où?

– Porte 2401, dit Gabriel d'une voix qu'il force, car il ne trouve plus son air. 514 555-1610, c'est le portable du Chien. Derrière la patinoire, une porte grise avec la mention concierge. Arrête-le Patrick, arrête-le...

– Arrêter qui?

– Mon père, Basile, Le Chien...

Malgré la panique qui pollue l'air ambiant, Patrick rassemble son énergie pour ouvrir la portière de la voiture. Il glisse Gabriel sur la banquette arrière. Il lui retire sa cravate et tente de déterminer avec exactitude où il a été touché. Sur le flanc droit, au bas des côtes. Il presse ses mains sur la blessure, tentant sans grand espoir d'arrêter l'hémorragie. Gabriel hurle à son contact.

– Relaxe, je n'ai pas le choix!

Patrick saisit son émetteur-récepteur. Les secours sont là, mais le danger est trop présent.

– Gabriel est grièvement touché. Il perd son sang rapidement, ç'a transpercé son manteau. Envoyez l'équipe médicale dans ma voiture dès que les coups de feu cesseront.

Le gaillard sait qu'il n'y a plus une seconde à perdre. Il doit intervenir, mais s'il retire ses mains de la plaie, Gabriel se videra de son sang. Il doit tenir le coup pour Évangéline.

Parce qu'une seule phrase tourne en boucle dans l'esprit de Patrick : « Évangéline et Gabriel, c'est à la vie, à la mort. » Et s'il veut son bonheur, Gabriel Laurin ne doit pas mourir.

☆ ☆ ☆

– Yves, que se passe-t-il ? demande le commentateur. On dirait que quelqu'un a été touché !

Mais Yves, le correspondant, n'est pas prêt à reprendre le micro. Gilles gagne du temps.

– Il semble bien qu'il y ait eu des coups de feu. Nous ne savons pas encore si quelqu'un a été touché ou non. Yves, êtes-vous en sécurité ?

– Je suis là. Nous avons dû nous éloigner.

– Vous êtes sur le terrain, que voyez-vous ?

Le journaliste tient un micro dans une main et se serre la nuque de l'autre. Il est en position de défense, accroupi près d'un banc de neige.

– On m'apprend que c'est Gabriel Laurin. Il a été touché. Un policier l'a installé dans une voiture de police. Les ambulanciers attendent le signal pour aller le chercher.

– On sait si sa blessure est importante ?

– On sait qu'il a chuté sous l'impact et que le policier qui était avec lui l'a glissé à bout de bras sur la banquette arrière de la voiture. On ne l'a pas revu depuis.

C'est trop. Je me lève d'un bond maladroit. Je manque tomber en touchant le sol. Nina me rattrape juste à temps.

Gabriel est touché. Gabriel qui m'aime est blessé, il est en danger de mort, il souffre !

Je dois y aller.

– Judith ! Nous partons, dis-je comme si j'étais une donneuse d'ordres.

– Il n'en est pas question, Évangéline. Personne ne bougera d'ici ce soir.

– Judith, es-tu tenue par la loi de me garder ici ? Est-ce que j'ai le droit de refuser ta protection ?

Le regard de Nina passe de mon visage à celui, moins déterminé, de Judith.

– T'as aucune obligation, dit cette dernière.

– Alors, qu'est-ce qu'on attend ? dis-je d'une voix décidée.

– Moi, je reste ici, dit Nina, le regard toujours rivé sur la télévision. J'ai attendu un an pour avoir la chance de sortir de cette foutue place.

– Tu voulais sortir de là ?

Nina me renvoie un regard moqueur.

– Bien sûr que je voulais sortir de là, j'étais son jouet !

J'écarquille les yeux. Je suis d'une telle naïveté, je me surprends moi-même.

– Alors, toi et Le Chien…

Nina me regarde, éberluée. Ses pieds tambourinent le tapis. Elle réfléchit.

Moi, je m'impatiente.

– Nina, qu'est-ce qu'il y a ?

– Ce salaud ne va pas s'en tirer comme ça. Judith, j'y vais avec elle.

✰ ✰ ✰

– *Go* ! crie Patrick à Steve Miller.

Si Pinsonneault avait été là, jamais il ne l'aurait laissé entrer avec l'escouade tactique. Mais il n'est pas là et, pour l'heure, il a besoin de lui. Et Steve est son meilleur allié. Si quelqu'un peut marcher dans le noir sans savoir où il va, le couvrir et risquer sa vie, c'est bien Miller.

Droit tel un chêne, Miller n'attend rien de plus. Il est prêt et fébrile. Surtout, il est concentré.

– *Go*! répond Steve. Je te couvre, *man*.

Il est rare que tout soit si calme, si noir, si anxiogène au 1000 de la Gauchetière. Patrick et Steve avancent, escortés par deux membres de l'escouade tactique portant casques et armes autrement plus puissantes que leurs simples pistolets de patrouille.

Une porte grise.

La patinoire est ronde, l'arrière pourrait se trouver n'importe où. Une minute, concentre-toi, Pat. Le contact de la main de Steve sur son bras le fait sursauter.

– Là! indique Steve.

Patrick fait un signe affirmatif. Oui. Là! Une porte grise portant une inscription.

POW!

Première confirmation qu'il s'agit de la bonne porte. Les deux hommes se jettent au sol, plaqués contre la bande de bois. Les hommes de l'escouade tactique ont disparu subtilement. De vrais fantômes, ces gars-là, songe Patrick.

De longues, très longues et interminables minutes passent. Patrick s'essuie le front à plusieurs reprises. Deux autres coups de feu retentissent.

– Je vais leur faire voir, moi! menace Miller.

– Steve, non! On ne sait pas combien ils sont.

– Gabriel m'a dit que Le Chien a tout au plus cinq hommes armés. Un a déjà été arrêté dehors. Deux sont ici et les deux autres sont au 23e étage.

– Comment le sais-tu? Ils peuvent être descendus, murmure Patrick. Gabriel est le pire menteur de la planète.

C'était du moins son opinion jusqu'à ce que le menteur ait une balle dans le ventre.

– Alors, Nina m'aurait raconté le même mensonge.

Patrick cligne des yeux tandis que Steve sourit de ses dents blanches.

– Témoin hostile, proteste Patrick.

– Pas si hostile que ça, fait Steve avec un sourire. *Come on, man. Let's do this*.

– OK.

Au même moment, Patrick entrevoit les yeux gris d'un des fantômes de l'escouade tactique. L'homme confirme d'un signe de tête qu'il est temps d'avancer. De sa cachette, Patrick peut apercevoir les complices de Basile. Un grand, un petit, armés jusqu'aux dents, des gueules de tueurs portant manteaux de cuir noir, bottes de motards.

Il se lève, son arme collée à la paume de ses mains. Il ne tremble pas, n'a aucune autre sensation que la certitude que tout est parfait. Il n'a pas d'autre choix, il doit y croire. D'une voix assurée, autoritaire et directe, il crie :

– Mains en l'air ! Vous êtes cernés !

Patrick croyait qu'ils n'étaient que quatre dans son camp. Mais immédiatement, il constate une nouvelle apparition de fantômes, puis deux autres sortent de leur cachette et se joignent à eux.

– C'est un sept contre deux, murmure Patrick à son comparse.

– Oui, et c'est *fuckin' fantastic*, murmure Steve Miller.

Nina n'est plus la même femme. De garce rebelle, elle est devenue une alliée hors pair. Une collaboratrice démontrant même un leadership surprenant. Un peu plus et je croyais voir Judith confier le volant à Nina.

– Va plus vite, bon sang ! s'écrie Nina.

– Je fais ce que je peux, la modère Judith.

Nous parcourons le boulevard René-Lévesque vers l'ouest. Judith doit freiner souvent; il est déjà presque 19 h, la pénombre et la neige rendent la chaussée hasardeuse. Virage à gauche rue de la Montagne, nous y sommes presque.

La scène a quelque chose d'effrayant. Des voitures de police partout, des camions de chaînes de télé, des rubans jaunes, des badauds, des pompiers, deux ambulances et ma petite personne qui se faufile, tirée par Judith et Nina.

Judith doit montrer son insigne pour passer, mais on nous refuse l'accès.

– C'est Évangéline, annonce Judith, comme si j'étais d'une importance notoire.

Le grand blond au visage rugueux qui surveille l'entrée me dévisage.

– C'est bon, mais pas elle, dit-il en pointant Nina de son menton rectangulaire.

– C'est un témoin important, assure Judith. Ah! et puis ôte-toi de mon chemin! gronde-t-elle, agacée.

Je suis surprise de voir le colosse s'incliner pour nous ouvrir le passage. Lorsque nous arrivons finalement près des voitures de police, Judith fait signe à un autre agent. Je le reconnais, c'est Jean Turbide.

– Où est Gabriel? lui demande-t-elle.

Jean me considère quelques secondes, sûrement pour évaluer mon état psychologique. Puis, d'un signe de tête, il indique l'ambulance sur notre droite. Il y a tellement de gyrophares qui brillent que son visage maigre scintille de rouge et de bleu. Je vois la désolation dans ses yeux, et mon cœur tombe dans le vide.

– Ça va aller, me rassure Judith. Viens.

Judith s'approche de Turbide pour lui parler à l'oreille. Il finit par prendre Nina par le bras et s'éloigne avec elle.

– Je veux voir Gabriel.

– C'est là qu'on va.

À l'intérieur, ils sont maintenant neuf contre deux. Ces gars-là sont comme des champignons, il en sort de partout, songe Patrick.

Les deux voyous ont jeté leurs armes depuis à peine cinq secondes lorsque Patrick et Steve se ruent sur eux pour les plaquer au sol et les menotter.

L'un des membres de l'escouade tactique crie à travers de la porte.

– Reculez!

Puis, il tire sur la serrure, créant un nouveau vacarme rempli d'étincelles. D'un coup d'épaule, il ouvre la porte grise sur une pièce vide de toute âme qui vive.

CHAPITRE 43
Le grabat

– *Fuck* ! Merde ! Les *estis* de trous de cul !

Patrick est en furie. De retour à l'extérieur, il fait les cent pas, les deux mains dans sa tignasse brune, la mâchoire crispée.

– Pat, l'interpelle Jennifer, derrière lui.

Patrick l'ignore en s'appuyant sur le capot de sa propre voiture. Il fait froid, la buée qui sort de sa bouche ressemble davantage à de la fumée noire de rage qu'à de la condensation.

– Pat ! insiste la jeune agente.

– Pat ! crie Steve.

– Quoi ?

– Nina veut collaborer, annonce-t-il.

Patrick grimace, incrédule. La petite garce est encore en liberté ? Qu'attendent-ils pour l'enfermer ?

Toutefois, chaque seconde compte. Maintenant que Le Chien sait qu'il a été dénoncé, il n'hésitera pas à mettre ses menaces à exécution. C'est à cette pensée que Patrick se ressaisit pour s'approcher de la jeune femme aux cheveux noirs et aux yeux de sorcière.

– Où est-ce qu'ils sont ? demande-t-il d'un ton grave.

– Écoute, je ne connais pas les plans exacts de Basile, mais puisqu'il faut jouer aux devinettes, je dirais qu'ils sont au 12e. Il y a un autre local où Basile fait des «affaires».

– Combien d'hommes ? reprend-il.

– Combien en avez-vous arrêté jusqu'à présent ? s'enquiert Nina.

– Trois.

– Alors, il lui en reste deux.

Nina garde le menton haut et les yeux francs lorsque Patrick la considère de son regard inquisiteur pendant plusieurs secondes.

– Si tu mens, tu vas en enfer.

– Je te dis ce que je pense, je peux me tromper.

– Alors, concentre-toi un peu plus. Combien sont-ils ?

Nina pince les lèvres. Patrick s'attend à la voir pleurnicher, mais elle crache au sol avant de relever le menton dignement.

– Je te jure qu'il ne lui reste que deux hommes armés. Mais à savoir où ils sont, je n'en suis pas certaine. Si j'étais toi, je ne perdrais pas mon temps à interroger la seule personne qui puisse t'aider. Je la croirais sur parole !

Patrick ferme les yeux, inspirant profondément l'air glacé. OK. Le 12e et le 23e. OK.

– Steve, *let's go*.

Puis, il se retourne vers Nina.

– Où est Évangéline ?

– Avec Gabriel, dans l'ambulance.

Patrick serre la mâchoire et reprend son arme. Bien sûr ! Évangéline et Gabriel, c'est à la vie, à la mort.

☆ ☆ ☆

Nous roulons à très vive allure. Heureusement, l'hôpital Saint-Luc est relativement près. Le front de Gabriel est couvert de sueur, sa bouche forme une ligne plissée, tordue par la douleur.

– Évangéline, je suis… désolé.

– Garde tes forces. On arrive bientôt.

Il tente de soulever sa nuque, mais ma main se pose sur sa joue moite et ma caresse le calme. Sa tête retombe lourdement sur la civière, ses muscles se décontractent. Entre deux inspirations pénibles, Gabriel tente de parler à nouveau malgré ma protestation silencieuse.

– Ève, écoute-moi.

D'une seule main, il saisit les miennes pour les enfermer dans une poigne déterminée. Il a l'air si faible, sa fragilité m'étonne.

– Y a toujours eu que toi, Évangéline. Mon père… mon père a…

– Ton père a quoi, Gabriel?

J'ai dégagé une de mes mains pour repousser une mèche qui tombe sur son front.

– Qu'est-ce qu'il a fait, ton père?

Je le fais parler, car d'instinct, je suis certaine que je dois le garder éveillé. S'il s'endort, Il ne se réveillera pas? C'est ça? Une larme doit rouler sur ma joue, car il lève un doigt pour l'essuyer.

– Je suis désolé!

– Tu m'as rien fait, Gabriel. C'est ton père. Qu'est-ce que tu allais dire?

– Il a fait de moi un bandit.

C'est vrai. Pourtant, l'heure n'est pas aux accusations.

– Non, Gabriel, c'est lui, le bandit.

Gabriel regarde le plafond de l'ambulance, sa respiration devient rauque. Non! Pas des râlements! Ce n'est pas bon signe. Il y a un jeune ambulancier à ma gauche, il se tient aussi près de Gabriel que possible. Son visage est fermé. Il tente de resserrer la pression sur la plaie pour éviter que la perte de sang empire. Dès que la respiration de Gabriel change, je cherche le regard du jeune secouriste. Celui-ci me fait un bref signe de tête.

– Continue de lui parler, tiens-le éveillé! m'encourage-t-il.

– Tristan, tu pourras t'en occuper? me demande Gabriel. Il n'a plus… personne… maintenant. Laure… ne peut pas…

Je rêve, il est en train de mourir, là, devant moi, sous mes yeux. Moi qui n'avais jamais compris le bouleversement de la mort, ce qui fait qu'on pleure, ce qui fait qu'on se sent vide, paralysé, anéanti, je viens de comprendre. Je ne serai plus jamais la même.

Je suis soudainement étourdie.

C'est donc la fin?

Juste comme ça?

Mes doigts agrippent son col.

– Oui, je m'en occuperai.

Mon visage est inondé de larmes et mon corps presque entier est penché sur lui.

– Merci, murmure-t-il.

– Merci, Gabriel, dis-je, après avoir déposé un baiser sur ses lèvres.

Sa main retombe sur la civière. Le jeune ambulancier place le masque à oxygène sur son visage, mais nous savons tous les deux qu'il est déjà trop tard.

Vingt-troisième étage, un long couloir, des portes et des murs, du tapis bordeaux, de fines lumières. Ils ont gravi une à une toutes les marches. Patrick cherche avidement sa salive alors que deux hommes de l'escouade tactique avancent devant lui. *Let's do this*. La voix confiante de Steve résonne en boucle dans son esprit. *Let's do this*.

On lui fait un signe de tête. «Ici».

Patrick avance lentement vers la porte. Il y cogne de son pied avant de se rabattre contre le mur.

– Police! Ouvrez!

Rien. L'agent de l'escouade tactique s'impatiente. Il scrute le regard de Patrick dans l'attente d'un signal. Patrick lève un index sur ses lèvres, le réduisant au silence. «Écoute!» semble-t-il dire.

Un sanglot déchire la nuit. Les quatre équipiers se consultent du regard. Patrick et Steve encadrent la porte de chaque côté, tandis que l'escouade tactique demeure quelques pieds derrière eux.

Patrick montre le compte à rebours à l'aide de ses doigts.

Un, deux, trois… *go*!

Un coup de fusil automatique est tiré sur la poignée. Un homme s'élance d'un grand coup d'épaule, ouvrant la porte bruyamment avant de se replacer en retrait.

Patrick avance, pistolet à bout de bras, tous les sens en alerte. Dans le noir, près de la grande fenêtre, une femme se tient droite, à genoux sur le plancher. Monique.

– Attention! le prévient-elle.

Patrick se fige dans son élan. Les trois hommes qui l'accompagnent deviennent de marbre. Monique a les mains collées à un pistolet, la porte en point de mire, directement sur Patrick.

– Monique, ça va aller

Elle est en état de choc, il doit s'y prendre avec douceur. À sa gauche, Steve se racle la gorge pour attirer son attention. Patrick se retourne et une froideur lui gèle l'échine. Steve a une tige de fer contre la tempe. Cette tige est liée à une détente, qui elle est contrôlée par un homme au visage familier. Les traits de Gabriel sous une peau tannée.

Basile Legris lui-même.

– Lâche ton arme, ordonne Le Chien.

Steve lève les deux bras avec lenteur. Il ouvre la main droite pour laisser tomber son revolver, que Basile repousse du pied.

Où sont les deux autres acolytes du Chien? Patrick réfléchit, transpirant à grosses gouttes. Il est devant un casse-tête.

Joue aux échecs. Place ton jeu. Si Monique est la reine pour l'heure, cela implique qu'elle peut aller dans tous les sens. Elle me vise dans quel but? Ça reste à découvrir. Les fous sont derrière, ils peuvent effectuer différentes manœuvres. Viser la tête du Chien – appelons-le le roi noir –, viser sa main, ou attendre qu'il abandonne.

Troisième option aussitôt éliminée. Tout ceci finira en rouge. Préférablement le sang de Basile, pas le sien.

– Dis-leur ce qui est arrivé à Reynald! ordonne Le Chien à Monique.

– Reynald est mort, annonce-t-elle d'un ton affligé.

– Dis-leur qui l'a tué.

– Moi, dit Monique.

– Maintenant, dis-leur où est la fille.

– Dans le placard, murmure Monique d'une voix tremblante.

– Vivante ? demande Patrick.

– Je ne sais pas, souffle Monique en fermant succinctement les paupières.

– Monique, baisse ton arme, tente Patrick.

– Si tu fais ça, je tire une balle dans la tête de cet imbécile, le menace Le Chien.

D'où il est placé, Patrick voit Monique à six heures et Le Chien à trois heures, il y a donc un angle parfait de quatre-vingt-dix degrés entre les deux menaces. L'un des compères de l'escouade tactique est derrière lui, toujours dans le cadre de porte, à midi, et l'autre se trouve à dix heures. Il est le centre du cadran. Personne ne bouge, le temps s'est arrêté.

Patrick sait que Steve n'est pas un gars patient. Il est imprévisible, mais habile. La dernière fois que Steve a eu un canon sur la tempe, c'était trois ans auparavant, et le criminel en question n'a jamais pu s'en vanter à l'extérieur des murs de la prison fédérale.

Le roi noir menace le cavalier blanc, la reine blanche est menacée et lui, le fou, peut décider n'importe quoi. Sois créatif. Steve n'est pas né de la dernière pluie. Les gars casqués sont entraînés pour ce genre de situation. Réfléchis. Observe. Communique. Déjoue.

Réfléchis. Monique n'aurait pas tué son propre mari. Monique n'a pas tué son mari. Reynald est vivant. Annick n'est pas dans un placard. Annick est vivante aussi. Mais où ?

Réfléchis plus fort. Les deux derniers hommes de Basile sont absents de cette pièce. Question : pourquoi lui avoir dit que Reynald était mort et qu'Annick était dans le placard ? Tout était dicté par Basile. Oui. Mais pourquoi ?

Observe. Il faut examiner le visage de Monique. Elle tient le revolver. Monique n'a jamais tenu une arme de sa sainte vie. Pourquoi Basile aurait-il armé sa victime ? Réponse facile : ce pistolet est vide, c'est un leurre. Elle ne fait qu'obéir pour détourner l'attention. Le Chien a perdu ses hommes, c'est pour ça qu'il est seul ici.

C'est là, dans les yeux de Monique, qu'il a vu toutes les réponses. Un simple clin d'œil de sa part, un petit mouvement d'une fraction de seconde a dissipé le nuage de brume et ouvert son univers à une foule de possibilités.

Patrick passe aussitôt en mode automatique. Son instinct lui crie à tue-tête que ni Reynald ni Annick ne sont morts, mais bien qu'ils se sont enfuis par leurs propres moyens. Ce qui expliquerait l'absence des deux chiens de garde. Monique n'aurait pas pu suivre et, par la force des choses, manipulée par Basile, elle est devenue sa marionnette. Elle obéit.

Patrick espère de toute son âme que le revolver de Monique n'est pas chargé. Elle ne sait pas tirer, tout peut arriver, même l'improbable.

Communique. Il lève les mains pour formuler le coup de bluff de sa vie. Il compte sur la vitesse d'exécution de Steve. Misant sur une action imprévisible pour permettre une diversion, sa voix se fait forte.

– Monique, tire un coup, ordonne-t-il, espérant qu'elle a encore suffisamment d'esprit pour ne pas le viser.

Sans même hésiter, Monique pointe son arme vers la fenêtre. Dans la même seconde et dans un bruit d'une force fabuleuse, un grand trou s'ouvre dans la vitre, qui éclate en mille morceaux. Un vent glacial envahit la pièce.

Déjoue. Le fracas a fait son effet. Tel qu'espéré, Steve en profite pour désarmer Basile d'un geste brusque. Une poigne solide sur sa main et Le Chien est plaqué au plancher et menotté. Monique laisse tomber son arme. Patrick s'approche d'elle en trois enjambées. En se trompant au sujet de l'arme qu'elle tenait, il a réglé la situation, quelle ironie !

– Ça va aller, Monique ! Où sont-ils ?

Je suis descendue de l'ambulance comme d'un vaisseau spatial qui nous ramène d'un voyage de plusieurs années-lumière. Je me concentre pour sentir mes pieds dans mes bottes. J'ai les mains gelées et la tête qui tourne. J'ai besoin de voir ma Géraldine, comme si Annick Levac ne s'était jamais matérialisée. C'est Gégé qui me manque affreusement, pas cette policière sérieuse et professionnelle qui s'est donné pour mission de me garder en vie. Avec Gégé, mes journées étaient tranquilles. Avec Annick, c'est le chaos. Ce n'est pas sa faute, mais c'est ainsi.

La cafétéria de l'hôpital est presque déserte. La femme habillée de bleu me sert le dernier café qui s'évaporait dans la carafe. Le breuvage est chaud et la sensation du carton tiède entre mes mains est délicieuse. Je grimace allègrement lorsque quelques gouttes du café infect atteignent mes papilles gustatives. Peu importe, puisque je suis en vie.

– Évangéline !

Je me retourne lentement. Une jeune femme m'interpelle comme si j'étais sa plus vieille amie.

– Je t'ai cherchée partout !

Je n'ai même pas le temps de me lever que Judith me prend dans ses bras.

– Est-ce que ça va ? Je suis désolée pour Gabriel.

– C'était écrit sur un parchemin, dis-je simplement.

Judith ne semble pas comprendre toute l'ampleur de mon commentaire, puisqu'elle me regarde comme si j'étais une illuminée.

– Tu ne veux pas savoir ce qui est arrivé à Patrick ? me demande-t-elle, le regard si intense que mon cœur s'arrête.

Je me lève rapidement. Patrick, il s'est mis en danger! Il a été blessé lui aussi, j'en suis certaine. Mon instinct ne me trompe jamais.

Les yeux de Judith sont attirés par l'écran vissé au mur. Je l'imite par simple réflexe. En contre-plongée, on peut voir très distinctement une des vitres du gratte-ciel éclater en mille morceaux. L'image est repassée deux fois, au ralenti. Le sensationnalisme médiatique est mis en œuvre à son état le plus pur.

Mes mains sont plaquées sur mon visage. Pour la énième fois depuis la veille, je suis en état de choc.

CHAPITRE 44

La poussière ne retombe pas pour tout le monde

– Madame Labelle?

– C'est Labelle-Fontaine. Vous pouvez m'appeler Évangéline.

J'ouvre la porte pour la première fois depuis des jours. Charles Carrière, le seul journaliste que j'ai accepté de rencontrer jusqu'ici, se tient sur le seuil, un sourire empreint de politesse et de respect sur le visage. *Oh mon Dieu! J'espère qu'il est sincère!*

– Je vous en prie, entrez.

De taille moyenne et portant un costume gris parfaitement coupé, l'homme gravit derrière moi la dizaine de marches qui mènent à mon appartement. Il doit être dans la jeune cinquantaine ou la vieille quarantaine, selon l'angle ou la lumière qui frôle ses tempes grises. Il est suivi d'un caméraman à la grosse tête frisée.

Je les mène à la cuisine pour leur offrir du café, une bière, un verre d'eau. Charles Carrière choisit l'eau, le caméraman, le café. Je m'en sers un aussi, je manque déjà de salive et nous n'avons même pas encore commencé. Le caméraman est au travail, sa lentille pointée sur ma nuque alors que je joue à l'hôtesse. Ça doit être ça, la téléréalité. Aucun *break*, aucune préparation, on vous fout sur la vidéo avant même de dire boo!

– Votre histoire est fascinante, commence-t-il dès son ordinateur portable ouvert sur ma table de cuisine. Évangéline et Gabriel, une cérémonie ratée, Gabriel arrêté par la police, Gabriel qui meurt dans vos bras. Avez-vous parfois l'impression que votre vie était écrite à l'avance ?

Je le toise en silence quelques longues secondes. Depuis le début, c'est vrai, on pourrait croire que ma longue aventure n'a fait que suivre un tracé prédéterminé. Serai-je, comme l'Évangéline de la chanson, une femme au triste destin ? Finirai-je sœur de la Charité ? Je souris à cette idée saugrenue. Je me vois, bonnet rigide en guise de coiffe, chapelet au cou… Un raclement de gorge me rappelle alors que je ne suis pas seule, qu'on attend une réponse. Je me ressaisis.

– Hum, oui, en effet ! Tout ce qui m'est arrivé est digne d'un film de Spielberg. Je serais curieuse de voir les autres prophéties de Henry Wadsworth Longfellow.

– Vous parlez de celui qui a écrit *Évangéline*, je crois.

– Oui, exactement.

– C'était en quelle année ?

– 1847.

– Toutes ces similitudes ont attiré la curiosité du public, affirme-t-il.

– L'échange de coups de feu en pleine cérémonie de mariage dans une église a surtout attisé cet intérêt, monsieur Carrière. Le fait que mon histoire se rapproche de celle de la légende n'est qu'un élément de plus pour animer les conversations. La poussière retombera, je retournerai dans l'ombre.

La lentille noire me fixe. Je sais que c'est en gros plan qu'on verra la tristesse dans mon regard. Je n'ai rien à célébrer aujourd'hui.

Charles Carrière est un professionnel aux manières affectées. Il porte un respect infini aux conventions, à l'étiquette. Il connaît son plan d'action. Il veut me faire parler. Vraiment parler.

Il glisse un doigt entre son cou et sa cravate, comme pour se donner de l'air. Je ne sais pas s'il est nerveux, mais moi, je suis en mode neutre. Le sujet de cet entretien devrait me tirer un torrent de larmes, pourtant, je ne ressens rien.

– Évangéline, nous connaissons tous les faits, votre histoire a été racontée de long en large déjà. Gabriel était votre premier amour, mais il menait une double vie. Vous avez tout de même failli l'épouser et…

– Les Anglais ont débarqué pour l'emmener, finis-je sa phrase pour lui.

Charles Carrière marque une pause, puis lance sa première vraie question.

– Gabriel a-t-il, oui ou non, tiré dans votre direction, ce jour-là?

Mon sourire est vague, tout comme les images de cette affreuse journée dans mon esprit. Charles Carrière est pendu à mes lèvres.

– Je ne sais pas. Il y a eu plusieurs coups de feu.

– Mais vous avez été touchée.

– Oui, au bras. Plus de peur que de mal. La balle m'a effleurée.

Il prend une gorgée d'eau. Je l'imite avec mon café. La balle m'a laissé une cicatrice importante, mais ce n'est pas de ses oignons.

– Je vais sauter plusieurs étapes, car ce qui nous intéresse aujourd'hui, ce n'est pas la séquence des événements… Donc par la suite, trois personnes ont été enlevées.

– Oui. En fait, trois personnes et moi-même.

– Deux policiers et la femme de l'un d'eux.

– Ma meilleure amie et deux autres personnes qui me sont chères.

– Où sont-elles à présent?

Ah! je vois. Ceci est une entrevue où le sensationnel frôle l'atteinte à la dignité. Ma dignité, mes erreurs.

– Monique Juneau est retournée dans sa famille, à Québec. Elle a eu besoin de repos.

Charles Carrière me regarde sans ouvrir la bouche. Il attend, comme un chat devant l'oiseau.

– Vous savez que Reynald Pinsonneault y a laissé sa peau, pourquoi me le faire répéter ?

Le journaliste met sa main sur la mienne, que je retire vivement. La caméra ne quitte pas mon visage. On attend la suite. Je suis l'héroïne du feuilleton de l'heure.

– Je sais à quel point tout ceci est douloureux pour vous, Évangéline…

– Non, je ne pense pas que vous puissiez comprendre, monsieur Carrière.

Le frisé recule, il veut capter la scène au complet. Le malaise de son collègue fait maintenant partie du spectacle.

– J'avais le choix, voyez-vous ? J'aurais pu suivre les demandes du Chien, lui donner ce qu'il voulait.

– C'est-à-dire ?

– Ses ordres étaient clairs : le mener à Gabriel en échange des otages.

– Au lieu de quoi, vous avez…

– …fait appel à la police. Si j'avais su…

– Vous avez des regrets ? me coupe-t-il.

Je lève les yeux vers lui.

– Si j'avais su que Gabriel était son fils et qu'il n'avait aucune intention de lui faire du mal, j'aurais probablement agi autrement, ne croyez-vous pas ?

– Mais vous ne saviez pas. Et Gabriel était votre grand amour.

Voilà la grande question que tous veulent croire. Oui, Gabriel a été l'amour de ma vie. Mais mon cœur blessé est en suspens. Gabriel n'est pas parti avec mon âme. Pour l'instant, j'essaie de guérir plusieurs maux en même temps. Mais ça, ce n'est pas une affaire publique.

– Toute ma vie, il l'a été.

Charles Carrière est un journaliste aguerri. Il sait quand se taire et laisser parler.

– Mes choix ont coûté la vie à deux hommes, monsieur Carrière, sans parler des policiers qui ont risqué la leur. Et de mon amie que je n'ai pas revue depuis ce jour-là.

– Elle vous en veut?

– Oui, et je la comprends. Vous ne m'en voudriez pas, vous? J'ai choisi Gabriel. J'ai risqué sa vie. Si elle s'en est sortie, ce n'est pas grâce à moi. Elle s'est libérée toute seule! C'est la fille la plus courageuse que je connaisse.

– Vous ne pouviez pas tout savoir, tout prévoir, Évangéline. N'avez-vous pas pensé que la parole d'un ravisseur ne valait pas grand-chose?

– Bien sûr! J'ai retourné toutes les possibilités de long en large. Et je n'ai pas cru en un scénario où Le Chien respecterait sa parole, même si j'avais fait ce qu'il demandait.

– Alors, pourquoi le regret?

– Parce que j'ai tout perdu et qu'en fin de compte je n'ai rien fait de bien.

– Qui était Simon Duval? demande le journaliste contre toute attente.

Les larmes montent à mes iris et je sens la lentille se braquer sur moi.

– Un ami.

– Un ami? Je croyais qu'il était cet agent infiltré qui a arrêté Gabriel.

– Il n'a fait que son devoir!

– Attendez, Évangéline. J'aimerais comprendre. Simon Duval, votre ami, était un agent qui se faisait aussi passer pour l'ami de Gabriel. Il l'a arrêté le jour même de votre mariage, arrestation qui a ultimement mené à sa mort, c'est bien ça? Vous vous êtes placée devant Simon Duval et avez pris cette balle dans le bras pour lui volontairement?

– Vous résumez l'histoire comme il vous plaît, monsieur Carrière, et vous posez les mauvaises questions.

– Est-il possible que ce Simon Duval soit plus qu'un ami?

– Ne me mettez pas de mots dans la bouche…

Aïe! Ça dérape! Je suis prise dans un piège et je n'ai ni l'énergie ni la répartie pour m'en sortir indemne.

– Est-il possible que vous soyez celle qui a dénoncé Gabriel?

– Non!

– Vous êtes arrivée avec la police à Havre-Saint-Pierre…

– Je n'en savais rien!

– Tout comme vous ne saviez pas que votre fiancé s'adonnait au trafic de drogue?

– Je vous jure que non…

La caméra s'éteint sur mon visage affolé. Le journaliste a reçu mon verre d'eau au visage, mais il est satisfait: cette entrevue fera fureur sur YouTube.

☆ ☆ ☆

À la suite de cet entretien, la poussière retombe peu à peu, les choses se tassent, la vie continue. Il en est ainsi pour le reste du monde. Pour moi, je ne sais pas. Je me sentirai à jamais responsable du sort des gens que j'ai croisés sur ma route, ceux que je n'ai pas su aider, ceux que j'ai oubliés au passage de la tourmente. Même si on dira que rien n'était ma faute, que j'aurais pu moi-même y laisser ma peau, je ne sais pas.

C'est puéril, mais je ne peux m'empêcher de me demander ce qu'a fait la véritable Évangéline après que son Gabriel a été découvert, embrassé, puis a trépassé. Elle a dû faire ce qu'elle faisait déjà mieux que moi, c'est-à-dire aider son prochain et sacrifier son confort pour ce faire. Je n'ai pas cette résilience.

Je suis de retour à Havre-Saint-Pierre. L'air ici est si pur, si léger, que je peux finalement dire que je respire réellement. Pour l'heure, j'ai repris la chambre d'amis chez Laure. Mon âme tourmentée est en convalescence.

Tristan est superbe. Jamais je ne pourrai prétendre que Gabriel m'aura encombrée d'une bouche à nourrir. J'aurai le bonheur de le voir grandir. Il possède déjà les qualités de son père : patience, grand cœur, charme à vous séduire en moins de deux. Il me lie au Havre pour quelques années, je ne peux pas le déraciner.

Reynald est mort au bout de son sang. J'ai su par Judith les détails atroces du dénouement de leur aventure. Lorsqu'un des geôliers employés par Basile a ouvert la porte de leur prison de fortune dans le but de mettre un terme au bruit qu'ils faisaient pour attirer l'attention, Annick a attaqué le premier homme et Reynald, le second. Les tueurs à gages ont blessé Reynald ; Annick a pris ses jambes à son cou. Monique, elle, s'est attardée auprès de son mari. Puis, elle a tenté de la suivre, mais elle était trop lente. Elle s'est donc fait prendre par Le Chien en personne, d'où sa présence au 23e étage.

Patrick a fait ce qu'il a pu. Il a arrêté Le Chien, chose extraordinaire. Son exploit a été souligné dans la presse. Sa photo à côté de la mienne m'a fait l'effet d'un électrochoc.

Mais il a eu vite fait de me rayer de sa vie. Il a compris que je suis un porte-malheur dévastateur. J'ai accepté le fait. Dès que j'essaie de m'approprier un peu de bonheur, ça ne dure pas.

Cela dit, Patrick Carignan doit ignorer que je l'aime de tout mon être. Il faut que je le laisse vivre sa vie, sans nuages noirs planant au-dessus de sa tête.

Car c'est ainsi que je me perçois.

Un joli nuage noir aux cheveux bouclés et à la peau de porcelaine.

Il est 11 h 45, Patrick dépose lentement son insigne et son revolver sur ce qui était autrefois le bureau de Reynald Pinsonneault. Debout dans la pièce où il a reçu les conseils et les ordres qui ont forgé son talent et son expérience, il médite sur toutes les mauvaises raisons de continuer. Gagner sa vie à combattre le crime, à jouer le rôle d'un autre, à transmettre des rapports incriminant l'un, puis l'autre, à passer des menottes... Son cœur lui dicte autre chose. Il en a assez.

Peut-être que son personnage de Simon Duval représentait, somme toute, une vraie vie pour lui? Cette pensée a pour effet de le troubler. Simon Duval avait quelque chose que Patrick Carignan n'a pas : la liberté d'aimer qui il voulait, même la femme d'un autre, si ça l'amusait. Il était le tombeur, le gars qu'on ne refuse pas et qui ne se prive d'aucun bon moment. Il avait failli rester dans le personnage. Qui n'aurait pas été tenté?

Patrick en est maintenant convaincu, un congé sans solde est la meilleure chose à faire. Mieux, démissionner carrément et aller loin, là où il cessera de voir partout le visage en cœur d'Évangéline, qui a pris d'assaut magazines et conversations. Dans la même seconde, il se ravise. Il ne peut pas fuir! Il doit plutôt aller là où elle est, en chair et en os. Aller la rejoindre, la prendre dans ses bras, respirer le même air, veiller sur elle.

– Qu'est-ce que tu fais? demande une voix masculine.

Steve est accoté au cadre de la porte.

Patrick ne se retourne pas.

– Je fais ce que tu penses que je fais. Je remets mon insigne au fantôme de Reynald et je vais prendre une cuite à sa santé.

– Je viens avec toi.

☆ ☆ ☆

La jeune femme assise au bout de la table, celle aux cheveux blonds sur les épaules, aux yeux tristes et brillants, est Annick Levac. Le serveur vient de déposer un verre de vin rouge devant elle. Elle sourit pour le remercier. Le sergent Turbide est à ses côtés; Jennifer, Judith et Steve sont à la même table.

– Je me sens surveillé, lance Patrick en levant son verre. Qu'est-ce que vous faites tous ici? Je voulais sortir avec mon vieux *chum* Steve.

– Ta gueule, Pat! fait Annick, du côté opposé de la table.

– Un gars ne peut même plus noyer sa honte de n'avoir pas su sauver son chef et sa partenaire sans que tout le monde accoure pour assister à la scène ?

– Pat, t'es déjà soûl. Je crois que tu devrais…, tente Judith.

– Je ne suis pas soûl ! Je suis ivre, la corrige Patrick en hélant le serveur.

– Est-ce que c'est vrai qu'il a remis son insigne ? demande Judith à Steve.

Avant que Steve ne puisse répondre, Patrick se lève.

– Pourquoi parles-tu de moi comme si je n'étais pas là, Judith ? Oui. J'ai remis ma plaque, je n'en ai plus besoin.

Patrick presse sa bouche de ses doigts, un geste spontané pour cacher un hoquet.

– Tu ne peux pas faire ça, Pat, prononce Annick d'une voix calme, dont le ton fait taire la tablée en entier.

– Qu'est-ce que t'as pas compris dans notre petit scénario, Annick ? On devait protéger Évangéline ! On devait rester en vie !

– On devait arrêter Le Chien.

– Ah ça ! On a bien réussi ! Où est Reynald, dis-moi ?

– Nous sommes des policiers, les pertes font partie du boulot. Nous risquons notre vie tous les jours. C'est ça qu'on fait.

– Évangéline n'est pas de la police, elle, précise Patrick en baissant le ton.

– Elle est en un seul morceau, que je sache, relève Annick.

– Lequel de ses membres aurait-elle dû perdre pour que tu considères qu'elle a tenté de te sauver des mains du Chien, hein ?

– Aucun. Elle a fait ce qu'elle a pu. Je le sais, maintenant.

– Tu vas le lui dire ?

– À la première occasion.

– Je n'ai pas été là pour toi, regrette Patrick encore plus bas, portant sa main à son front.

Puis, il se dirige vers la porte.

Annick se cale lourdement contre le dossier de sa chaise, vidée et découragée.

– Tu ne peux pas toujours prendre la charge du monde entier sur tes épaules, murmure-t-elle.

Patrick est déjà sorti.

CHAPITRE 45
La vie au Havre

Pour agrémenter mes journées, il y a le soleil et la mer, qui revient lentement vers la plage jonchée de grosses pierres. J'ai rapidement recommencé à travailler. C'est une immense chance, car j'aurais été vite envoyée à l'asile psychiatrique sinon. Heureusement pour moi, les professeurs diplômés sont rares dans le secteur. Mon entrevue d'embauche a été relativement facile, dans le genre : « On t'attend lundi matin, tu prends la classe de troisième année. » OK, j'y serai.

Laure n'a pas la santé pour prendre en charge Tristan, et Isabelle ne désire pas habiter au Havre; elle veut voir le monde. La dernière volonté de Gabriel tombe donc à point, même s'il n'a laissé aucun testament. Aucun de ses parents n'est présent dans sa vie, personne ne lèvera la main de ce côté non plus pour obtenir la garde de l'enfant. Tristan et moi occupons donc désormais la maison qu'il habitait avec sa mère. Ça me fait frissonner quand je m'y arrête, car j'ai encore cette arrière-pensée que Mireille hante les lieux.

Ici, ce n'est pas avril qui amène les faux jours d'été que l'on connaît à Montréal, mais bien juin. Avant juin, inutile d'espérer. Malgré l'air encore froid, j'ai ouvert toutes les fenêtres, lavé les rideaux, récuré les planchers de chaque pièce et repeint la cuisine. Une ribambelle de loyaux amis, les mêmes qui ont organisé mon mariage, est apparue un dimanche matin à ma porte, portant seaux, balais, rouleaux et pinceaux. Je les ai laissés faire, mais cette fois-ci en les regardant dans les yeux pour les remercier et en prenant la direction des travaux.

Je fais appel à saint Simple, sainte Paix et sainte Patience pour définir ma nouvelle existence. Ma vie est une série de rituels sécurisants.

Ici, les gens préservent le souvenir de Gabriel. Je découvre beaucoup de choses à son sujet. Des témoignages émouvants, des pensées impérissables.

« Gabriel m'a donné cinq mille dollars pour refaire mon toit qui coulait. »

« Gabriel a pris en charge mon adolescent de quinze ans, comme un grand frère. On ne savait plus quoi faire avec lui tellement il était hors de contrôle. »

Ironique, n'est-ce pas, lui qui fournissait la drogue dans le coin !

« Jamais aux enfants. »

Je n'y crois pas. Tout finit entre les mains des enfants. Gabriel a dû essayer d'éviter de les atteindre, je dois lui reconnaître ça.

C'est étrange à quel point la mort des uns peut entraîner chez les autres des changements profonds, comme une guérison de l'âme. Car moi aussi, quelque part dans tous ces bouleversements, j'ai pu guérir. J'ai encore des regrets. Oh ! ça oui ! Ceux de ne pas avoir fait mieux. J'ai surtout le regret de n'avoir pas eu de baguette magique pour régler le sort du monde. Je sais, les baguettes n'existent qu'à travers le regard d'un petit garçon de quatre ans qui voit la lumière se refléter au plafond lorsqu'un morceau de verre ou de métal réverbère un rayon de soleil. Je me plais à y croire, moi aussi.

☆ ☆ ☆

Samedi 9 avril, 21 h 30. Une bagarre vient d'éclater à la brasserie du Havre. Quatre hommes contre un. Les habitués sont coincés dans la cohue.

Un revenant, seul à sa table, grosse bière en fût dans sa main gauche, a attiré malgré lui l'attention de Champion, fraîchement revenu parmi les siens. En liberté provisoire, il doit se tenir tranquille. Toutefois, ce n'est pas un ordre de la cour qui l'empêchera de faire valoir ses droits sur son territoire. Ici, dans cette brasserie, c'est son antre. Trois copains sont là pour lui. À quatre, ils sont capables de sortir le colosse qui s'est installé là, c'est sûr et certain. Surtout lorsque ledit colosse a le visage défait, de l'alcool dans le sang et que l'étincelle de sa prunelle est éteinte. C'est une affaire de rien.

– Je ne suis pas venu pour me battre, annonce Patrick.

– On s'en crisse !

Les quatre hommes l'encerclent alors qu'il est toujours assis tranquillement sur sa chaise de bois, ses longues jambes étendues devant lui avec nonchalance. Deux hommes se tiennent devant lui, et deux derrière.

– Lève-toi, Simon la police, le nargue Champion.

Patrick le regarde d'un air faussement intrigué.

– Je t'ai pas déjà mis au plancher, toi ?

Champion doit encore être armé. Lui ou n'importe lequel des idiots qui l'entourent.

– Alors, tu reviens me faire chier, mais cette fois avec tes copains. Tu te sens plus fort, c'est ça ?

Patrick attend patiemment le premier coup. Ne jamais être l'instigateur d'une bagarre, c'est la règle de base.

Malheureusement, les gars hésitent. Fatigué de la mascarade, Patrick se lève, surplombant de plusieurs pouces chacun de ses quatre adversaires.

☆ ☆ ☆

Dimanche matin, j'ouvre les yeux sur le museau d'un nounours qui me dévisage. Il est rose avec un arc-en-ciel sur la panse et il me parle.

– Bonjour, madame Évangéline !

Ce doit être un rêve puisqu'une odeur de café flotte au-dessus de ma tête. Je me redresse d'un seul coup. Il y a quelqu'un dans la maison ! Quelqu'un d'autre que Tristan, évidemment.

– Tristan, qui est ici ? T'as certainement pas fait le café tout seul…

Des pas dans l'escalier confirment mes doutes. La porte de ma chambre s'entrouvre et non pas une mais deux jeunes femmes apparaissent.

– Salut, beauté, chantonne Isabelle en approchant sur la pointe des pieds.

Annick se tient en retrait. Je tente de me ressaisir.

– Oh mon Dieu ! Vous êtes là, j'en reviens pas !

Je repousse mes couvertures. Je pleure de joie. Très vite, mes larmes de plaisir se transforment en émotions empreintes de culpabilité. Annick, ma Géraldine. Elle est bien là, en chair et en os. Elle n'ose pas sourire, elle n'est plus la même.

– Annick, dis-je, tout bas. Merci d'être venue.

Un spasme me parcourt l'échine. La fille que je prends dans mes bras avec enthousiasme est distante, ses deux bras restent ballants.

– Annick, que se passe-t-il ? Est-ce que tu vas bien ?

Mon amie force un sourire.

– Tout va bien. Je suis contente de te voir, Évangéline.

– Je suis désolée pour Reynald. Comment va Monique ?

– Elle s'en sort.

– Et toi ? Tu t'en sors ?

– Évangéline…

– Tu m'en veux, hein ?

– Non…

– T'as bien raison !

Je continue, sans l'écouter.

– J'aurais dû faire ce qu'il me disait. Il n'aurait pas fait de mal à Gabriel. Je suis tellement désolée, Annick. Je ne savais plus quoi faire, j'étais si perdue…

– Évangéline…

Annick tente de parler, mais sa voix est si douce que je ne l'entends pas tellement je suis centrée sur ce qui occupe ma tête depuis des semaines.

– Comment va Patrick ? Il ne m'a pas contactée. Il m'en veut, lui aussi, de l'avoir mêlé à tout ça. Je l'ai envoyé se jeter dans la gueule du loup comme si je l'avais donné en échange de Gabriel ! Ah ! j'aurais dû le tuer de mes propres mains, ce vieux chien sale !

– Évangéline, arrête ! T'as rien fait de mal, t'avais pas le choix ! T'as fait la seule chose possible ! s'écrie Annick. Patrick n'a fait que son travail.

Je regarde autour de moi. Isabelle est descendue avec Tristan depuis quelques minutes. Je baisse tout de même le ton radicalement.

– Si j'avais su…

Annick me serre fort dans ses bras.

– Vous faites une belle paire, Patrick et toi, dit-elle dans mes cheveux.

Je perçois un sourire dans sa voix.

J'essuie mes yeux du bout d'une manche de pyjama avant de protester.

– Nous ne sommes pas une paire.

– Oh que oui ! vous en êtes une ! insiste Annick.

– Non, je t'assure. Je vis ici maintenant, avec Tristan. Patrick est à Montréal, il n'a plus rien à faire dans le coin. Tout est terminé, la vie continue. J'ai refait la mienne. Ma vie est parfaite, j'ai besoin de rien de plus.

– Tu crois que ça s'arrête là ?

– Pour certaines personnes, c'est comme ça, Annick. Patrick et moi, on n'était pas destinés à être ensemble.

Juste au moment où mon cœur éclate en mille morceaux, alors que je prononce des mots que je ne peux pas admettre, des pas pressés descendent les marches de bois vers le rez-de-chaussée. Quelqu'un était là !

Trois minutes auparavant

Patrick entre sous le regard amusé de Tristan. Il se penche pour le soulever de terre et lui murmurer un secret dans l'oreille. Le petit le serre de toutes ses forces.

Lorsqu'il le repose au sol, Tristan reste collé à sa jambe. La main bandée d'un pansement blanc, Patrick lui caresse le sommet de la tête.

– C'est quoi, ça? demande Isabelle.

– Juste une égratignure.

– Grosse égratignure…

– Où est Évangéline? la coupe-t-il.

– Elle est en haut avec Annick.

– Tu crois que je peux les interrompre?

Isabelle sourit. Oh oui! S'il te plaît! semble-t-elle dire.

Patrick prend une grande inspiration avant de gravir les marches lentement, sans faire de bruit.

CHAPITRE 46
L'auberge

– Pourquoi est-il parti? s'écrie Isabelle en se ruant dans la chambre.

– Quoi? Qui est parti?

– Il était ici il y a quelques secondes. Tu l'as pas vu?

– Non, on ne l'a pas vu, confirme Annick plus calmement que moi.

– Qui ça?

– Je ne comprends pas, il avait l'air content à l'idée de te voir, s'énerve Isabelle.

– Si on ne me dit pas immédiatement de qui on parle, je vais faire une crise! dis-je entre mes dents.

– Patrick! crient-elles ensemble, comme si c'était évident.

– Il est ici?

– Bien sûr qu'il est ici, espèce de grande nouille! s'emporte Annick. Toi et tes grandes idées de «tralalère, je suis heureuse sans lui, on n'est pas destinés à être ensemble!» Eh bien, ça l'a fait fuir!

– Fuir quoi? Pourquoi?

– Viens, il faut le retrouver, s'obstine Annick en me tirant par le bras.

– Mais je suis en pyjama.

– On s'en fiche! beuglent-elles à nouveau en chœur.

– Viens, Évangéline, ajoute Tristan de sa petite voix. Il est venu pour rester avec nous.

J'enfile ma robe de chambre et mes pantoufles. Je suis pantoise !

– Quoi ? Il t'a dit ça ?

Suivie d'Annick et d'Isabelle, je descends les marches deux par deux et je me prends les pieds dans la ceinture de ma robe de chambre. Je me sens projetée dans le vide, dans une position qui promet un atterrissage douloureux. Je ferme les yeux, certaine d'absorber un coup sous les reins, mais deux bras solides m'attrapent. Une chaleur familière m'enveloppe soudain.

– Si j'ouvre les yeux, je vais me réveiller ? demande la petite voix qui hésite à sortir de ma gorge.

– Essaie pour voir.

Je soulève lentement les paupières. C'est bien lui, son visage fraîchement rasé penché sur le mien. Il a une énorme ecchymose sur la tempe gauche, mais plein de tendresse dans les yeux.

À cause de ma chute, nous sommes dans une drôle de position qui doit être très inconfortable pour lui. Il a le dos au mur, les jambes pliées à angle droit. Je fais un mouvement pour me dégager et poser mes pieds sur le sol, mais les bras de Patrick ne se détendent pas d'un millimètre. Au lieu de cela, il se redresse, me soulevant encore plus haut, plus près de son cou.

– Alors, comme ça, toi et moi, c'est pas une bonne idée, hein ?

Il dit ça contre ma tempe. Je sens son souffle juste au-dessus de mon oreille et je ramollis à vue d'œil.

– Exactement, dis-je en baissant les yeux.

– Dis-moi ce que je dois faire, Évangéline.

Je suis déboussolée. Lorsque mon corps se tend à nouveau, il me laisse glisser contre lui. Les deux pieds au sol, je peux reprendre mes esprits et le regarder en face.

Je recule, mais sa main droite attrape la mienne. J'y découvre un énorme bandage. Je détourne sa question par une autre.

– Tu t'es blessé comment ?

– C'est rien. Des voyous…

– Patrick, dis-moi la vérité.

– Champion! Il m'a attaqué hier, avec trois hommes, avoue-t-il.

– Je ne peux pas te laisser faire ça.

– Tu ne peux pas me laisser faire quoi?

– Je ne peux pas te laisser rester ici. Tu ne peux pas rester à Havre-Saint-Pierre. C'est pas un endroit pour toi, tu le vois bien!

Son regard déjà sombre devient noir, sa mâchoire se serre.

– Pourquoi pas?

– Parce que t'es pas le bienvenu. Ta vie n'est pas ici.

Annick et Isabelle sont figées. J'ai presque oublié leur présence. Tristan tend les bras à Patrick et, dès que celui-ci se penche vers lui, l'enfant s'accroche à son cou, sa joue collée à la sienne. Ils font un beau duo, c'est attendrissant.

– C'est quoi, ces conneries, Évangéline? demande-t-il alors que le visage rondelet de Tristan se blottit dans son cou.

– Tu ne peux pas vivre là d'où on t'a banni. Je ne peux pas te laisser endurer ça. Ici, Gabriel était un héros local, les gens l'aimaient. Ne le vois-tu pas? Tu arrives et tu dois te battre le soir même!

Je tends les bras vers Tristan, mais celui-ci se colle davantage à Patrick, les yeux pleins d'eau.

– C'était seulement Champion! s'écrie-t-il en décollant Tristan de sa poitrine pour me le tendre.

– Et trois autres!

Il hausse les épaules.

– J'aurais pu en prendre trois de plus.

– Tu veux vivre comme ça?

Il lève les paumes vers le ciel. Sa voix murmure dans un profond soupir.

– Évangéline, je veux vivre là où tu es, même s'il faut que je dépoussière mes épaules du poids de quelques idiots de temps à autre… Ne me demande pas de partir.

Devant mon silence, Patrick baisse les yeux au sol, non sans proférer un juron. Annick secoue la tête, incapable de ne pas s'ingérer dans la conversation.

– Ève! Qu'est-ce que tu fais là? T'es folle! s'insurge-t-elle.

Isabelle retient Annick d'une main, lui intimant de ne pas s'en mêler. Je lui en suis reconnaissante. Je suis déjà suffisamment triste sans qu'on me mette de la pression supplémentaire. Ma tête bourdonne, je suis à la veille de craquer.

Il y a des jours que j'ai décidé d'être sage, de suivre mon esprit logique et d'apprendre de mes bêtises. Avec l'air frais du nord, j'ai eu pleinement le loisir de me plonger dans une longue réflexion sur ma vie et mes erreurs passées. Malgré le trouble sur son visage, tout ce que je vois en Patrick, c'est l'image d'un aventurier. Un autre bel oiseau aux grandes ailes qui volera haut et atteindra les nuages. Moi qui suis dans une petite cage dorée et heureuse d'y être, j'ai désormais appris au moins une grande leçon de toute cette histoire : on n'emprisonne pas les oiseaux sauvages. Qu'est-ce que l'amour si ce n'est pas de vouloir le bonheur de l'autre? Si je lui demande de rester, qu'aurai-je appris de tous ces mois d'anxiété? Non, cette fois-ci, j'ai eu ma leçon.

– Un jour, tu vas comprendre pourquoi je te demande de partir. C'est la vraie vie, désormais. Ma vraie vie. Ton rôle est terminé. T'es pas Simon Duval. T'es Patrick Carignan, agent infiltré, marié à une vie trépidante, voué aux causes dangereuses, motivé par l'adrénaline. Si tu restes ici, tu vas mourir d'ennui et finir par me trouver chiante. Tu vas me briser le cœur.

– C'est ridicule!

– Je veux que tu partes.

Patrick cligne les paupières en reculant. Il prend plusieurs secondes avant d'ouvrir la bouche. Lorsqu'il se décide enfin à parler, il réussit à me planter un coup dans le cœur comme je ne l'en aurais jamais cru capable.

– T'as raison, je finirai par te trouver chiante.

Patrick est perché sur le toit de l'auberge, une main plaquée sur un bardeau abîmé par le temps, marteau dans l'autre, lorsqu'il m'aperçoit arriver de loin. Je vois un sourire illuminer son visage l'espace d'une fraction de seconde, mais, très vite, sa joie disparaît. Il retire ses gants et les lance à ses pieds pour entreprendre de descendre l'échelle de métal.

– T'as acheté l'auberge?

Je pose la question directement à défaut de dire bonjour, les mains appuyées sur les hanches et le cou tordu pour le dévisager.

Dès qu'il arrive à ma hauteur, il croise les bras et regarde au loin, comme s'il y avait une foule derrière moi. Mais nous sommes seuls, alors j'en déduis qu'il évite de poser les yeux sur moi. Ses cheveux bruns sont désormais un peu trop longs, sa barbe doit dater de trois jours et il a une tache de suie dans le cou. Sa chemise noire tombe sur ses épaules musclées, ses jeans usés mettent en valeur des jambes de highlander plantées dans des bottes de travail mal attachées. Patrick n'a jamais été aussi débraillé.

Comme il ne me répond pas, je lève la main pour le pousser. Il ne bouge pas d'un millimètre.

– Patrick!

Maintenant, il me fixe droit dans les yeux. Je dois placer mes idées en ordre d'importance dans mon esprit. D'un, pour ne pas me torturer par son éventuelle absence; de deux, pour ne pas me torturer par sa présence; de trois, pour ne pas me torturer si les gens ici lui font la vie dure; de quatre, pour oublier que je suis faible et que je veux qu'il demeure avec moi pour le reste de mes jours. Pour accepter qu'il me trouve ennuyeuse. Pour le laisser s'en aller… Oui, le laisser partir sans pleurnicher. C'est mieux pour tout le monde. Mais avant, je dois savoir.

– Pourquoi tu m'as pas dit que t'avais acheté l'auberge?

Je le pousse à nouveau, cette fois-ci de mes deux mains, sur sa poitrine. Je n'aurais pas dû le toucher, c'est trop difficile; mon cœur est en compote.

Son visage change et il attrape mes mains d'une seule des siennes.

– Arrête de t'énerver. J'en ai pris possession l'été dernier et, là, je fais des réparations pour la revendre. Luc Jomphe est intéressé et prendra probablement la relève.

Sa main chaude serre les miennes une dernière fois avant de les relâcher.

– Maintenant, laisse-moi travailler, s'il te plaît, Évangéline.

– Mais…

– S'il te plaît, insiste-t-il.

CHAPITRE 47
Rien n'est comme on le pense

La porte d'entrée s'entrouvre. Je me recroqueville davantage sur moi-même. Peu importe qui est là, je ne veux voir personne. À part Tristan, il n'y a pas une âme qui vive dans les environs à qui j'ai envie de parler.

– Évangéline… Évangéline !

– Va-t'en, Isabelle.

Mais elle n'a aucune intention de m'obéir. Tant mieux, car je suis en train de tomber dans un puits d'où je ne pourrai plus sortir. De plus, j'ai des questions à lui poser.

– Tu veux un café ? offre-t-elle.

– Oui. S'il te plaît.

Je me lève pour la suivre à la cuisine. Elle ne cherche pas longtemps dans mes placards pour trouver le paquet de café. Isabelle entreprend la conversation comme si elle lisait dans mes pensées.

– Tout est terminé, tu sais, Évangéline. Ça ne sert à rien de ressasser le passé.

– Je ne sais pas de quoi tu parles.

– Tu veux savoir pourquoi Patrick a acheté l'auberge ou non ?

– Je m'en fiche.

– Bien sûr, et moi, je suis la fée des étoiles.

– Ah ! je le savais !

– Tu savais quoi ?

– Que je t'avais déjà vue quelque part, dis-je, ironique.

Elle vide l'eau de la carafe dans le récipient de plastique et le dépose sur le réchaud.

– Patrick est arrivé il y a deux ans. On l'a rapidement adopté comme l'un des nôtres. Il le fallait, étant donné les circonstances, ajoute-t-elle.

– Isabelle, je viens de dire que je m'en fous…

Heureusement, elle m'ignore totalement et continue sur sa lancée. J'ai les oreilles grandes ouvertes, je veux tout savoir.

– Pour te faire une histoire courte, les propriétaires de l'auberge, Daniel Jomphe et Johanne Vinet, avaient mentionné vouloir donner à leur fille la chance de poursuivre ses cours de chant. Mais c'est pas donné! Ici, aucune possibilité ne s'offrait à elle.

– Mmmm…

– Évangéline, est-ce que tu m'écoutes?

– Qui a brodé ces fleurs? fais-je en pointant son chemisier.

Son regard suit la trajectoire du mien.

– C'est Mireille.

Ennuyée, elle saisit mes épaules.

– Ce que j'essaie de dire, continue-t-elle, c'est que Patrick a offert de les libérer de leur auberge et de leur donner le coup de pouce financier par le fait même.

Je lève finalement les yeux vers elle.

– Alors quoi? Il a l'intention de devenir aubergiste?

Mon ton ne cache pas le ridicule de l'image qui passe dans ma tête. Isabelle comprend mon étonnement et sourit.

– Tout à fait, dit-elle en dévoilant ses dents blanches par son sourire doux. Il a mentionné qu'après l'enquête il resterait ici. Il aime la paix, la mer, les touristes… Puis, t'es apparue dans sa cabine de douche avec tes grands yeux noirs. Ça n'a pas été long pour que tout le monde sache que Gabriel n'avait plus aucune chance.

– Je ne suis pas apparue dans sa cabine de douche. On m'a manipulée pour que j'aboutisse là.

Elle hausse les épaules.

– Peu importe.

– Oh! Isabelle…

– Évangéline, me coupe-t-elle. Vas-tu vraiment le laisser s'en aller?

Je hoche la tête, le visage caché dans mes mains.

– Il est trop tard maintenant, de toute façon. J'ai tout gâché, il ne veut plus me voir.

– Qu'est-ce que tu racontes? Il est déçu de ta réaction, mais…

Je l'interromps.

– Il a décidé de partir. C'est mieux comme ça. Il passera son temps à partir, à aller risquer sa vie, à changer de nom. Je ne veux même pas imaginer les heures terribles à l'attendre.

– Personne ne t'a mise au courant?

– Au courant de quoi?

Mon ton change. *Quoi encore?*

– Il a remis son insigne, il a pris sa retraite de la police. Il a même vendu son loft.

– Pardon?

Mes yeux viennent de s'ouvrir tout grand.

– Pourquoi est-ce qu'il a fait ça?

– Ça me semble évident, Évangéline. Franchement, il n'y a que toi pour ne pas l'admettre.

On dirait que l'échelle qui mène au toit de l'auberge est moins stable lorsque c'est moi qui la monte. Je sens une vibration sous les pieds et dans les mains à chaque barreau.

Le toit est très à pic. J'ai du mal à garder mon équilibre, mais la vue est imprenable. On voit l'église d'un angle nouveau, la marina en second plan, et, au loin, on aperçoit la mer. Cette mer que je n'ai pas encore touchée du bout des orteils. Pendant un instant presque magique, j'en oublie mes soucis et j'apprécie le paysage.

Jusqu'à ce que j'aie la peur de ma vie.

Il me fait sursauter en arrivant de nulle part. J'en perds le peu d'équilibre que j'ai. Mon pied glisse, je sens mes genoux frotter contre la paroi de métal. J'entends un juron avant de m'accrocher à un poignet ferme qui m'empoigne sous les aisselles sans ménagement.

– Qu'est-ce que tu fais là ? T'aurais pu te tuer ! gronde la voix de Patrick à mon oreille.

Je me retourne vers lui, mais les mots me manquent. Je suis partagée entre le soulagement d'être enfin dans ses bras et la peur du vide. Non, je n'ai pas peur de tomber sur ce qui reste de neige sur le sol d'avril, car un homme nommé Patrick Carignan me tient très fort. Jamais il ne me laisserait tomber.

Jamais il ne m'aurait laissée tomber. Si je n'avais pas tout gâché avec ma peur et mon imagination…

Je vois clair désormais, grâce à Isabelle. Je crois que je l'ai mal jugé. Je l'ai comparé à Gabriel. Pire ! J'ai confondu la profondeur d'âme de Patrick avec la folie de Gabriel. Patrick n'est pas comme lui. Comment ai-je pu l'imaginer un seul instant ?

– Je suis venue te demander de rester, Patrick.

– Je pars ce soir.

Alors qu'il dit cela, sa main parcourt mon dos et finit sur ma nuque, puis ses doigts se perdent dans mes cheveux. Je vois le regret dans ses yeux.

– Je ne comprends pas…

Il me repousse. J'ai mal au cœur, mais je l'ai bien cherché. Il a le droit de changer d'idée. Seuls les fous ne changent pas d'idée et Patrick est loin de l'être. Je ne pourrai jamais lui en vouloir.

– Il s'est mis devant moi, Évangéline, souffle-t-il alors qu'il me tourne le dos, les mains sur les hanches.

– Quoi ?

– Annick vient de m'appeler. On a revu la vidéo des dizaines de fois. Gabriel a probablement vu le tireur et il s'est placé devant moi. Il m'a sauvé la vie.

– Oh mon Dieu!...

– Le Chien avait donné l'ordre formel de ne pas viser son fils. Alors, tout indique que Gabriel n'était pas le salaud que je croyais. Je suis désolé, Évangéline...

– Mais alors, tu le savais déjà, tu étais là !

Patrick se prend la tête à deux mains. C'est de la torture pour lui, j'en suis consciente. Pourtant, je dois savoir.

– Je m'en doutais sans vouloir y croire. T'avais raison, Évangéline, je dois m'en aller.

CHAPITRE 48
Un héros improbable

Le mot s'est rapidement répandu dans tout le Québec. «Gabriel Laurin a donné sa vie pour son rival» est en gros titre dans le *Journal de Montréal*. La vidéo présentée sur YouTube roule à plein régime, des centaines de visionnements en quelques heures à peine. On les voit très bien, Patrick et Gabriel. Un homme sort de nulle part, Gabriel est pris en étau par la prise de Patrick, mais il fait une enjambée qui lui permet de couvrir Patrick et de prendre le projectile sous les côtes. On voit Patrick tenter de retenir Gabriel et s'efforcer de le glisser dans la voiture, sur la banquette arrière. Patrick semble crier, mais on n'entend pas clairement le son de sa voix.

Au vu et au su de ces faits, une messe de funérailles officielle pour Gabriel est dite à Havre-Saint-Pierre et la ville est remplie de visiteurs inhabituels. Son nom est devenu synonyme de fierté. Les médias se sont déplacés et pointent leurs lentilles sur Tristan et moi.

Patrick a dû revenir au Havre pour l'événement. Visage fermé, il répond aux journalistes comme un digne politicien qui vient de présenter un budget national déprimant. Il ne regarde pas ses pieds, il maintient son port de tête droit et franc, mais sa vision se perd vers l'horizon.

– Non, nous n'étions pas amis, répond-il à regret pour la troisième fois en un quart d'heure.

Il zyeute tout le monde et personne. Il a hâte de déguerpir.

Puis vient la question qui tue.

– Nous avons entendu dire que vous et Évangéline seriez amoureux. Est-ce vrai?

Charles Carrière est ici. Je ne peux pas y croire. Nous sommes dans la salle communautaire, une petite conférence de presse a été prévue pour en finir une fois pour toutes et Carrière, le journaliste le plus rapace de la planète, s'est faufilé dans le tas. C'est lui qui pose cette question à Patrick. Je vais lui faire manger son micro!

Patrick plante son regard sombre sur l'homme au costume gris.

– Oui, c'est vrai.

J'ai encore mal aux yeux, les flashs m'ont aveuglée. Même si Annick était assise entre Patrick et moi, la tension était palpable dans l'air. Je suis sortie de la grande salle sans répondre aux questions que l'on m'a jetées. La neige tenace de la fin d'avril craque sous mes pas alors que je cours chez Laure. J'ai besoin de prendre Tristan dans mes bras et d'entendre les mots réconfortants de Laure. Sans eux, ce serait dans les bras de Patrick que je me lancerais. De toute façon, j'ai mes doutes sur l'accueil qu'il me réserverait.

– Que fais-tu ici, Évangéline? demande Laure, surprise de me voir.

J'ai les mains sur les cuisses pour reprendre mon souffle.

– Il fallait que je sorte de là. Où est Tristan?

– Il dort dans ma chambre.

– Laure, je ne sais pas quoi faire! J'ai le cœur… j'ai le cœur… dans la gorge…

Elle marche vers moi. Son visage est magnifique et ses mots me remplissent d'apaisement.

– Aime-le, Évangéline, c'est pourtant simple.

La porte est encore ouverte derrière moi. À cette heure de l'après-midi, le soleil tombe directement dans le vestibule. Je me retourne lorsque des pas montent l'escalier de bois et qu'une silhouette plus grande que nature apparaît en contre-jour. Il m'a suivie. Laure ouvre la bouche sur un sourire attendri.

– C'est simple, Évangéline, répète-t-elle derrière moi.

Il est là. Je n'ai qu'à lever les yeux.

Pourtant, c'est difficile, j'ai peur.

Patrick, qui a passé la journée à faire semblant de ne pas me voir, reporte toute son attention sur moi. Son visage est tendu, ses yeux sont humides. Un homme qui verse des larmes, ça me chavire le cœur.

– Patrick, tu pleures?

– Non…

Je monte mes doigts à son visage. Sa joue tombe dans ma main tremblante au moment où il penche la tête. Il regarde ma bouche, puis mes yeux, puis mon front; ses mains frôlent mes cheveux puis s'éloignent. Il ne sait plus s'il peut me toucher, il est hésitant. Plus déconcerté que moi, si cela est possible. Sa joue est douce dans ma paume, il s'est rasé pour les funérailles. Il porte du noir, il est si grand et pourtant si sensible.

Finalement, après plusieurs secondes d'hésitation, son front se colle au mien.

Aime-le, c'est pourtant simple.

Avant que je n'aie le temps d'essayer de le rassurer, de le consoler, de m'excuser pour toutes les idioties qui sont sorties de ma bouche depuis les dernières semaines, c'est Patrick qui prend la parole. Sa voix est basse, décidée, rauque. Mon sang cascade de ma tête à mes chevilles.

– Je ne passerai pas le reste de ma vie à me demander si j'ai le droit de t'aimer, Évangéline. Je ne passerai pas les prochaines années à éviter les questions nous concernant. Je ne veux pas me tourmenter à me demander si j'aurais dû me planter devant toi pour te le faire comprendre. Je ne saurai jamais ce que Gabriel a eu en tête, s'il me détestait ou non, mais une chose est certaine, il t'aimait profondément. Je ne tenterai jamais de t'enlever ça.

J'ouvre la bouche, mais il place deux doigts sur mes lèvres. Il n'a pas terminé.

– Je veux que ce soit clair et qu'il n'y ait aucune ambiguïté dans ton esprit. Je t'aime depuis que je t'ai trouvée dans la cabine de douche; ton courage m'a vraiment surpris, ta façon de me tenir tête, c'était rafraîchissant! Quand t'as mis ce pyjama de flanelle ridicule pour dormir dans mes bras, j'étais en transe. J'ai eu bien des aventures dans ma vie, pourtant, cette nuit-là est restée dans mes tripes. Je t'ai mal protégée et je m'en veux à mort. Je te promets que ça n'arrivera plus jamais.

La porte est encore ouverte derrière nous et plusieurs micros ont capté les mots de Patrick. Évidemment, les caméramans ont filé à ses trousses. Depuis qu'il a fermé la bouche sur sa dernière promesse, on entendrait une mouche voler. Lui-même ne respire plus. À ce que je sache, le Québec est pendu à mes lèvres.

– Embrassez-vous! crie une voix.

– Viens, il y a trop de monde ici, dit-il en me tirant vers le salon et en fermant la porte d'un coup de talon.

Comme si l'isolement du salon ne suffisait pas, Patrick me guide vers l'escalier qui monte à l'étage sans lâcher ma main. Nous sommes maintenant seuls dans la chambre d'amis et, lorsqu'il se penche vers moi, mes doigts attrapent son visage. J'entrouvre les lèvres et la fraction de seconde que je dois attendre pour qu'il couvre ma bouche de la sienne, pour que je puisse abandonner tout ce qu'il me reste d'esprit dans sa chaleur, me semble durer une éternité. Mon univers se défait enfin pour se refaire, tel un casse-tête dont on trouve tous les morceaux. Je me détache de son emprise pour murmurer contre sa joue.

– Je tâcherai de ne pas être chiante.

– Jure-moi que t'as pas cru ça C'est la pire connerie que j'ai dite dans ma vie. J'étais en colère, je me suis senti con jusqu'à aujourd'hui…

Je l'embrasse de nouveau, pour faire taire sa douleur. Oui, je l'ai cru, il avait raison.

– Moi, je me suis sentie coupable depuis que tu es apparu à mon mariage et que t'as interrompu la cérémonie. J'étais soulagée. Je ne pouvais pas admettre une chose pareille. Je ne comprenais pas ce qui arrivait…

– Je croyais que tu me haïrais pour toujours. J'aurais compris, tu sais.

Un sourire ému anime ses yeux.

– Quand tu t'es mise devant moi et que t'as été blessée, je m'en suis tellement voulu. Personne au monde ne m'aura jamais détesté plus que moi-même, termine-t-il, la douleur crispant sa mâchoire.

– Non. Tu ne faisais que ton travail, tu n'avais aucune prise sur mes actions. Tu ne pouvais pas deviner que j'étais aussi folle que toi. Surtout en robe de mariée, marchant vers l'autel avec l'intention de faire des promesses à un autre.

– Je n'ai jamais eu si peur de toute ma vie, souffle-t-il, et je ne parle pas que des coups de feu. Tu es la personne la plus courageuse que je connaisse.

Dehors, des voix s'agitent. Nous avons oublié l'auditoire que nous avons abandonné au rez-de-chaussée. Les journalistes se sont remis à s'énerver, puis à lever la voix tour à tour.

– Allons-y! dit Patrick en me tirant doucement vers les marches.

Nous restons muets devant les cliquetis répétés des flashs. Aucun mot ne peut résumer ce que nous aurions pu dire ou exprimer.

Les journaux tireront eux-mêmes leurs conclusions. Si nous sommes chanceux, au moins un article se terminera par la formule consacrée : « et ils vécurent heureux… »

Fin

Remerciements

Merci, Dorothée Sanchez, pour ta collaboration quotidienne lors de la première écriture. Tu as fait preuve d'une patience d'ange. Marie-Christine Forget, Marie-Isabelle Boucher, merci!

Merci, Catherine Bourgault, d'avoir lu, relu et rerelu. Merci pour ta franchise constructive.

Merci à Ingrid Remazeilles, à Corinne De Vailly, à Olivier Rolko et à l'équipe des Éditions Goélette. Je suis consciente de la chance que j'ai.

Maman, ma tante Claire, mamie, vous savez pourquoi.

Merci à mon frère René Potvin; c'est lui le chasseur sous-marin, un réel expert à découvrir.

Merci, Jonathan Cayer, pour mon site web.

Merci à l'équipe de Numerik:)livres pour la première publication de ce roman et à Sylvain Hamel et Julie Charbonneau pour la photo des bottes blanches.

Sandrine, Thierry et Jean-Marc, une montagne d'amour.

Merci au poète américain Henry Wadsworth Longfellow.

Marie Potvin

De la même auteure :

Les héros,
ça s'trompe jamais

Tome 1 :	Tome 2 :	Tome 3 :
En librairie	Hiver 2014	Automne 2014

ww.editionsgoelette.com   Les Éditions Goélette   www.facebook.com/EditionsGoelette

MARQUIS

Québec, Canada

Achevé d'imprimer en octobre 2013
sur les presses de l'imprimerie Marquis Gagné